TOSEL®

READING SERIES

READING

PRE-STARTER

FOR TEACHERS

ITC International TOSEL Committee

CONTENTS

BROCHURES

TOSEL® Level Chart TOSEL 단계표

**TOSEL은 비영어권 국가들의 영어 사용자들을 대상으로 영어 구사능력을 평가하여
그 결과를 공식 인증하는 영어 능력인증 시험제도입니다.**

COCOON

아이들이 접할 수 있는 공식 인증 시험의 첫 단계로써 아이들의 부담을 줄이고
즐겁게 흥미를 유발할 수 있도록 다채로운 색상과 디자인으로 시험지를 구성하였습니다.

Pre-STARTER

친숙한 주제에 대한 단어, 짧은 대화, 짧은 문장을 사용한 기본적인 문장표현 능력을 평가합니다.

STARTER

일상과 관련된 주제 / 상황에 대한 짧은 대화 및 문장을 이해하고
알맞은 응답을 할 수 있는 기초적인 의사소통 능력을 평가합니다.

BASIC

개인 정보와 일상 활동, 미래 계획, 과거의 경험에 대해 구어와 문어의 형태로 의사소통을
할 수 있는 능력을 평가합니다.

JUNIOR

일반적인 주제와 상황을 다루는 회화와 짧은 단락, 실용문, 짧은 연설 등을 이해하고 알맞은 응답을 할 수 있는 의사소통 능력을 평가합니다.

HIGH JUNIOR

넓은 범위의 사회적, 학문적 주제에서 영어를 유창하고 정확하게 사용할 수 있는 능력 및 중문과 복잡한 문장을 포함한 다양한 문장구조의 파악 능력을 평가합니다.

ADVANCED

대학 수준의 영어를 사용하고 이해할 수 있는 능력 및 취업 또는 직업근무환경에 필요한 실용영어능력을 평가합니다.

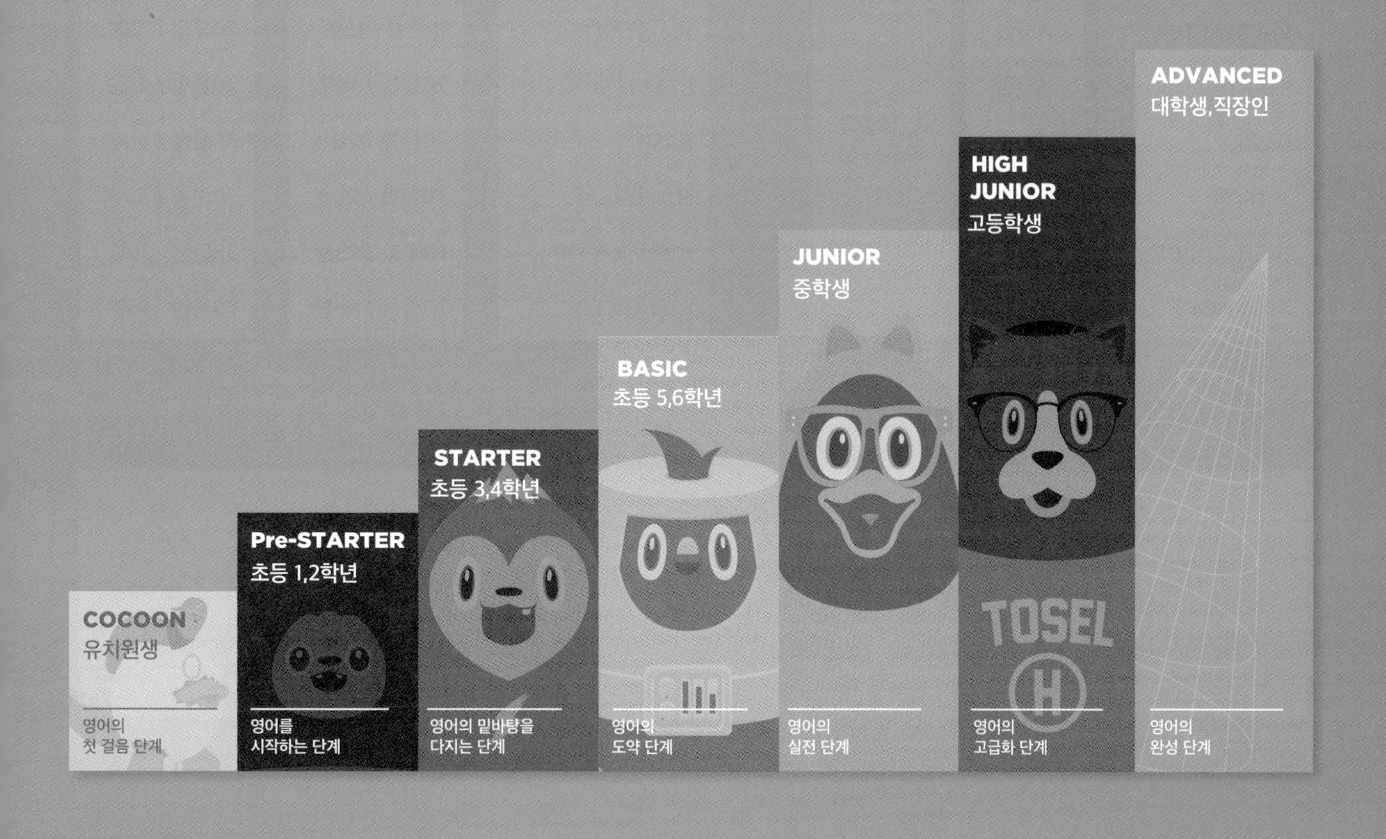

About TOSEL® — TOSEL에 대하여

대상	목적	용도
유아, 초, 중, 고등학생, 대학생 및 직장인 등 성인	한국을 비롯한 비영어권 국가 영어 사용자의 영어구사능력 증진	실질적인 영어구사능력 평가 + 입학전형 / 인재선발 등에 활용 및 직무역량별 인재 배치

영어 사용자 중심의 맞춤식 영어능력 인증시험제도

획일적 평가에서 맞춤식 평가로의 전환

TOSEL은 응시자의 연령별 인지 단계, 학습 수준 등을 고려한 문항과 난이도를 적용하여 맞춤식 평가 시스템을 구축하였습니다.

공정성과 신뢰성 확보 국제토셀위원회의 역할

TOSEL은 대학입학 수학능력시험 출제위원 교수들이 중심이 된 국제토셀위원회가 출제하여 사회적 공정성과 신뢰성을 확보한 평가제도입니다.

수입대체 효과 외화유출 차단 및 국위선양

TOSEL은 해외 시험 응시로 인한 외화의 유출을 막는 수입대체 효과를 기대할 수 있습니다. TOSEL의 문항과 시험제도는 비영어권 국가에 수출하여 국위선양에 기여하고 있습니다.

배점 및 등급

구분	배점	등급
COCOON	100점	1~10등급으로 구성
Pre-STARTER	100점	
STARTER	100점	
BASIC	100점	
JUNIOR	100점	
HIGH JUNIOR	100점	
ADVANCED	990점	

문항 수 및 시험시간

구분	Section I Listening & Speaking	Section II Reading & Writing
COCOON	15문항 / 15분	15문항 / 15분
Pre-STARTER	15문항 / 15분	20문항 / 25분
STARTER	20문항 / 15분	20문항 / 25분
BASIC	30문항 / 20분	30문항 / 30분
JUNIOR	30문항 / 20분	30문항 / 30분
HIGH JUNIOR	30문항 / 25분	35문항 / 35분
ADVANCED	70문항 / 45분	70문항 / 55분

응시 방법 안내

01 홈페이지 접속

02 온라인 접수

03 응시료 결제

04 접수확인 및 수정

05 수험표 출력 및 고사장 확인

06 시험응시

*지원서 작성은 온라인(www.tosel.org) 및 지역 본부를 통해 가능합니다. 학업성취기록부, 성적표 확인을 위해 회원가입은 필수입니다.

Evaluation 평가

기본 원칙

TOSEL은 PBT(PAPER BASED TEST)를 통하여 간접평가와 직접평가를 모두 시행합니다.

TOSEL은 언어의 네 가지 요소인 읽기, 듣기, 말하기, 쓰기 영역을 모두 평가합니다.

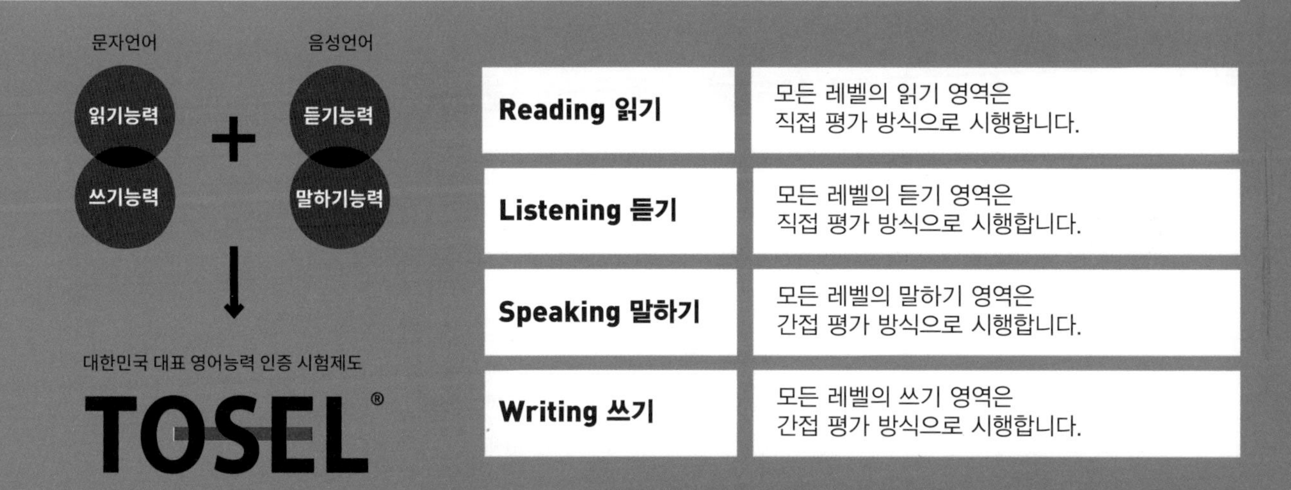

Reading 읽기	모든 레벨의 읽기 영역은 직접 평가 방식으로 시행합니다.
Listening 듣기	모든 레벨의 듣기 영역은 직접 평가 방식으로 시행합니다.
Speaking 말하기	모든 레벨의 말하기 영역은 간접 평가 방식으로 시행합니다.
Writing 쓰기	모든 레벨의 쓰기 영역은 간접 평가 방식으로 시행합니다.

TOSEL은 연령별 인지단계를 고려하여 **7단계로 나누어 평가합니다.**

단계	레벨	대상
1 단계	TOSEL® COCOON	5~7세의 미취학 아동
2 단계	TOSEL® Pre-STARTER	초등학교 1~2학년
3 단계	TOSEL® STARTER	초등학교 3~4학년
4 단계 	TOSEL® BASIC	초등학교 5~6학년
5 단계	TOSEL® JUNIOR	중학생
6 단계	TOSEL® HIGH JUNIOR	고등학생
7 단계	TOSEL® ADVANCED	대학생 및 성인

TOSEL® History —— 연혁

2002 ~ 2010

- 2002. 02 | 국제토셀위원회 창설 (수능출제위원역임 전국대학 영어전공교수진 중심)
- 2004. 09 | TOSEL 고려대학교 국제어학원 공동인증시험 실시
- 2006. 04 | EBS 한국교육방송공사 주관기관으로 참여
- 2006. 05 | 민족사관고등학교 입학전형에 반영
- 2008. 12 | 고려대학교 편입학시험 TOSEL 유형으로 대체
- 2009. 01 | 서울시 공무원 근무평정에 TOSEL점수 가산점 부여
- 2009. 01 | 전국 대부분 외고, 자사고 입학전형에 TOSEL 반영
  (한영외국어고등학교, 한일고등학교, 고양외국어고등학교, 과천외국어고등학교, 김포외국어고등학교, 명지외국어고등학교, 부산국제외국어고등학교, 부일외국어고등학교, 성남외국어고등학교,인천외국어고등학교, 전북외국어고등학교, 대전외국어고등학교, 청주외국어고등학교, 강원외국어고등학교, 전남외국어고등학교)
- 2009. 12 | 청심국제중, 고등학교 입학전형 TOSEL 반영
- 2009. 12 | 한국외국어교육학회, 팬코리아영어교육학회, 한국음성학회,
  한국응용언어학회 TOSEL 인증
- 2010. 03 | 고려대학교, TOSEL 출제기관 및 공동 인증기관으로 참여
- 2010. 07 | 경찰청 공무원 임용 TOSEL 성적 가산점 부여

2011 ~ 현 재

- 2014. 04 | 전국 200개 초등학교 단체 응시 실시
- 2017. 03 | 중앙일보 주관기관으로 참여
- 2018. 11 | 관공서, 대기업 등 100여 개 기관에서 TOSEL 반영
- 2019. 06 | 미얀마 TOSEL 도입 발족식
  베트남 TOSEL 도입 협약식
- 2019. 11 | 고려대학교 편입학전형에 TOSEL 반영

Why TOSEL® 왜 TOSEL인가

01

학교 시험 폐지

중학교 이하 중간, 기말고사 폐지로 인해 객관적인 영어 평가 제도의 부재가 우려됩니다. 그러나 전국단위로 연간 4번 시행되는 TOSEL 정기시험을 통해 학생들은 정확한 역량과 체계적인 학습 방향을 꾸준히 진단받을 수 있습니다.

02

연령별 / 단계별 대비로 영어학습 점검

TOSEL은 응시자의 연령별 인지단계와 영어 학습 정도 등에 따라 총 7단계로 구성됩니다. 각 단계에 알맞은 문항 유형과 난이도를 적용해 연령 및 학습 과정에 맞추어 가장 효율적으로 영어실력을 평가할 수 있도록 개발된 영어시험입니다.

03

학교 내신성적 향상

TOSEL은 학년별 교과과정과 연계하여 학교에서 배우는 내용을 복습하고 평가할 수 있도록 문항 및 주제를 구성하여, 내신영어 향상을 위한 최적의 솔루션을 제공합니다.

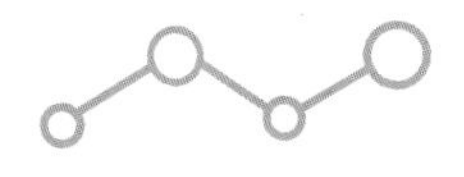

04

수능대비 직결

유아, 초, 중학시절 어렵지 않고 즐겁게 학습해 온 영어이지만, 수능시험준비를 위해 접하는 영어 문항의 유형과 난이도에 주춤하게 됩니다. 이를 대비하기 위해 TOSEL은 유아부터 성인까지 점진적인 학습을 통해 수능대비도 함께 해나갈 수 있도록 설계되어 있습니다.

05

진학과 취업에 대비한 필수 스펙관리

개인별 '학업성취기록부' 발급을 통해 영어학업성취이력을 꾸준히 기록한 영어학습 포트폴리오를 제공하여, 영어학습 이력을 관리할 수 있습니다.

06

자기소개서에 TOSEL 기재

개별적인 진로 적성 Report를 제공하여 진로를 파악하고 자기소개서 작성시 적극적으로 활용할 수 있는 객관적인 자료를 제공합니다.

07

영어학습 동기부여

시험실시 후 응시자 모두에게 수여되는 인증서는 영어학습에 대한 자신감과 성취감을 고취시키고 동기를 부여합니다.

08

미래형 인재 진로지능진단

문항의 주제 및 상황을 각 교과와 연계하여 정량적으로 진단하는 분석 자료를 통해 학생 개인에 대한 이해도를 향상하고 진로선택에 유용한 자료를 제공합니다.

09

명예의 전당, 우수협력기관 지정

성적우수자, 우수교육기관은 'TOSEL 명예의 전당'에 등재되고, 각 시/도별, 레벨별 만점자 및 최고득점자를 명예의 전당에 등재합니다.

TOSEL® 성적표 및 인증서

미래형 인재 진로적성지능 진단

십 수년간 전국단위 정기시험으로 축적된 **빅데이터**를 교육공학적으로 분석,
활용하여 산출한 **개인별 성적자료**

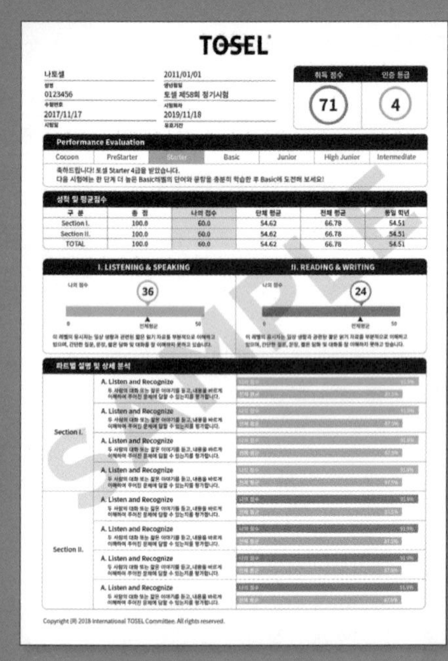

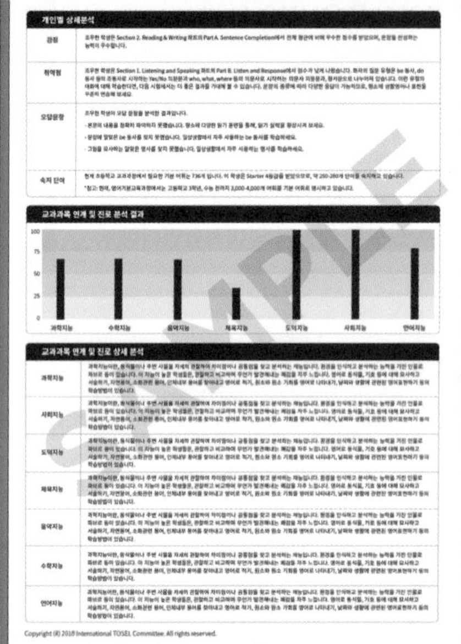

- 정확한 영어능력진단
- 응시지역, 동일학년, 전국에서의 학생의 위치
- 개인별 교과과정, 영어단어 숙지정도 진단
- 강점, 취약점, 오답문항 분석결과 제시

TOSEL 공식인증서

대한민국 초,중,고등학생의 영어숙달능력 평가 결과 공식인증

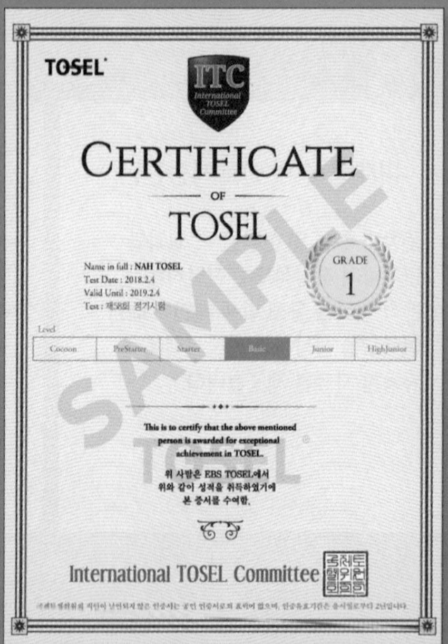

- 2010.03 고려대학교 인증획득
- 2009.10 팬코리아영어교육학회 인증획득
- 2009.11 한국응용언어학회 인증획득
- 2009.12 한국외국어교육학회 인증획득
- 2009.12 한국음성학회 인증획득

‘학업성취기록부’에 TOSEL 인증등급 기재

개인별 **‘학업성취기록부’ 평생 발급**. 진학과 취업을 대비한 **필수 스펙관리**

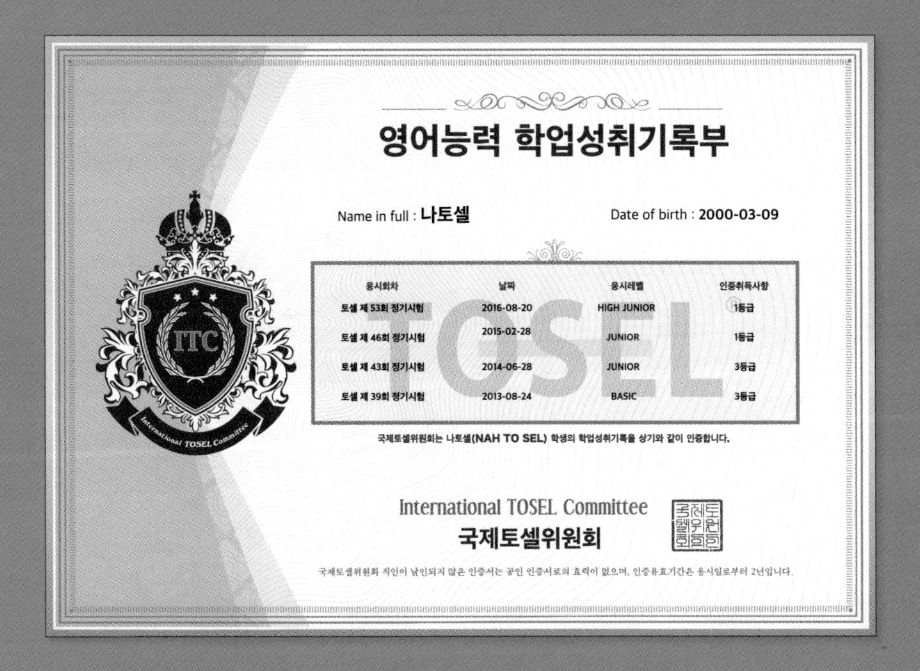

영어능력 학업성취기록부

Name in full : 나토셀 Date of birth : 2000-03-09

응시회차	날짜	응시레벨	인증취득사항
토셀 제 53회 정기시험	2016-08-20	HIGH JUNIOR	1등급
토셀 제 46회 정기시험	2015-02-28	JUNIOR	1등급
토셀 제 43회 정기시험	2014-06-28	JUNIOR	3등급
토셀 제 39회 정기시험	2013-08-24	BASIC	3등급

국제토셀위원회는 나토셀(NAH TO SEL) 학생의 학업성취기록을 상기와 같이 인증합니다.

International TOSEL Committee
국제토셀위원회

국제토셀위원회 직인이 날인되지 않은 인증서는 공인 인증서로의 효력이 없으며, 인증유효기간은 응시일로부터 2년입니다.

명예의 전당

특별시, 광역시, 도 별 1등 선발 (7개시 9개도 1등 선발)

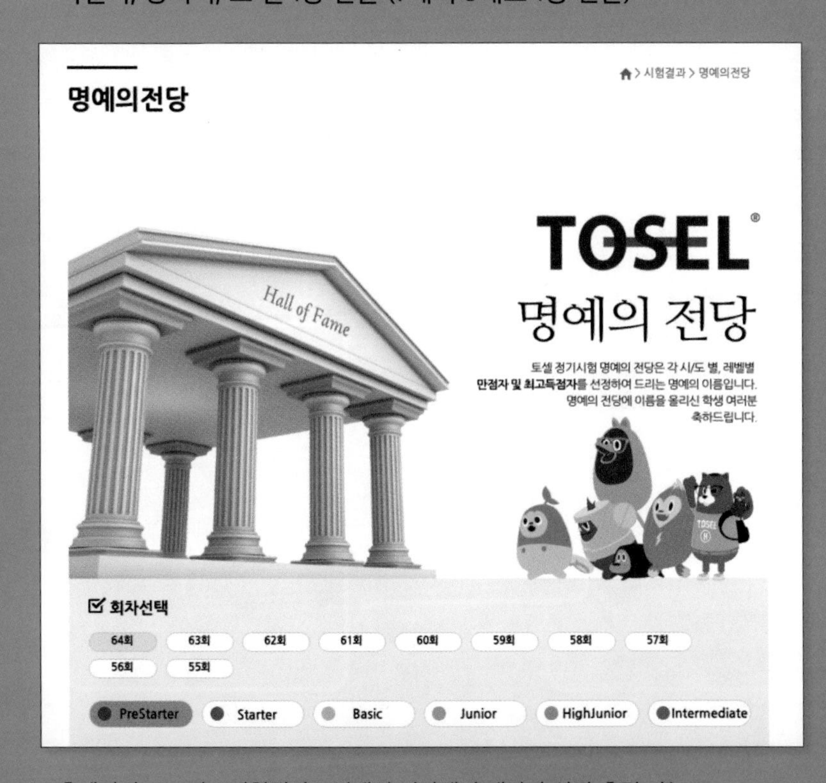

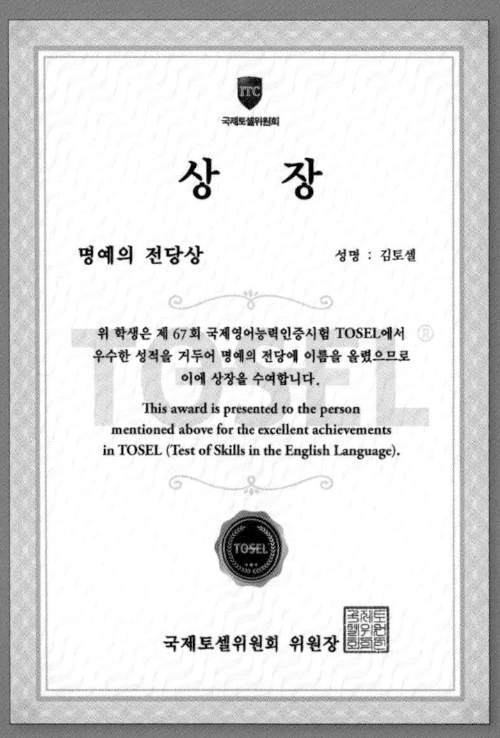

국제토셀위원회

상 장

명예의 전당상 성명 : 김토셀

위 학생은 제 67회 국제영어능력인증시험 TOSEL에서 우수한 성적을 거두어 명예의 전당에 이름을 올렸으므로 이에 상장을 수여합니다.

This award is presented to the person mentioned above for the excellent achievements in TOSEL (Test of Skills in the English Language).

국제토셀위원회 위원장

*홈페이지 로그인 - 시험결과 - 명예의 전당에서 해당자 상장 출력 가능

Reading Series 특장점

언어의 4대 영역 균형 학습 + 평가

세분화된 레벨링

20년 간 대한민국 영어 평가 기관으로서 연간 4회 전국적으로 실시되는 정기시험에서 축적된 성적 데이터를 기반으로 정확하고 세분화된 레벨링을 통한 영어 학습 콘텐츠 개발

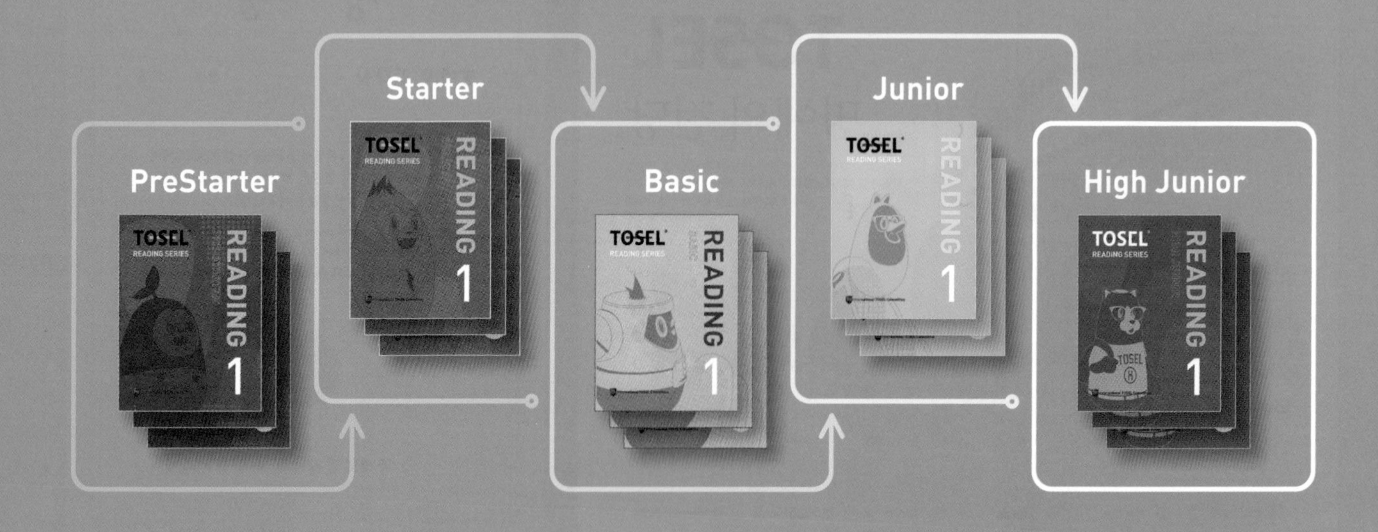

TOSEL 영어 학습 성장 프로그램

1 **TOSEL 평가**: 학생의 영어 능력을 정확하게 평가

2 **결과 분석 및 진단**: 시험 점수와 결과를 분석하여 학생의 강점, 취약점, 학습자 특성 등을 객관적으로 진단

3 **학습 방향 제시**: 객관적 진단 데이터를 기반으로 학습자 특성에 맞는 학습 방향 제시 및 목표 설정

4 **학습**: 제시된 방향과 목표에 따라 학생에게 적합한 콘텐츠 / 학습법으로 학습

5 **학습 목표 달성**: 학습 후 다시 평가를 통해 목표 달성 여부 확인 및 성장을 위한 다음 학습 목표 설정

학생이 공부하기 쉽고, 교사 / 학부모가 가르치기 편한 교재

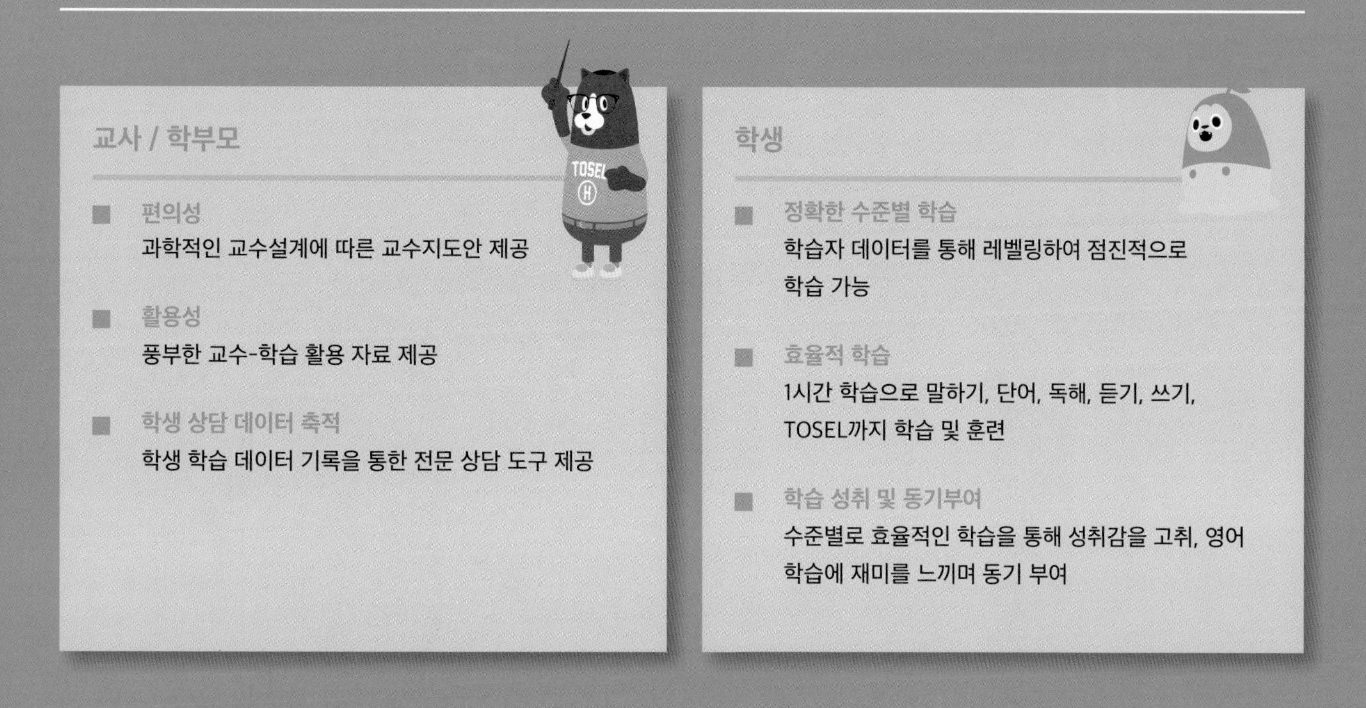

교사 / 학부모

- **편의성**
  과학적인 교수설계에 따른 교수지도안 제공
- **활용성**
  풍부한 교수-학습 활용 자료 제공
- **학생 상담 데이터 축적**
  학생 학습 데이터 기록을 통한 전문 상담 도구 제공

학생

- **정확한 수준별 학습**
  학습자 데이터를 통해 레벨링하여 점진적으로 학습 가능
- **효율적 학습**
  1시간 학습으로 말하기, 단어, 독해, 듣기, 쓰기, TOSEL까지 학습 및 훈련
- **학습 성취 및 동기부여**
  수준별로 효율적인 학습을 통해 성취감을 고취, 영어 학습에 재미를 느끼며 동기 부여

About this book

TOSEL Reading Series는 영어 독해 학습에 특화된 교재로서 각 Unit 마다 대상 학생의 **인지능력 수준 및 학습 교과와 연계**한, 흥미롭고 유용한 주제의 읽기 지문을 중심으로 다양한 학습자료와 활동이 제시되어 있습니다.
TOSEL Section II. Reading and Writing에 해당하는 Comprehension Questions 10문항으로 지문에 대한 이해력을 확인하고, 주제에 대한 배경지식을 영어로 말해볼 수 있는 말하기 연습, 플래시카드 또는 영영 사전식 단어학습 및 쓰기 연습, 지문 듣고 받아쓰기 훈련, 요약문 쓰기 훈련 등의 **다양한 활동을 통해 지문을 여러 번 연습 / 복습하도록 구성**되었습니다.

Reading Series는 총 **5개의 레벨** (PreStarter, Starter, Basic, Junior, High Junior), 레벨 당 **1, 2, 3권**으로 이루어져 있습니다. 각 권은 3개의 Chapter, 총 12개의 Unit으로 구성되어 있으며 **Unit 당 1시간 학습**이 가능하도록 설계되었습니다.

레벨마다 **학생용 교재 3권**과 **교사용 교재 1권**으로 이루어져 있습니다.

학생용 교재 (PreStarter)

영어 원문과 문항이 수록되어 있으며 학습자들이 활용하는 교재입니다.

학생용 교재 한 권은 주제에 따라 **3개의 Chapter, 총 12개의 Unit**으로 구성되었습니다.

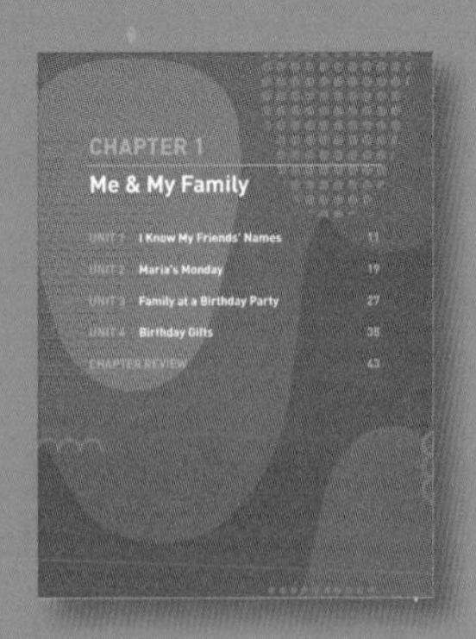

Chapter 1
Unit 1-4

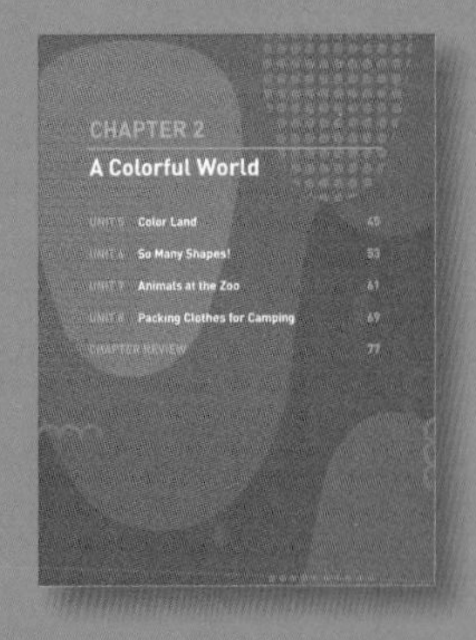

Chapter 2
Unit 5-8

Chapter 3
Unit 9-12

교사용 교재

원문 해석과 문항별 정답 및 해설이 수록되어 있으며, 학생용 교재를 가르치는 데 필요한 교수 가이드라인과 Reading Series 구성표 등을 제시합니다.

교사용 교재 한 눈에 보기

Syllabus

TOSEL Reading Series 모든 레벨의 Chapter, Unit별 주제 요목

»

교사용 교재 활용 가이드

1시간 학습 / 지도 가이드라인

»

Book 1 정답 및 해설

영어 원문 해석과 문항 풀이

»

Book 2 정답 및 해설

영어 원문 해석과 문항 풀이

»

Book 3 정답 및 해설

영어 원문 해석과 문항 풀이

1 Syllabus

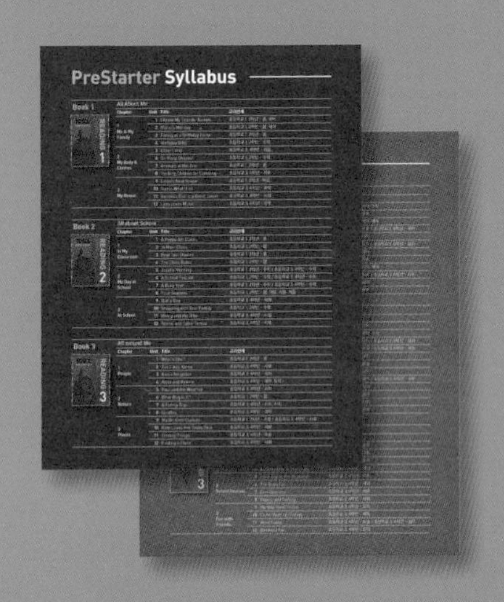

TOSEL Reading Series에 수록된 **각 Chapter와 Unit의 주제와 제목, 교과연계 정보**를 한눈에 보기 쉽게 정리했습니다.

전 레벨(PreStarter, Starter, Basic, Junior, High Junior)의 정리표를 통해 **단기 / 중·장기 수업 계획**을 수립하거나 학생 및 학부모와의 **학습 진도 / 수업 상담** 시 유용하게 활용할 수 있습니다.

2 교사용 교재 활용 가이드

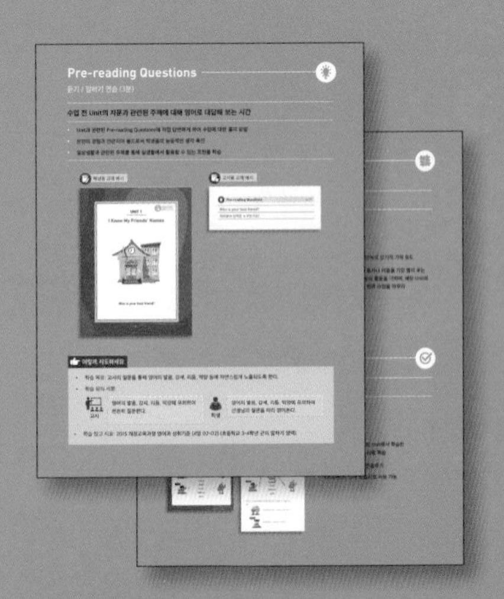

교사용 교재에는 **Unit별 1시간 학습 플랜**을 돕기 위해 **교재 활용 가이드**를 수록하였으며, 한 Unit에 있는 모든 활동에 대한 지침을 제시합니다.

활동마다 학습 내용, 학습 시간, 학습 목적, 학습 지도 팁 등을 세세하게 설명하여 선생님 또는 학부모의 **지도 방향**을 제시합니다.

3 정답 및 해설

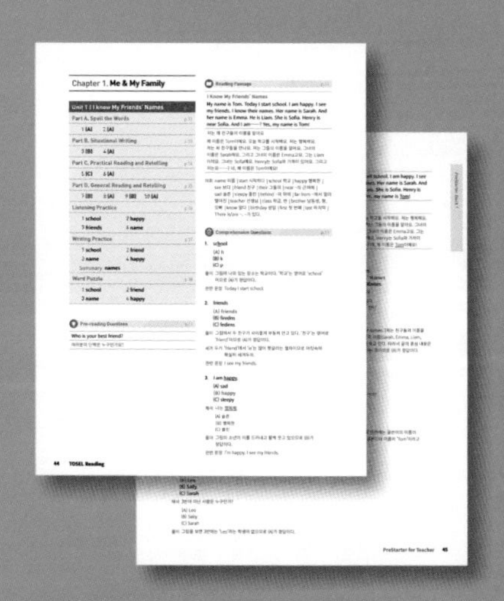

교사용 교재의 정답 및 해설 부분은 **영어 지문 해석, 정답, 풀이**를 상세하게 제공합니다. **문제 유형, 관련 문장, 새겨 두기** 등의 코너를 통해 학생 지도 시 유용하게 활용할 수 있도록 하였습니다.

주요 구성

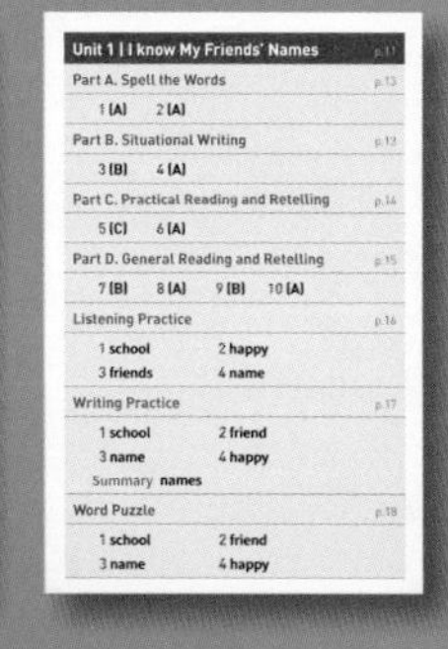

Unit 1 | I know My Friends' Names

Part A. Spell the Words
1 (A) 2 (A)

Part B. Situational Writing
3 (B) 4 (A)

Part C. Practical Reading and Retelling
5 (C) 6 (A)

Part D. General Reading and Retelling
7 (B) 8 (A) 9 (B) 10 (A)

Listening Practice
1 school 2 happy
3 friends 4 name

Writing Practice
1 school 2 friend
3 name 4 happy
Summary names

Word Puzzle
1 school 2 friend
3 name 4 happy

- **빠른 정답**
  책 앞에는 전체 Unit 정답표, 각 Unit의 처음에는 빠른 정답표를 배치하여 채점의 용이성을 높였습니다.

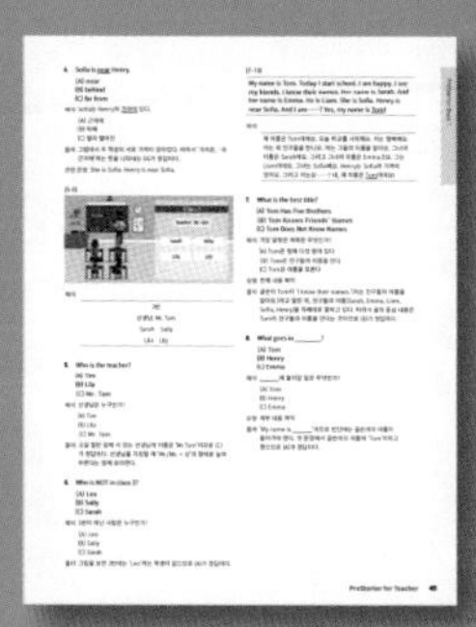

- **해석**
  영어 지문과 문항 등 영어 원문에 대한 한국어 해석을 제공합니다.
- **풀이**
  정답을 먼저 자세히 설명하고, 어렵거나 헷갈릴 만한 오답에 대한 설명도 추가하였습니다.

PreStarter Syllabus

Book 1

All about Me

Chapter	Unit	Title	교과연계
1 Me & My Family	1	I Know My Friends' Names	초등학교 1, 2학년 - 봄, 국어
	2	Maria's Monday	초등학교 1, 2학년 - 봄, 국어
	3	Family at a Birthday Party	초등학교 1, 2학년 - 봄
	4	Birthday Gifts	초등학교 1, 2학년 - 수학
2 A Colorful World	5	Color Land	초등학교 3, 4학년 - 미술
	6	So Many Shapes!	초등학교 1, 2학년 - 수학
	7	Animals at the Zoo	초등학교 1, 2학년 - 봄
	8	Packing Clothes for Camping	초등학교 3, 4학년 - 사회
3 My House	9	Linda's New House	초등학교 1, 2학년 - 여름
	10	Guess What It Is!	초등학교 3, 4학년 - 과학
	11	Sandra's Dad Is a Great Cook!	초등학교 3, 4학년 - 사회
	12	Lars Loves Music	초등학교 3, 4학년 - 음악

Book 2

All about School

Chapter	Unit	Title	교과연계
1 In My Classroom	1	A Happy Art Class	초등학교 1, 2학년 - 봄
	2	In Math Class	초등학교 1, 2학년 - 봄
	3	How Taki Studies	초등학교 1, 2학년 - 봄
	4	The Class Rules	초등학교 1, 2학년 - 봄
2 My Day at School	5	Josef's Morning	초등학교 1, 2학년 - 수학 / 초등학교 3, 4학년 - 수학
	6	A School Festival	초등학교 1, 2학년 - 수학 / 초등학교 3, 4학년 - 수학
	7	A Busy Year	초등학교 1, 2학년 - 수학 / 초등학교 3, 4학년 - 수학
	8	Four Seasons	초등학교 1, 2학년 - 봄, 여름, 가을, 겨울
3 At School	9	Olaf's Day	초등학교 3, 4학년 - 국어
	10	Shopping with Your Family	초등학교 1, 2학년 - 수학
	11	Henry and His Bike	초등학교 3, 4학년 - 사회
	12	Tennis and Table Tennis	초등학교 3, 4학년 - 체육

Book 3

All around Me

Chapter	Unit	Title	교과연계
1 People	1	Who Is She?	초등학교 1, 2학년 - 봄
	2	Zoe Likes Korea	초등학교 3, 4학년 - 사회
	3	Kari's Neighbor	초등학교 3, 4학년 - 국어
	4	Anna and Hennie	초등학교 3, 4학년 - 국어, 도덕
2 Nature	5	Paul and the Weather	초등학교 3, 4학년 - 과학
	6	What Bug Is It?	초등학교 1, 2학년 - 봄
	7	A Family Trip	초등학교 3, 4학년 - 과학, 사회
	8	Giraffes	초등학교 3, 4학년 - 과학
3 Places	9	Martin Gets Cookies	초등학교 1, 2학년 - 가을 / 초등학교 3, 4학년 - 사회
	10	Kate Loves Her Teddy Bear	초등학교 3, 4학년 - 사회
	11	Finding Things	초등학교 3, 4학년 - 미술
	12	Finding a Place	초등학교 3, 4학년 - 사회

Starter Syllabus

Book 1

Talking to Friends

Chapter	Unit	Title	교과연계
1 Weekend Activities	1	Sarah's Strange Night	초등학교 3, 4학년 - 국어, 수학
	2	Sunday Morning at Carl's House	초등학교 3, 4학년 - 국어
	3	A Field Trip	초등학교 3, 4학년 - 국어, 체육
	4	Zoe's Busy Weekend	초등학교 3, 4학년 - 사회 / 초등학교 5, 6학년 - 국어
2 Find Out about Your Friends	5	All about Pumpkins	초등학교 3, 4학년 - 과학
	6	Chores at Home	초등학교 3, 4학년 - 도덕 / 초등학교 5, 6학년 - 실과
	7	Having a Party	초등학교 3, 4학년 - 국어
	8	Kelly Learns Chinese Sounds	초등학교 5, 6학년 - 사회
3 Ask More Questions	9	Andrea Loves Sports	초등학교 3, 4학년 - 수학, 체육
	10	Alec Gets Sick in Winter	초등학교 3, 4학년 - 체육 / 초등학교 5, 6학년 - 과학
	11	Mr. Wind and Mr. Sun	초등학교 3, 4학년 - 국어
	12	At the Theme Park	초등학교 3, 4학년 - 국어

Book 2

Family & House

Chapter	Unit	Title	교과연계
1 Daily Life	1	Going to the Movies	초등학교 3, 4학년 - 수학
	2	Tina's Day	초등학교 3, 4학년 - 국어, 수학
	3	Jisoo Cleans Her Room	초등학교 3, 4학년 - 도덕 / 초등학교 5, 6학년 - 실과
	4	At Blue Mountain	초등학교 3, 4학년 - 체육 / 초등학교 5, 6학년 - 국어
2 House	5	Lea's Dream House	초등학교 5, 6학년 - 수학
	6	Milo Sits in Chairs	초등학교 3, 4학년 - 미술
	7	Show and Tell Class	초등학교 3, 4학년 - 국어
	8	Summer Vacation	초등학교 3, 4학년 - 국어 / 초등학교 5, 6학년 - 수학
3 Family Occasion	9	Grandma's Birthday	초등학교 3, 4학년 - 도덕
	10	Eating Out vs. Eating at Home	초등학교 5, 6학년 - 실과
	11	Henry's Family	초등학교 3, 4학년 - 사회
	12	My Aunt's Wedding Day	초등학교 3, 4학년 - 사회

Book 3

School

Chapter	Unit	Title	교과연계
1 School Activity	1	Our Music Teacher	초등학교 3, 4학년 - 음악
	2	A Day at a Gallery	초등학교 3, 4학년 - 미술
	3	How Do You Make Salad?	초등학교 5, 6학년 - 실과
	4	A Book about Street Dogs	초등학교 3, 4학년 - 국어
2 School Festival	5	Field Trip to the Aquarium	초등학교 3, 4학년 - 사회
	6	The Book Fair	초등학교 3, 4학년 - 국어
	7	Fast Runners	초등학교 3, 4학년 - 체육
	8	Buying and Selling	초등학교 3, 4학년 - 사회
3 Fun with Friends	9	My New Best Friend	초등학교 3, 4학년 - 도덕
	10	Clubs Meet on Fridays	초등학교 3, 4학년 - 체육
	11	Word Game!	초등학교 3, 4학년 - 미술 / 초등학교 5, 6학년 - 실과
	12	Weekend Fun	초등학교 3, 4학년 - 도덕

Basic Syllabus

Book 1

My Town

Chapter	Unit	Title	교과연계
1 Neighbors	1	My Perfect Neighborhood	초등학교 5, 6학년 - 국어
	2	Asking People about Jobs	초등학교 5, 6학년 - 실과
	3	Volunteering for the Community	초등학교 5, 6학년 - 도덕
	4	A Great Man in Town	초등학교 5, 6학년 - 도덕
2 Neighborhood	5	Kali's Favorite Park	초등학교 5, 6학년 - 체육
	6	Problems at the Mall	초등학교 5, 6학년 - 사회
	7	A Horror Movie	초등학교 5, 6학년 - 미술
	8	The Best Library in the City	초등학교 5, 6학년 - 국어
3 Stadium in My Town	9	At the Baseball Game	초등학교 5, 6학년 - 체육
	10	A Favorite Sports Star	초등학교 5, 6학년 - 수학, 체육
	11	A Magic Show	초등학교 5, 6학년 - 미술
	12	Quiet Hip Hop Songs	초등학교 5, 6학년 - 음악

Book 2

General Interest

Chapter	Unit	Title	교과연계
1 Healthy Life	1	How to Keep Friends	초등학교 5, 6학년 - 국어
	2	Is Having a Dog Good for You?	초등학교 5, 6학년 - 실과
	3	What Is Hay Fever?	초등학교 5, 6학년 - 과학
	4	Smartphone Posture	초등학교 5, 6학년 - 과학, 국어(글쓴이의 주장)
2 Food Trend	5	Hawaiian Pizza	초등학교 5, 6학년 - 실과
	6	Fourth Meal	초등학교 5, 6학년 - 실과
	7	Jamie and Local Food	초등학교 5, 6학년 - 실과
	8	Good Avocados	초등학교 5, 6학년 - 과학, 실과
3 Arts and Crafts	9	Art Gallery of Saint Peter	초등학교 5, 6학년 - 미술
	10	What Is Origami?	초등학교 5, 6학년 - 미술
	11	Introduction to Webtoons	초등학교 5, 6학년 - 미술, 실과
	12	Haihat's Recycled Pig	초등학교 5, 6학년 - 사회, 미술

Book 3

Travel & the Earth

Chapter	Unit	Title	교과연계
1 Travel	1	Koh Lipe	초등학교 5, 6학년 - 국어, 사회
	2	Flying to London	초등학교 5, 6학년 - 실과
	3	Petronas Towers	초등학교 5, 6학년 - 수학, 미술
	4	Travel Manners	초등학교 5, 6학년 - 도덕
2 Culture	5	Thanksgiving in Detroit	초등학교 5, 6학년 - 사회
	6	Siesta	초등학교 5, 6학년 - 사회
	7	The Mystery of King Tut	초등학교 5, 6학년 - 사회, 미술
	8	The History of the Mexican Flag	초등학교 5, 6학년 - 사회, 미술
3 Nature & the Earth	9	Eric's Book about Habitats	초등학교 5, 6학년 - 과학, 국어
	10	Global Warming: The Sahara	초등학교 5, 6학년 - 사회, 과학
	11	Three Ways to Save the Earth	초등학교 5, 6학년 - 사회
	12	How Will 2035 Be Different?	초등학교 5, 6학년 - 사회

Junior Syllabus

Book 1

Math & Science

Chapter	Unit	Title	교과연계
1 Humans and Animals	1	Animal Communication	중학교 - 기술·가정
	2	Animals and Earthquakes	중학교 - 과학
	3	Super Babies	중학교 - 과학, 기술·가정
	4	Pigeons	중학교 - 기술·가정
2 Math	5	The Fields Medal	중학교 - 수학
	6	Statistics	중학교 - 수학, 사회
	7	The Golden Ratio	중학교 - 수학, 미술
	8	Barcodes	중학교 - 수학, 과학, 기술·가정
3 Science	9	The Water Cycle	중학교 - 과학
	10	Earth Day	중학교 - 과학
	11	Lightning	중학교 - 과학
	12	Superbugs	중학교 - 과학

Book 2

Cultural Life

Chapter	Unit	Title	교과연계
1 Sports	1	Sit-ups	중학교 - 체육
	2	The Skeleton	중학교 - 체육
	3	Doping in Sports	중학교 - 체육, 도덕
	4	Supersuits	중학교 - 체육
2 Art	5	Camera Shots	중학교 - 미술, 기술·가정
	6	The State Hermitage	중학교 - 미술
	7	Persian Miniatures	중학교 - 미술
	8	Animals Symbols	중학교 - 미술
3 Music	9	Musical vs. Opera	중학교 - 음악
	10	Vivaldi's "The Four Seasons"	중학교 - 음악
	11	Dynamics in Music	중학교 - 음악
	12	The Alphorn	중학교 - 음악

Book 3

Famous People

Chapter	Unit	Title	교과연계
1 Famous People 1	1	Linus Pauling	중학교 - 과학
	2	Maryam Mirzakhani	중학교 - 수학
	3	CV Raman	중학교 - 과학
	4	Ada Lovelace	중학교 - 기술·가정
2 Famous People 2	5	Tu Youyou	중학교 - 과학
	6	Rigoberta Menchú	중학교 - 사회
	7	Antoni Gaudi	중학교 - 미술
	8	Wangari Maathai	중학교 - 사회
3 Famous People 3	9	Mary Jackson	중학교 - 과학, 기술·가정
	10	Isabel Allende	중학교 - 국어
	11	Pius Mau Piailug	중학교 - 과학, 기술·가정
	12	Mary Anning	중학교 - 과학

High Junior Syllabus

Book 1

Awards and Award Winners

Chapter	Unit	Title	교과연계
1 Competitions 1	1	Toe Wrestling: UK	고등학교 - 체육
	2	Chessboxing	고등학교 - 체육
	3	The World Memory Championships	고등학교 - 체육
	4	The O Henry Pun-Off	고등학교 - 문학
2 Competitions 2	5	The Air Guitar Championships	고등학교 - 음악
	6	Mistakes at the Academy Awards	고등학교 - 미술
	7	Extreme Ironing	고등학교 - 체육
	8	The Heso Odori	고등학교 - 세계지리
3 Competitions 3	9	Making Faces	고등학교 - 체육
	10	The Argungu Fishing Festival	고등학교 - 세계지리
	11	ClauWau	고등학교 - 세계지리
	12	Competitive Chili Eating	고등학교 - 세계지리

Book 2

Health & Science

Chapter	Unit	Title	교과연계
1 Health	1	Health Literacy	고등학교 - 체육
	2	Yoga	고등학교 - 체육
	3	Digital Eye Strain	고등학교 - 생명과학
	4	Just One Food	고등학교 - 기술·가정
2 Environment	5	Climate Change	고등학교 - 통합사회, 지구과학
	6	Drone-based Delivery	고등학교 - 기술·가정
	7	The Nene	고등학교 - 통합과학
	8	The Amazon	고등학교 - 통합사회, 지구과학
3 Science	9	Memory	고등학교 - 생명과학
	10	Phases of the Moon	고등학교 - 지구과학
	11	Plasma	고등학교 - 물리, 화학
	12	Contagious Yawning	고등학교 - 생명과학

Book 3

Society & Technology

Chapter	Unit	Title	교과연계
1 Social Studies / Psychology	1	Forms of Government	고등학교 - 정치와 법
	2	A Violinist in the Station	고등학교 - 음악, 미술
	3	Biopiracy: The Neem Tree	고등학교 - 통합사회, 생활과 윤리
	4	A Hierarchy of Needs	고등학교 - 통합사회, 사회·문화
2 Culture	5	Mythical Creatures	고등학교 - 문학, 미술
	6	Ramadan: The Fast	고등학교 - 통합사회, 사회·문화
	7	The Bibliomotocarro	고등학교 - 문학, 통합사회
	8	Garífuna Punta	고등학교 - 통합사회, 음악
3 Technology	9	Virtual Reality	고등학교 - 통합과학, 기술·가정
	10	Suspension Bridges	고등학교 - 통합과학, 기술·가정
	11	Bone Conduction	고등학교 - 생명과학, 기술·가정
	12	Videophones	고등학교 - 과학, 기술·가정

TOSEL® READING SERIES FOR TEACHERS

교사용 교재 활용 가이드

1시간 학습 가이드라인

01 Pre-reading Questions

3분

02 Reading Passage

7분

UNIT 1 I Know My Friends' Names

My name is Tom. Today I start school. I am happy. I see my friends. I know their names. Her name is Sarah. And her name is Emma. He is Liam. She is Sofia. Henry is near Sofia. And I am……? Yes, my name is Tom!

05 Listening Practice

10분

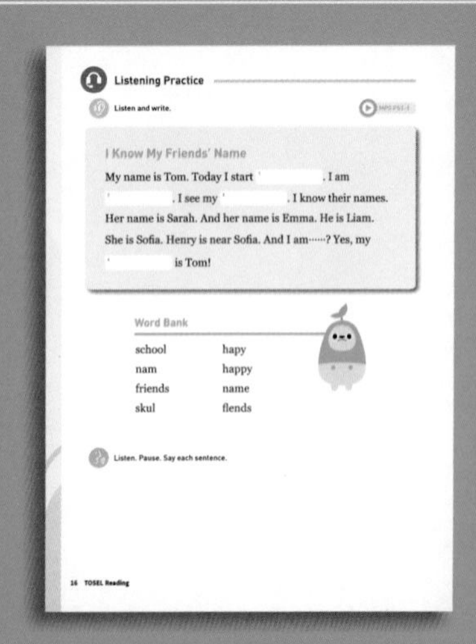

06 Writing Practice

5분

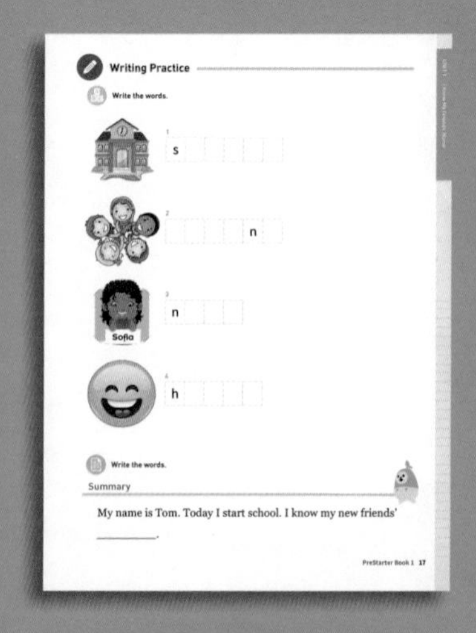

03 New Words

10분

04 Comprehension Questions

10분

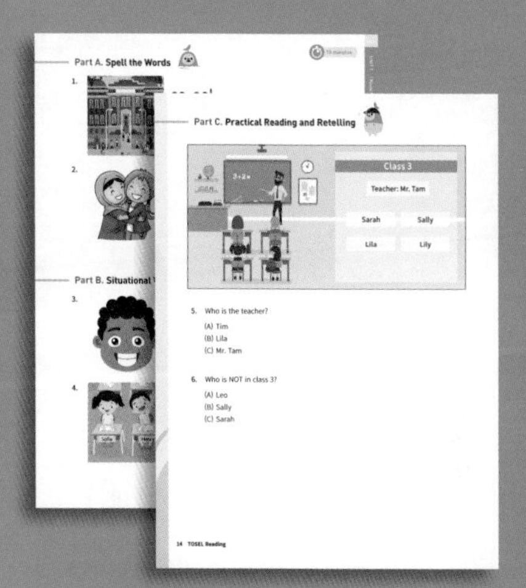

07 Word Puzzle

5분

08 오답노트

10분

Pre-reading Questions

듣기 / 말하기 연습 (3분)

수업 전 Unit의 지문과 관련된 주제에 대해 영어로 대답해 보는 시간

- Unit과 관련된 Pre-reading Questions에 직접 답변하게 하여 수업에 대한 흥미 유발
- 본인의 경험과 연관지어 봄으로써 학생들의 능동적인 생각 촉진
- 일상생활과 관련된 주제를 통해 실생활에서 활용할 수 있는 표현을 학습

학생용 교재 예시

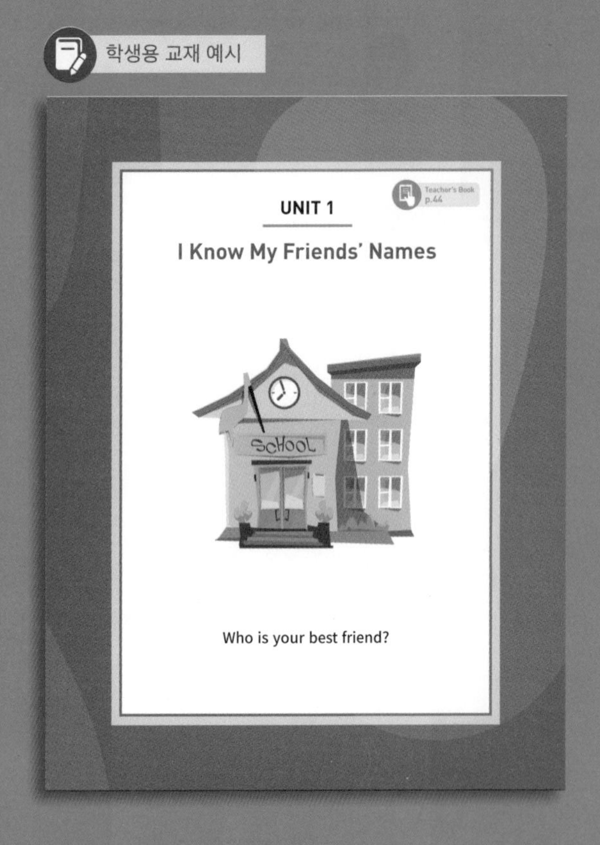

교사용 교재 예시

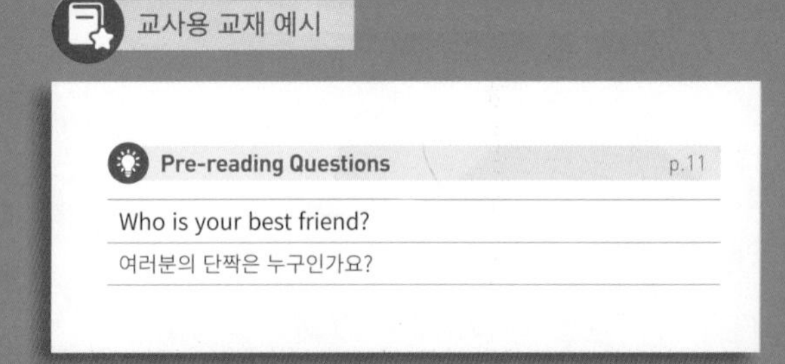

이렇게 지도하세요

- 학습 목표: 교사의 질문을 이해하고 단어 중심으로 대답할 수 있다.
- 학습 유의 사항:

교사

발음, 강세, 리듬, 억양에 유의하여 천천히 질문한다.

학생

질문을 듣고 주제에 따라 주어진 그림을 참고하여 생각을 말한다.

- 학습 참고 지표: 2015 개정교육과정 영어과 성취기준 [4영 02-02] (초등학교 3-4학년 군의 말하기 영역)

Reading Passage

독해 연습 (7분)

Unit의 해당 지문 내용을 파악하는 시간

- 주어진 시간 내에 지문을 읽고 핵심 내용과 단어를 파악
- TOSEL 독해 문항을 전략적으로 준비 가능
- Unit에서 다루는 새로운 어휘는 학생용 교재 지문에 표시되어 있으며, 교사용 교재에서는 해석과 등장 어휘를 소개

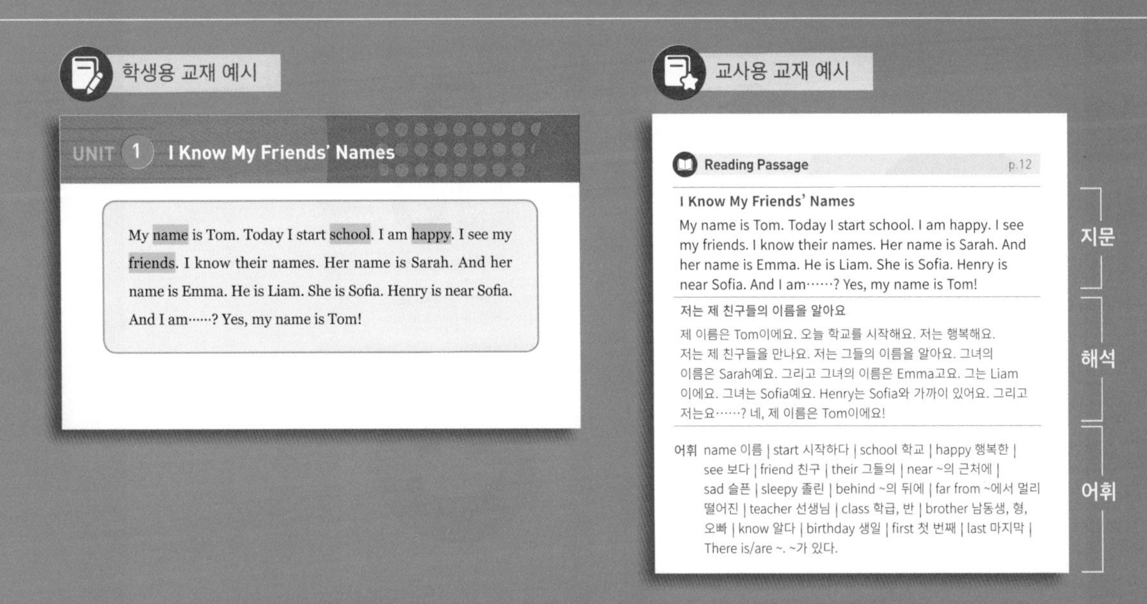

학생용 교재 예시

UNIT 1 I Know My Friends' Names

My name is Tom. Today I start school. I am happy. I see my friends. I know their names. Her name is Sarah. And her name is Emma. He is Liam. She is Sofia. Henry is near Sofia. And I am……? Yes, my name is Tom!

교사용 교재 예시

Reading Passage p.12

지문

I Know My Friends' Names

My name is Tom. Today I start school. I am happy. I see my friends. I know their names. Her name is Sarah. And her name is Emma. He is Liam. She is Sofia. Henry is near Sofia. And I am……? Yes, my name is Tom!

해석

저는 제 친구들의 이름을 알아요

제 이름은 Tom이에요. 오늘 학교를 시작해요. 저는 행복해요. 저는 제 친구들을 만나요. 저는 그들의 이름을 알아요. 그녀의 이름은 Sarah예요. 그리고 그녀의 이름은 Emma고요. 그는 Liam이에요. 그녀는 Sofia예요. Henry는 Sofia와 가까이 있어요. 그리고 저는요……? 네, 제 이름은 Tom이에요!

어휘

어휘 name 이름 | start 시작하다 | school 학교 | happy 행복한 | see 보다 | friend 친구 | their 그들의 | near ~의 근처에 | sad 슬픈 | sleepy 졸린 | behind ~의 뒤에 | far from ~에서 멀리 떨어진 | teacher 선생님 | class 학급, 반 | brother 남동생, 형, 오빠 | know 알다 | birthday 생일 | first 첫 번째 | last 마지막 | There is/are ~. ~가 있다.

이렇게 지도하세요

- 학습 목표: Reading Passage 내 대소문자의 차이를 인식하고, 문장을 따라 읽을 때 단어의 소리와 철자의 관계를 이해할 수 있다.
- 학습 유의 사항:

교사

- 문장에서 첫 글자는 대문자로 시작하고 마침표, 물음표 등의 문장부호로 끝맺는 것을 지도한다.
- 지문 내에서 문장을 찾을 수 있도록 한다.
- 단어의 발음, 억양, 리듬에 유의하여 읽을 수 있도록 지도한다.

학생

- 문장 전체의 의미보다 개별 단어의 의미와 소리 및 철자에 중점을 두어 읽는다.
- 문장의 시작과 끝에 유념하여 문장 단위로 끊어 읽는 연습을 한다.

- 학습 참고 지표: 2015 개정교육과정 영어과 성취기준 [4영 03-03] (초등학교 3-4학년 군의 읽기 영역)

※ 문장 따라 읽기 / 소리 내어 읽기를 단순 반복하게 할 경우 수업이 지루해질 수 있다.
따라서 홀수 / 짝수 번호 교대로 읽기, 짝과 교대로 읽기, 목소리 바꾸어서 읽기, 혼자 읽기 등 다양한 방법을 활용하도록 한다.

New Words

새로운 어휘 암기 연습 (10분)

지문 속 표시된 새로운 어휘를 배우는 시간

학생용 교재 예시

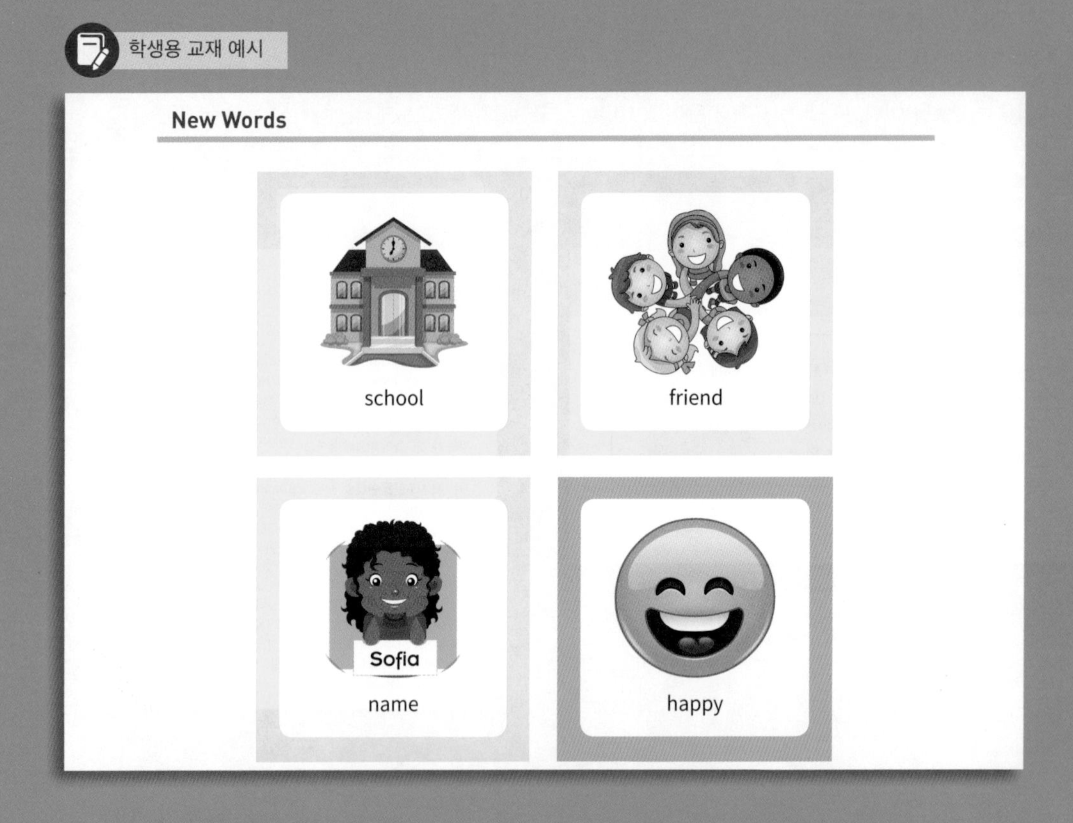

단어 카드의 테두리 색깔은 품사를 의미

New Words 추가 활동

TOSEL 홈페이지(www.tosel.org)에서 New Words 학습을 위한 Picture Cards / Word Cards / Word List 제공
(다운로드 후 출력 사용 가능)

Picture Cards

워크시트 예시

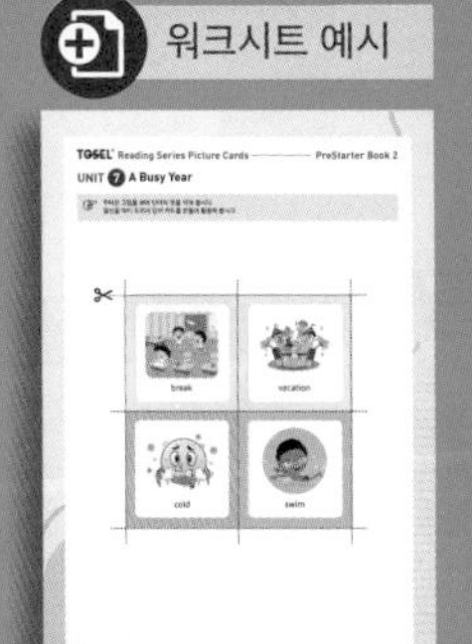

- 활용 방법: 점선을 따라 오린 후 그림을 통해 단어를 학습한다.
- 활용 예시: ① Picture Cards를 색깔별로 구분하여 품사별로 단어 학습하기
  ② 카드의 단어를 그림으로 표현하여 상대방이 맞추기 (Picturesque)
  ③ 팀을 나누어 카드의 철자를 팀원 한 명이 몸으로 표현하고 나머지 팀원이 카드의 단어를 맞추기 (Charades)

Word Cards

워크시트 예시

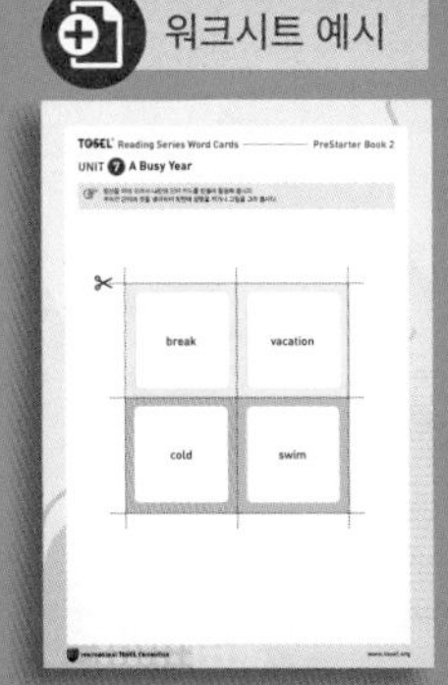

- 활용 방법: 점선을 따라 오린 후 카드 뒷면에 단어의 뜻을 쓰거나 그림으로 뜻을 표현한다.
- 활용 예시: ① Word Cards 한 개를 고른 뒤 카드 뒷면에 단어의 동의어 / 반의어 쓰기
  ② 카드 단어를 그림으로 표현하여 상대방이 맞추기 (Picturesque)
  ③ 팀을 나누어 카드의 철자를 팀원 한 명이 몸으로 표현하고 나머지 팀원이 카드의 단어를 맞추기 (Charades)
  ④ Word Cards를 활용하여 문장을 만든 후 품사의 문장 속 역할 파악하기
  예)

Word List

워크시트 예시

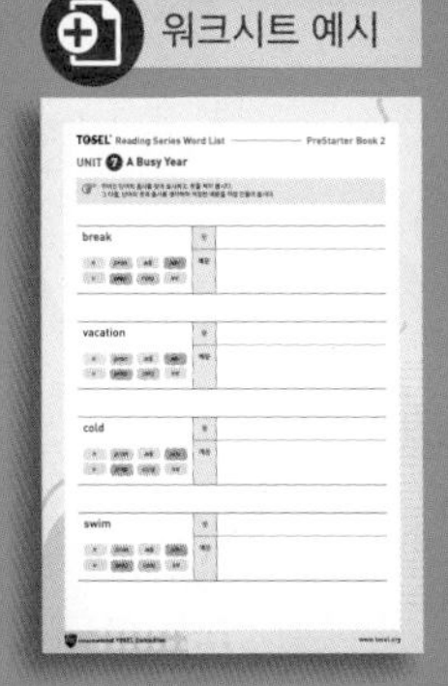

- 활용 방법: 단어 / 어구의 품사 또는 expressions를 선택하여 뜻과 예문을 쓰게 한다.
- 활용 예시: ① 수업 전 예습지 또는 수업 후 복습지로 활용
  ② Unit / Chapter 완료 시 New Words 평가지로 활용
  ③ 지문 외 다양한 장르(뉴스 기사, 책, 포스터 등)에서 New Words의 쓰임을 찾아 예문에 적어보기
  ④ 뜻을 영어로 재표현(paraphrase)하여 자신만의 단어로 만들기
  예) volunteering = helping others for free

Comprehension Questions

독해 문제 풀이 (10분)

새로운 어휘를 익히고 지문과 관련된 문제를 풀어보는 시간

4개의 파트로 구성된 Comprehension Questions를 통해 TOSEL 읽기와 간접 쓰기 유형에 해당하는 문항을 풀어봄으로써 시험을 전략적으로 대비할 수 있다.

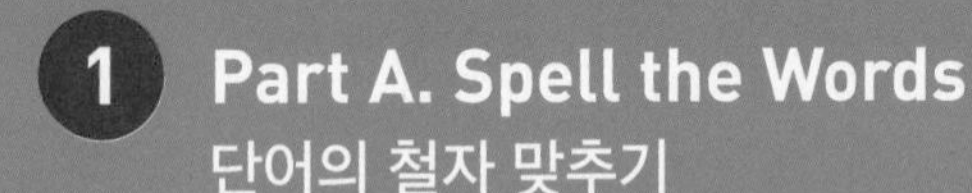

1 Part A. Spell the Words
단어의 철자 맞추기

- 그림이 나타내는 단어의 철자를 고르는 유형으로, 빈칸에 알맞은 모음 또는 자음 철자를 선택하는 유형과 단어의 올바른 철자를 선택하는 유형으로 출제

학생용 교재 예시

2.

(A) friends
(B) firedns
(C) fedirns

지도 팁

학생이 그림을 파악한 뒤 어떤 그림인지를 이야기해본다. 그림에 알맞은 단어의 빈칸에 모음 / 자음 철자 또는 단어의 올바른 철자를 선택지에서 선택한다.

교사용 교재 예시

2. friends
   (A) **friends**
   (B) firedns
   (C) fedirns

풀이 그림에서 두 친구가 사이좋게 부둥켜 안고 있다. '친구'는 영어로 'friend'이므로 (A)가 정답이다.

새겨 두기 'friend'에서 'ie'는 많이 헷갈리는 철자이므로 머릿속에 확실히 새겨두자.

관련 문장 I see my friends.

1. 교사는 교사용 교재의 풀이를 참고하여 문제의 정답과 오답을 설명해준다.
2. 문제 풀이 시 문법 사항은 새겨 두기를 참고한다.
3. 관련 문장으로 정답의 근거가 되는 부분을 지문에서 복습한다.

2 Part B. Situational Writing
제시된 그림 / 상황에 가장 알맞은 단어 고르기

- 제시된 그림 / 상황에 일치하는 문장이 되도록 빈칸에 가장 알맞은 단어를 선택하는 유형
- 적절한 어휘 선택 및 사용 능력 평가

학생용 교재 예시

지도 팁

학생은 제시된 그림을 가장 잘 설명하는 문장이 되도록 빈칸에 알맞은 단어를 선택한다.

교사용 교재 예시

3. I am happy.
   (A) sad
   (B) happy
   (C) sleepy

해석 나는 행복해.
(A) 슬픈
(B) 행복한
(C) 졸린

풀이 그림의 소년이 이를 드러내고 활짝 웃고 있으므로 (B)가 정답이다.

관련 문장 I'm happy. I see my friends.

1. 교사는 교사용 교재의 해석을 참고하여 문제와 선택지를 해석해준다.
2. 풀이를 참고하여 관련 문법 사항과 그림을 연계시켜 정답과 오답을 설명한다.
3. 관련 문장으로 정답의 근거가 되는 부분을 지문에서 복습한다.

3 Part C. Practical Reading and Retelling
실용문 읽고 정보 파악하기

- 그림을 보고 문제를 푸는 유형으로, 학생은 문제의 정보를 그림과 지문에서 찾기
- 그림과 연계된 질문을 이해하고 해당 정보를 찾는 능력 평가

학생용 교재 예시

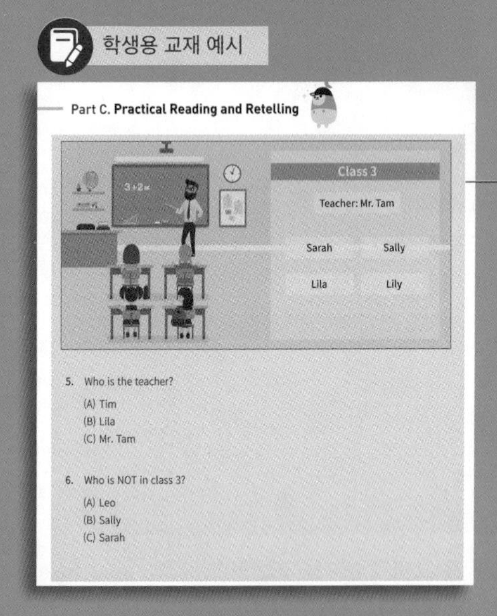

Part C. Practical Reading and Retelling

5. Who is the teacher?
   (A) Tim
   (B) Lila
   (C) Mr. Tam

6. Who is NOT in class 3?
   (A) Leo
   (B) Sally
   (C) Sarah

지도 팁

학생은 그림과 지문 속에서 문제의 답을 찾는다.

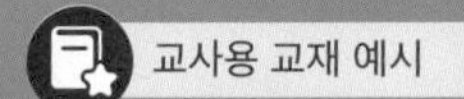

교사용 교재 예시

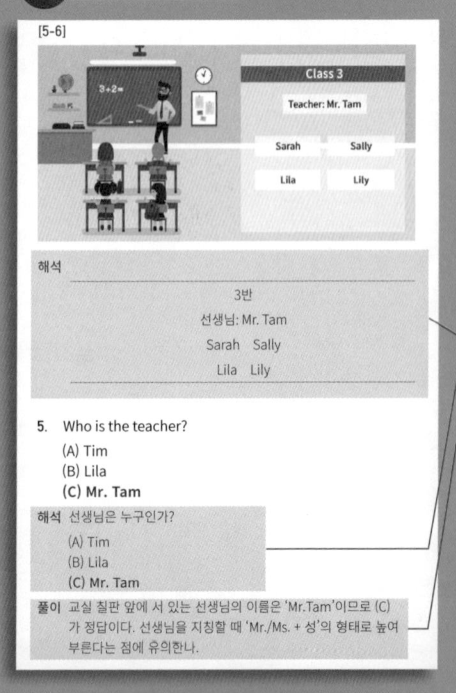

[5-6]

해석

3반
선생님: Mr. Tam
Sarah Sally
Lila Lily

5. Who is the teacher?
   (A) Tim
   (B) Lila
   (C) Mr. Tam

해석 선생님은 누구인가?
(A) Tim
(B) Lila
(C) Mr. Tam

풀이 교실 칠판 앞에 서 있는 선생님의 이름은 'Mr.Tam'이므로 (C)가 정답이다. 선생님을 지칭할 때 'Mr./Ms. + 성'의 형태로 높여 부른다는 점에 유의한다.

1 교사는 교사용 교재를 참고하여 문제와 선택지를 해석한다.
2 풀이를 참고 후, 정답과 오답을 그림과 연계하여 설명·지도한다.

4. Part D. General Reading and Retelling
지문 읽고 내용 파악하기

- 교과나 학술적인 주제와 관련된 지문을 읽고 주제 / 내용을 파악하는 유형으로, 수능의 제목 찾기·일치 / 불일치·세부내용 파악 유형과 유사
- 지문의 주제 및 세부 내용을 파악하고 이해하는 능력 평가

학생용 교재 예시

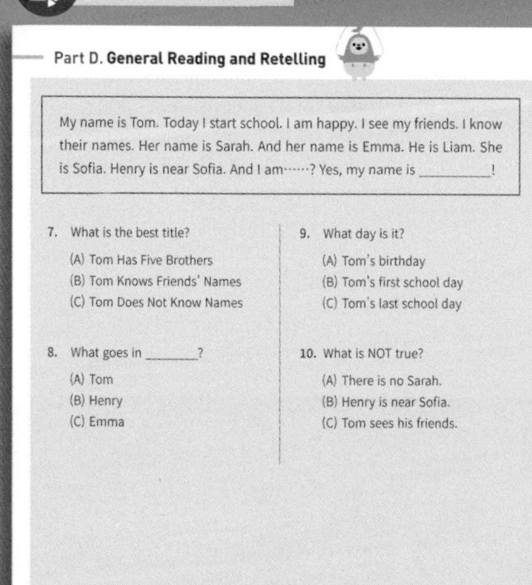

Part D. **General Reading and Retelling**

My name is Tom. Today I start school. I am happy. I see my friends. I know their names. Her name is Sarah. And her name is Emma. He is Liam. She is Sofia. Henry is near Sofia. And I am……? Yes, my name is ________!

7. What is the best title?
   (A) Tom Has Five Brothers
   (B) Tom Knows Friends' Names
   (C) Tom Does Not Know Names

8. What goes in ________?
   (A) Tom
   (B) Henry
   (C) Emma

9. What day is it?
   (A) Tom's birthday
   (B) Tom's first school day
   (C) Tom's last school day

10. What is NOT true?
   (A) There is no Sarah.
   (B) Henry is near Sofia.
   (C) Tom sees his friends.

지도 팁

학생은 지문을 읽고 문제에 따라 중심 / 세부 내용을 파악한다.

교사는 문제 유형별로 접근 방법을 지도한다.

예) • 주제(제목, 요지) 찾기 유형: 첫 문장과 마지막 문장, 접속사 (Therefore, However, In short 등) 등을 활용한 주제문 찾기
• 세부 내용 파악 유형: 고유명사·숫자·접속사 등을 활용하여 지문의 내용을 단락별로 구분 지은 후 질문에서 요구하는 세부 내용 찾기
• 내용 일치 / 불일치 유형: 질문의 단서를 지문에서 찾은 뒤 선택지를 하나씩 지워나가기, 질문에서 요구하는 세부 정보를 먼저 파악한 뒤 지문 읽기

교사용 교재 예시

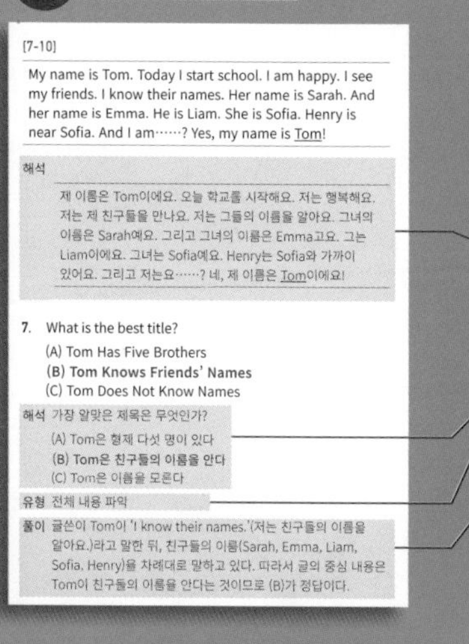

[7-10]

My name is Tom. Today I start school. I am happy. I see my friends. I know their names. Her name is Sarah. And her name is Emma. He is Liam. She is Sofia. Henry is near Sofia. And I am……? Yes, my name is Tom!

해석

제 이름은 Tom이에요. 오늘 학교를 시작해요. 저는 행복해요. 저는 제 친구들을 만나요. 저는 그들의 이름을 알아요. 그녀의 이름은 Sarah예요. 그리고 그녀의 이름은 Emma고요. 그는 Liam이에요. 그녀는 Sofia예요. Henry는 Sofia와 가까이 있어요. 그리고 저는요……? 네, 제 이름은 Tom이에요!

7. What is the best title?
   (A) Tom Has Five Brothers
   (B) Tom Knows Friends' Names
   (C) Tom Does Not Know Names

해석 가장 알맞은 제목은 무엇인가?
(A) Tom은 형제 다섯 명이 있다
(B) Tom은 친구들의 이름을 안다
(C) Tom은 이름을 모른다

유형 전체 내용 파악

풀이 글쓴이 Tom이 'I know their names.'(저는 친구들의 이름을 알아요.)라고 말한 뒤, 친구들의 이름(Sarah, Emma, Liam, Sofia, Henry)을 차례대로 말하고 있다. 따라서 글의 중심 내용은 Tom이 친구들의 이름을 안다는 것이므로 (B)가 정답이다.

1. 교사는 교사용 교재를 참고하여 해당 문제의 유형을 파악한다.
2. 교사는 교사용 교재를 참고하여 지문을 해석 후 문제와 선택지를 해설한다.
3. 풀이를 참고하여 지문에서 정답과 오답의 근거를 찾아 설명한다.

Listening Practice

듣기 연습 (10분)

듣기 훈련을 통해 지문을 듣고 복습하는 시간

- 듣고 받아쓰기: 음원을 들으며 키워드 위주로 빈칸 채우기
- Listening Practice를 듣기 전 활동, 듣기 중 활동, 듣기 후 활동으로 단계별로 나누어 지도

학생용 교재 예시

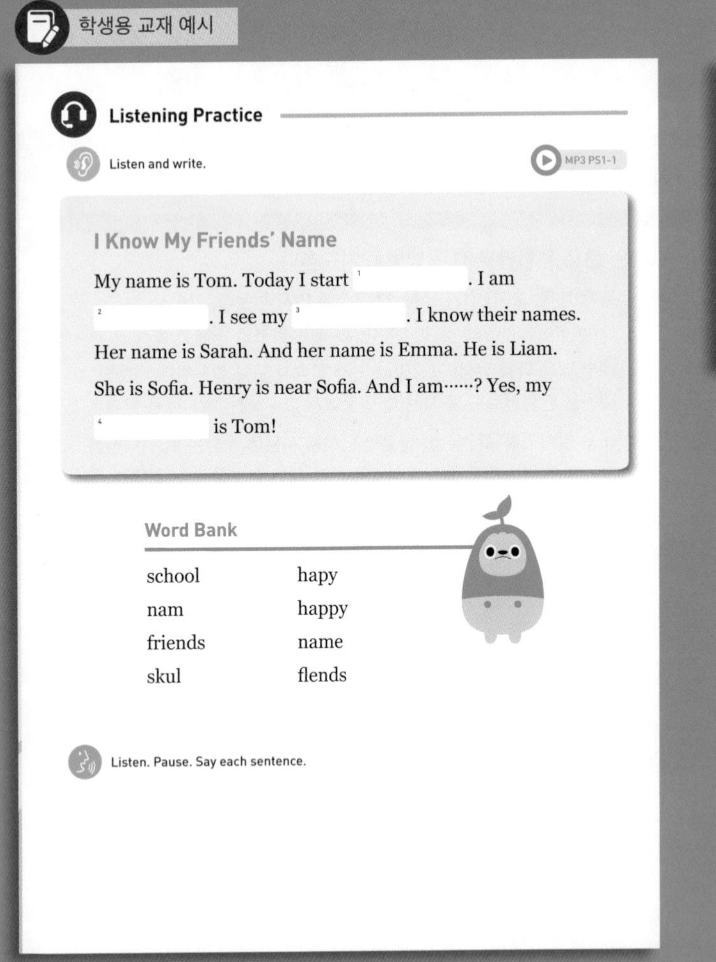

Listening Practice

Listen and write. MP3 PS1-1

I Know My Friends' Name

My name is Tom. Today I start [1] ______. I am [2] ______. I see my [3] ______. I know their names. Her name is Sarah. And her name is Emma. He is Liam. She is Sofia. Henry is near Sofia. And I am……? Yes, my [4] ______ is Tom!

Word Bank

school	hapy
nam	happy
friends	name
skul	flends

Listen. Pause. Say each sentence.

교사용 교재 예시

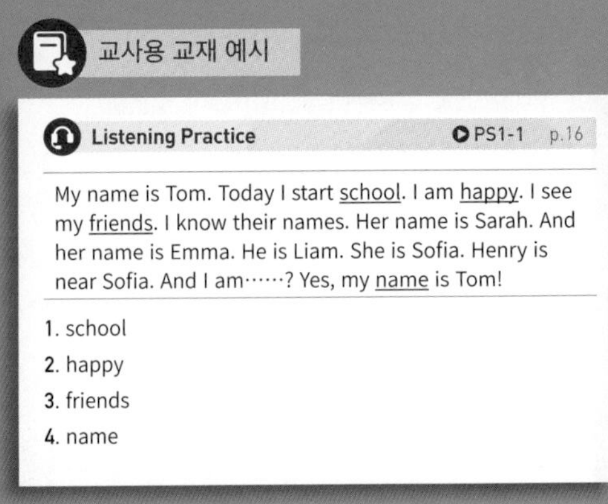

Listening Practice PS1-1 p.16

My name is Tom. Today I start school. I am happy. I see my friends. I know their names. Her name is Sarah. And her name is Emma. He is Liam. She is Sofia. Henry is near Sofia. And I am……? Yes, my name is Tom!

1. school
2. happy
3. friends
4. name

1 듣기 전 활동

- 목표: 학생의 적극적인 참여 유도 및 듣기 이해도(listening comprehension)를 높인다.
- 예시: 지문과 관련된 배경 지식이나 주제를 간단히 설명

2 듣기 중 활동

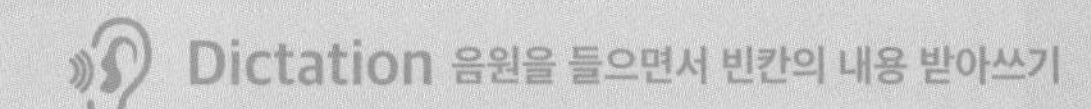

Dictation 음원을 들으면서 빈칸의 내용 받아쓰기

1. 음원을 1회 들려주고 전체적인 내용이나 주제를 파악하도록 하기
   (음원에만 집중하도록 Word Bank는 가린다)
2. 두번째 음원 재생 시 빈칸의 단어나 어구의 철자에 유념하여 Word Bank에서 찾아 쓴다.
3. 빈칸의 정답 공개 후 학생이 쓴 내용 확인
4. 틀린 부분을 반복 청취함으로써 세부 내용 파악 연습
5. 마지막 음원 재생 시 빈칸을 처음부터 다시 채우게 하여 지문을 이해했는지 최종 점검 및 듣기 능력 향상 확인
   (음원에만 집중하도록 Word Bank는 가린다)

Shadow Reading 듣고 바로 따라 읽기

듣기 / 말하기 영역 향상을 위해 음원을 들으며, 거의 동시에 한 문장씩 같이 읽기 또는 듣고 바로 따라하기

1. 억양, 발음, 속도, 강세, 리듬, 끊어 읽는 구간 등을 최대한 따라하기
2. 3~5번 정도 반복 훈련하기
3. 학생의 shadow reading 음성을 녹음하거나 모습을 동영상으로 촬영 후,
   발음이나 억양, 속도, 강세 등에 대한 피드백 제공하기

3 듣기 후 활동

- 목표: 지문의 단어를 듣고 이해할 수 있다.
- 예시: 지문 내 단어를 학습자가 듣고 그림이나 얼굴 표정, 동작 등을 이용하여 표현하기

Writing Practice

쓰기 연습 (10분)

Unit에서 익힌 단어를 글로 표현하는 시간

New Words 단어 쓰기

Unit을 마치기 전 New Words 숙지 여부를 철자 쓰기를 통해 확인

학생용 교재 예시

Write the words.

1 s

2 n

3 n

4 h

교사용 교재 예시

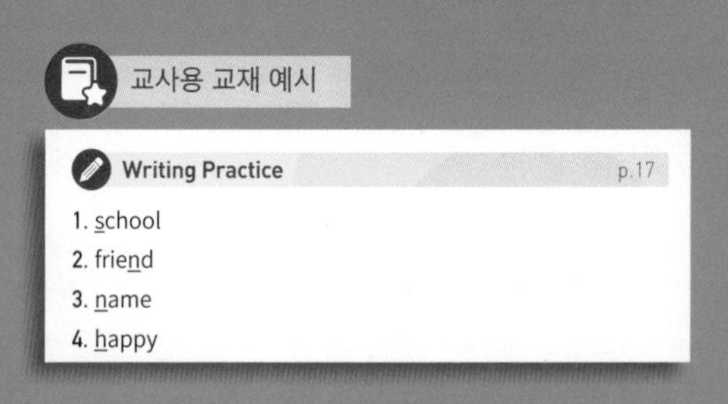
Writing Practice p.17

1. school
2. friend
3. name
4. happy

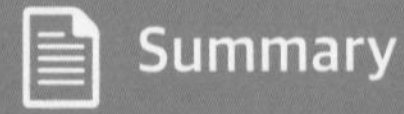

Summary

수능에 고정적으로 출제되는 유형으로 한 Unit에서 다룬 지문을 요약하는 훈련 및 내용 정리

※ 본 레벨에서는 수, 시제, 동사 형태 등의 문법 요소까지 고려하여 빈칸을 채우는 것은 어려우므로 문맥상 알맞은 단어라면 맞는 것으로 간주한다.

학생용 교재 예시

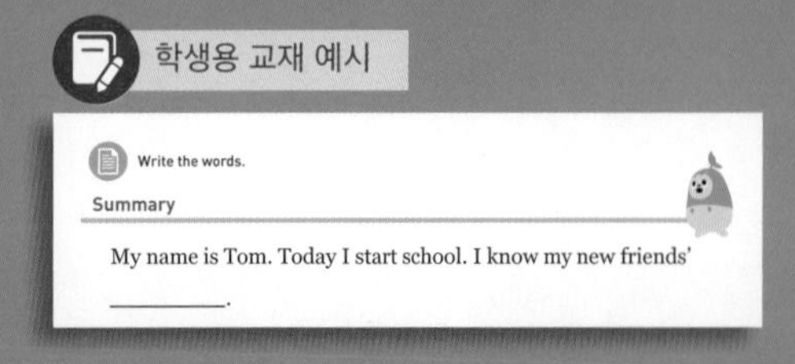
Write the words.

Summary

My name is Tom. Today I start school. I know my new friends' ________.

교사용 교재 예시

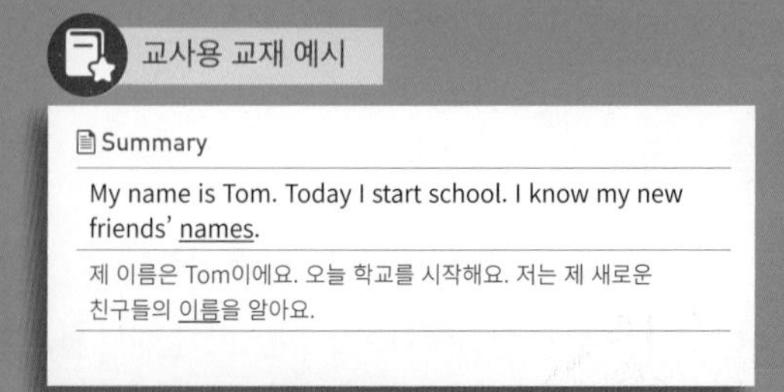
Summary

My name is Tom. Today I start school. I know my new friends' names.

제 이름은 Tom이에요. 오늘 학교를 시작해요. 저는 제 새로운 친구들의 이름을 알아요.

Writing Practice 추가 활동

Writing Practice 추가 활동의 워크시트는 TOSEL 홈페이지(www.tosel.org) 자료실에서 다운로드 후 사용 가능

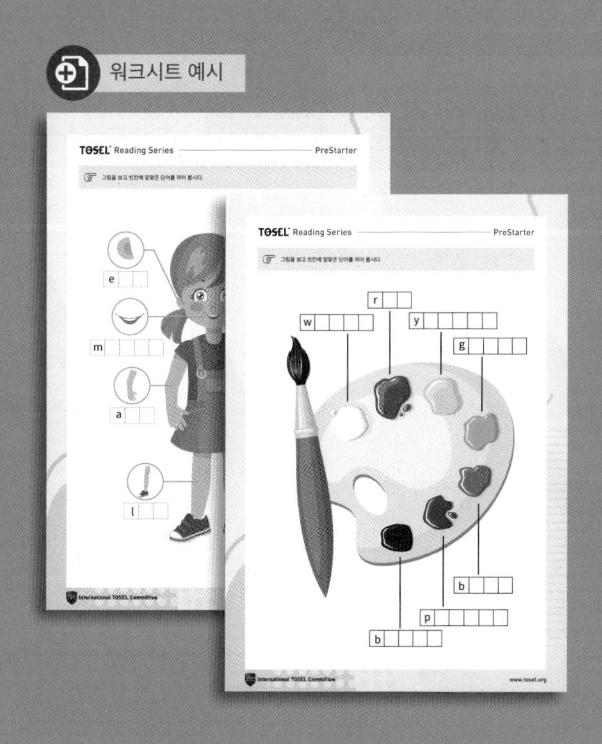

- 목표: 간단한 단어나 어구를 쓸 수 있다.
- 예시: ① 지문의 단어나 어구의 자음이나 모음 등 철자의 일부만 제시 후 나머지 철자 채우기
  ② 주제별 (신체 부위 / 날씨 / 동물 / 계절 / 음식 등) 기초적인 단어 쓰기

Word Puzzle

어휘 퍼즐 (5분)

Unit에서 학습한 단어들을 퍼즐 속에서 찾기

학생용 교재 예시

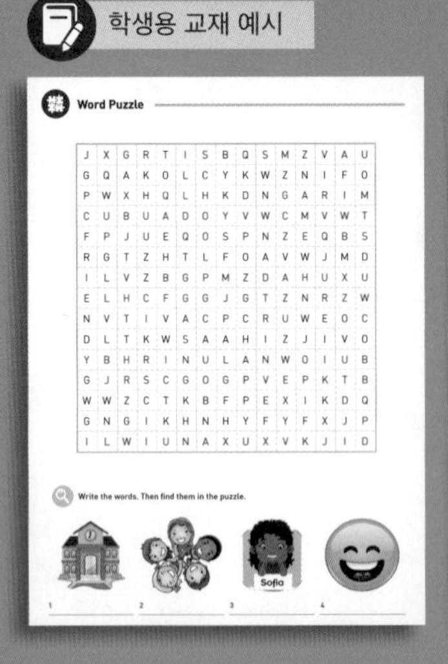

교사용 교재 예시

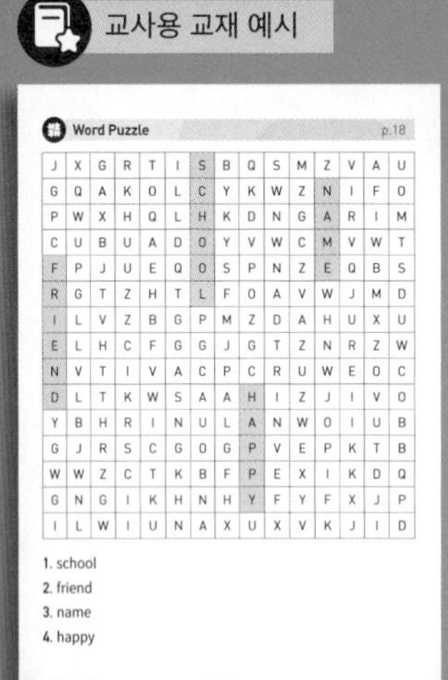

시각적 요소를 활용하여 단어의 장기적 기억 유도

- 한정된 시간 내 퍼즐 풀기나 퍼즐을 가장 빨리 푸는 학생에게 선물주기 등의 활동을 더하여, 해당 Unit의 복습 및 동기 부여를 하며 수업을 마무리

Chapter Review

Chapter 마무리 전 학습한 단어들을 복습하는 시간

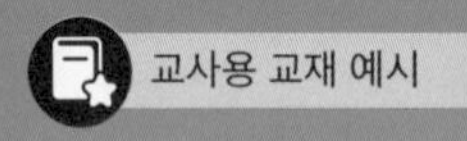

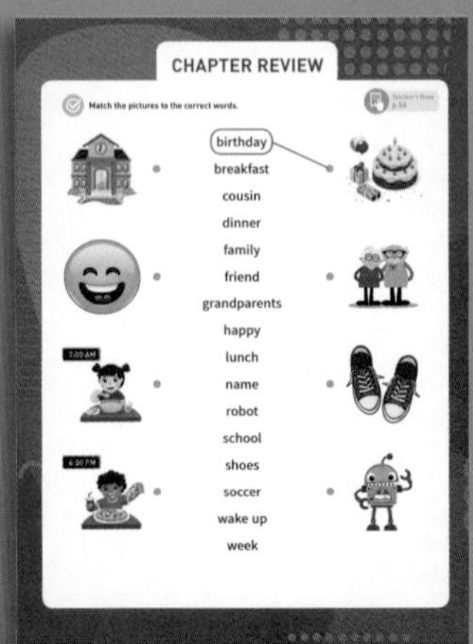

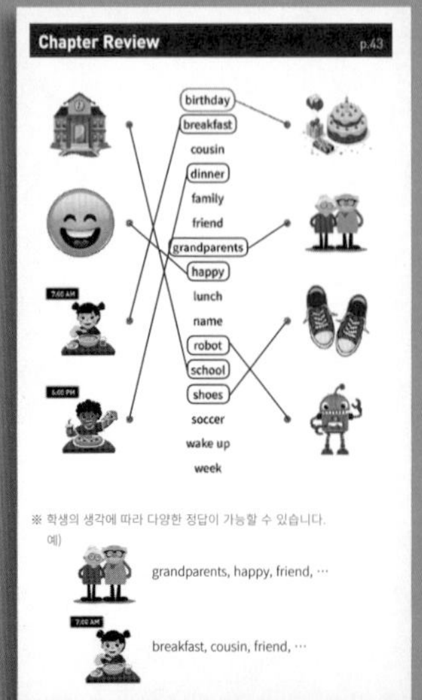

한 Chapter 완료시 네 개의 Unit에서 학습한 New Words의 단어들을 최종 복습

- 그림에 알맞은 단어 연결하기
- Chapter의 단어 복습지로 사용 가능

오답노트

취약 부분 점검 (10분)

채점 후 오답노트 작성

Unit을 마친 뒤 학습자 스스로 틀린 문제를 적게 함으로써 해당 학습 내용에 대한 이해 여부와 취약점 등을 파악, 정리

- 한 Chapter가 끝나면 오답노트에 기록한 문제들을 모아 프린트 후 다시 풀어보게 하기
- TOSEL 홈페이지(www.tosel.org) 자료실에서 다운로드 후 사용 또는 오답노트 구매

오답노트 작성 예시

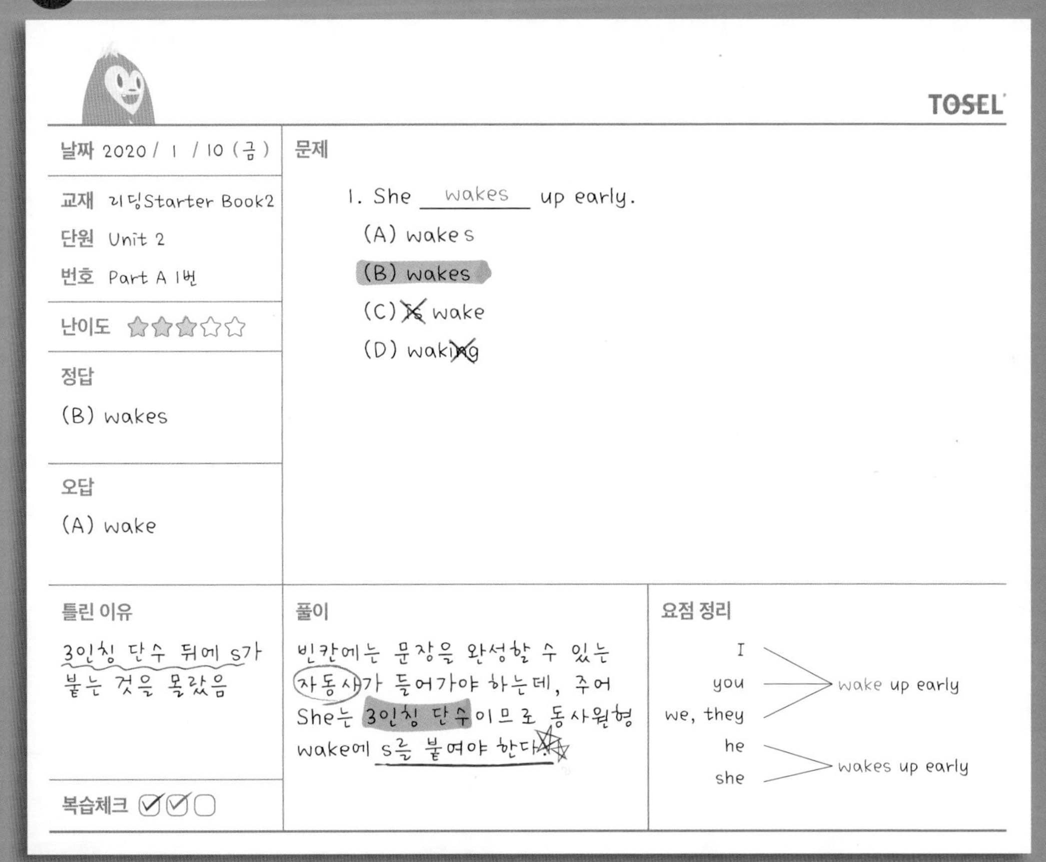

오답노트 활용법

1. 오답노트에 학습 날짜, Reading Series 책 번호, Unit, 틀린 번호를 적는다.
2. 자신이 느끼는 난이도를 표시한다.
3. 정답 및 내가 쓴 답(오답)을 적는다.
4. 문제란에 틀린 문제와 틀린 이유, 풀이를 적는다.
5. 요점 정리로 해당 문제를 마무리하며, 복습을 할 때마다 복습 체크란에 표시한다.

Voca Syllabus

Prestarter

Book	N.S	T.N.W	T.N.U.W
1	138	667	270
2	137	661	274
3	144	700	292

Starter

Book	N.S	T.N.W	T.N.U.W
1	269	1446	456
2	279	1560	409
3	279	1489	428

Basic

Book	N.S	T.N.W	T.N.U.W
1	333	2469	695
2	333	2528	710
3	340	2662	730

Junior

Book	N.S	T.N.W	T.N.U.W
1	289	3012	974
2	263	2985	985
3	232	3206	994

High Junior

Book	N.S	T.N.W	T.N.U.W
1	219	3432	1195
2	223	3522	1145
3	288	4170	1339

- N.S: Number of Sentences, 교재에 사용된 전체 문장 수
- T.N.W: Total Number of Words, 교재에 사용된 전체 단어 수 (중복 포함)
- T.N.U.W: Total Number of Unique Words, 교재에 사용된 전체 단어 수 (중복 미포함)

Reading Series는 각 레벨별 3권, 총 15권의 본교재와 5권의 교사용 교재로 이루어져 있으며, 학생의 수준에 맞는 난이도의 교재를 선택해 학습을 진행하실 수 있습니다. Prestarter 레벨부터 High Junior 레벨까지의 리딩시리즈 교재를 통해 총 3,766개의 문장과 10,866개의 단어를 학습하실 수 있습니다.

TOSEL vs 수학능력시험

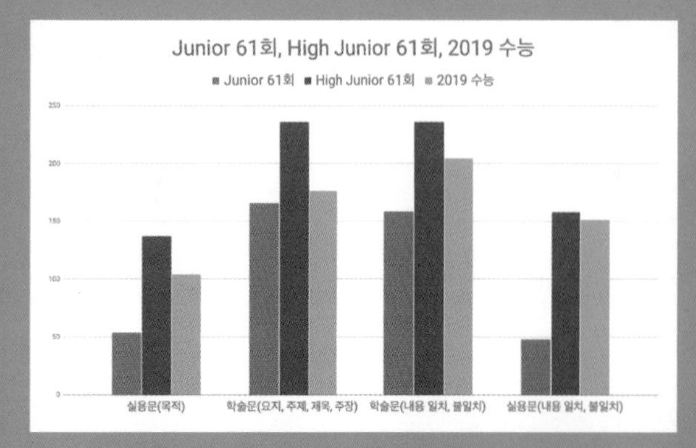

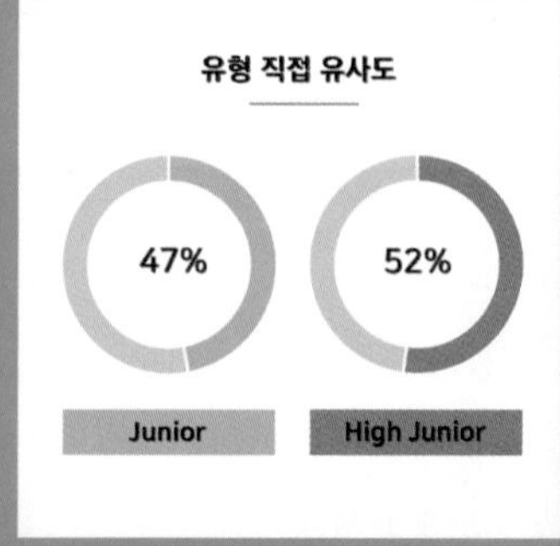

평균적으로 수학 능력 시험 (CSAT) 영어 과목 1등급을 받기 위해 요구되는 단어의 수는 5,000개 이상입니다. TOSEL Reading Series 교재를 통해 학습할 수 있는 단어의 수는 총 10,866개로, 이는 수학 능력 시험을 대비하기에 충분한 숫자입니다. Prestarter, Starter, Basic, Junior, High Junior 레벨의 TOSEL 문항은 각급 학교 내신 시험 및 수학 능력 시험과 높은 문항 일치율을 보인다는 점에서 내신 1등급과 수학 능력 시험 1등급이라는 결과를 동시에 기대할 수 있습니다.

TOSEL® Reading
PreStarter Book 1

PreStarter Book 1

ANSWERS

CHAPTER 1 | Me & My Family p.10

Unit										
UNIT 1	1 (A)	2 (A)	3 (B)	4 (A)	5 (C)	6 (A)	7 (B)	8 (A)	9 (B)	10 (A)
PS1-1	1 school		2 happy		3 friends		4 name			
p.11	1 school		2 friend		3 name		4 happy		names	
	1 school		2 friend		3 name		4 happy			
UNIT 2	1 (C)	2 (C)	3 (C)	4 (A)	5 (A)	6 (B)	7 (C)	8 (B)	9 (A)	10 (A)
PS1-2	1 wakes up		2 breakfast		3 lunch		4 dinner			
p.19	1 breakfast		2 lunch		3 dinner		4 wake up		school	
	1 breakfast		2 lunch		3 dinner		4 wake up			
UNIT 3	1 (C)	2 (A)	3 (C)	4 (A)	5 (C)	6 (C)	7 (B)	8 (B)	9 (A)	10 (B)
PS1-3	1 birthday		2 family		3 grandparents		4 cousin			
p.27	1 birthday		2 family		3 grandparents		4 cousin		family	
	1 birthday		2 family		3 grandparents		4 cousin			
UNIT 4	1 (A)	2 (A)	3 (C)	4 (A)	5 (B)	6 (C)	7 (A)	8 (A)	9 (C)	10 (B)
PS1-4	1 soccer		2 shoes		3 week		4 robots			
p.35	1 week		2 soccer		3 shoes		4 robot		gift	
	1 week		2 soccer		3 shoes		4 robot			

CHAPTER 2 | A Colorful World p.44

Unit										
UNIT 5	1 (A)	2 (B)	3 (B)	4 (A)	5 (C)	6 (A)	7 (A)	8 (A)	9 (C)	10 (C)
PS1-5	1 red		2 yellow		3 purple		4 green			
p.45	1 red		2 yellow		3 purple		4 green		colors	
	1 red		2 yellow		3 purple		4 green			
UNIT 6	1 (A)	2 (C)	3 (C)	4 (C)	5 (B)	6 (C)	7 (C)	8 (B)	9 (C)	10 (A)
PS1-6	1 circles		2 rectangles		3 triangle		4 squid			
p.53	1 circle		2 rectangle		3 triangle		4 squid		shapes	
	1 circle		2 rectangle		3 triangle		4 squid			
UNIT 7	1 (A)	2 (A)	3 (C)	4 (A)	5 (A)	6 (B)	7 (C)	8 (A)	9 (B)	10 해설참조
PS1-7	1 zoo		2 heads		3 arms		4 legs			
p.61	1 arm		2 leg		3 head		4 zoo		animals	
	1 arm		2 leg		3 head		4 zoo			
UNIT 8	1 (A)	2 (B)	3 (A)	4 (A)	5 (C)	6 (A)	7 (C)	8 (C)	9 (C)	10 (A)
PS1-8	1 shirt		2 pants		3 jacket		4 socks			
p.69	1 shirt		2 pants		3 jacket		4 socks		clothes	
	1 shirt		2 pants		3 jacket		4 socks			

CHAPTER 3 | My House p.78

Unit										
UNIT 9	1 (A)	2 (A)	3 (B)	4 (B)	5 (A)	6 (C)	7 (B)	8 (B)	9 (B)	10 (A)
PS1-9	1 windows		2 kitchen		3 bathrooms		4 bedroom			
p.79	1 window		2 kitchen		3 bathroom		4 bedroom		house	
	1 window		2 kitchen		3 bathroom		4 bedroom			
UNIT 10	1 (A)	2 (A)	3 (B)	4 (A)	5 (A)	6 (A)	7 (B)	8 (C)	9 (C)	10 (C)
PS1-10	1 tongue		2 wings		3 ground		4 forest			
p.87	1 tongue		2 wing		3 forest		4 ground		snake	
	1 tongue		2 wing		3 forest		4 ground			
UNIT 11	1 (B)	2 (C)	3 (B)	4 (A)	5 (B)	6 (A)	7 (C)	8 (C)	9 (B)	10 (B)
PS1-11	1 soup		2 cheese		3 pasta		4 chicken			
p.95	1 soup		2 cheese		3 pasta		4 chicken		cook	
	1 soup		2 cheese		3 pasta		4 chicken			
UNIT 12	1 (B)	2 (B)	3 (B)	4 (B)	5 (C)	6 (C)	7 (C)	8 (A)	9 (A)	10 (C)
PS1-12	1 piano		2 guitar		3 violin		4 cello			
p.103	1 piano		2 guitar		3 violin		4 cello		music	
	1 piano		2 guitar		3 violin		4 cello			

Chapter 1. Me & My Family

Unit 1 | I know My Friends' Names p.11

Part A. Spell the Words p.13

1 (A) 2 (A)

Part B. Situational Writing p.13

3 (B) 4 (A)

Part C. Practical Reading and Retelling p.14

5 (C) 6 (A)

Part D. General Reading and Retelling p.15

7 (B) 8 (A) 9 (B) 10 (A)

Listening Practice p.16

1 school 2 happy
3 friends 4 name

Writing Practice p.17

1 school 2 friend
3 name 4 happy
Summary names

Word Puzzle p.18

1 school 2 friend
3 name 4 happy

Pre-reading Questions p.11

Who is your best friend?

여러분의 단짝은 누구인가요?

Reading Passage p.12

I Know My Friends' Names

My name is Tom. Today I start school. I am happy. I see my friends. I know their names. Her name is Sarah. And her name is Emma. He is Liam. She is Sofia. Henry is near Sofia. And I am……? Yes, my name is Tom!

저는 제 친구들의 이름을 알아요

제 이름은 Tom이에요. 오늘 학교를 시작해요. 저는 행복해요. 저는 제 친구들을 만나요. 저는 그들의 이름을 알아요. 그녀의 이름은 Sarah예요. 그리고 그녀의 이름은 Emma고요. 그는 Liam 이에요. 그녀는 Sofia예요. Henry는 Sofia와 가까이 있어요. 그리고 저는요……? 네, 제 이름은 Tom이에요!

어휘 name 이름 | start 시작하다 | school 학교 | happy 행복한 | see 보다 | friend 친구 | their 그들의 | near ~의 근처에 | sad 슬픈 | sleepy 졸린 | behind ~의 뒤에 | far from ~에서 멀리 떨어진 | teacher 선생님 | class 학급, 반 | brother 남동생, 형, 오빠 | know 알다 | birthday 생일 | first 첫 번째 | last 마지막 | There is/are ~. ~가 있다.

Comprehension Questions p.13

1. sc_hool
   (A) h
   (B) k
   (C) p

풀이 그림에 나와 있는 장소는 학교이다. '학교'는 영어로 'school'이므로 (A)가 정답이다.

관련 문장 Today I start school.

2. friends
   (A) friends
   (B) firedns
   (C) fedirns

풀이 그림에서 두 친구가 사이좋게 부둥켜 안고 있다. '친구'는 영어로 'friend'이므로 (A)가 정답이다.

새겨 두기 'friend'에서 'ie'는 많이 헷갈리는 철자이므로 머릿속에 확실히 새겨두자.

관련 문장 I see my friends.

3. I am happy.
   (A) sad
   (B) happy
   (C) sleepy

해석 나는 행복해.
(A) 슬픈
(B) 행복한
(C) 졸린

풀이 그림의 소년이 이를 드러내고 활짝 웃고 있으므로 (B)가 정답이다.

관련 문장 I'm happy. I see my friends.

4. Sofia is near Henry.

(A) near
(B) behind
(C) far from

해석 Sofia는 Henry와 가까이 있다.

(A) 근처에
(B) 뒤에
(C) 멀리 떨어진

풀이 그림에서 두 학생이 서로 가까이 앉아있다. 따라서 '가까운, ~의 근처에'라는 뜻을 나타내는 (A)가 정답이다.

관련 문장 She is Sofia. Henry is near Sofia.

[5-6]

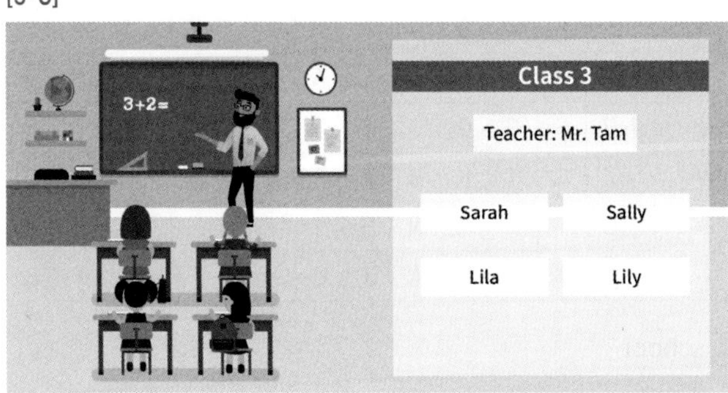

해석

3반
선생님: Mr. Tam
Sarah Sally
Lila Lily

5. Who is the teacher?

(A) Tim
(B) Lila
(C) Mr. Tam

해석 선생님은 누구인가?

(A) Tim
(B) Lila
(C) Mr. Tam

풀이 교실 칠판 앞에 서 있는 선생님의 이름은 'Mr.Tam'이므로 (C)가 정답이다. 선생님을 지칭할 때 'Mr./Ms. + 성'의 형태로 높여 부른다는 점에 유의한다.

6. Who is NOT in class 3?

(A) Leo
(B) Sally
(C) Sarah

해석 3반이 아닌 사람은 누구인가?

(A) Leo
(B) Sally
(C) Sarah

풀이 그림을 보면 3반에는 'Leo'라는 학생이 없으므로 (A)가 정답이다.

[7-10]

My name is Tom. Today I start school. I am happy. I see my friends. I know their names. Her name is Sarah. And her name is Emma. He is Liam. She is Sofia. Henry is near Sofia. And I am……? Yes, my name is Tom!

해석

제 이름은 Tom이에요. 오늘 학교를 시작해요. 저는 행복해요. 저는 제 친구들을 만나요. 저는 그들의 이름을 알아요. 그녀의 이름은 Sarah예요. 그리고 그녀의 이름은 Emma고요. 그는 Liam이에요. 그녀는 Sofia예요. Henry는 Sofia와 가까이 있어요. 그리고 저는요……? 네, 제 이름은 Tom이에요!

7. What is the best title?

(A) Tom Has Five Brothers
(B) Tom Knows Friends' Names
(C) Tom Does Not Know Names

해석 가장 알맞은 제목은 무엇인가?

(A) Tom은 형제 다섯 명이 있다
(B) Tom은 친구들의 이름을 안다
(C) Tom은 이름을 모른다

유형 전체 내용 파악

풀이 글쓴이 Tom이 'I know their names.'(저는 친구들의 이름을 알아요.)라고 말한 뒤, 친구들의 이름(Sarah, Emma, Liam, Sofia, Henry)을 차례대로 말하고 있다. 따라서 글의 중심 내용은 Tom이 친구들의 이름을 안다는 것이므로 (B)가 정답이다.

8. What goes in ________?

(A) Tom
(B) Henry
(C) Emma

해석 ______에 들어갈 말은 무엇인가?

(A) Tom
(B) Henry
(C) Emma

유형 세부 내용 파악

풀이 'My name is ______'이므로 빈칸에는 글쓴이의 이름이 들어가야 한다. 첫 문장에서 글쓴이의 이름이 'Tom'이라고 했으므로 (A)가 정답이다.

9. What day is it?

(A) Tom's birthday
(B) Tom's first school day
(C) Tom's last school day

해석 (오늘은) 무슨 날인가?

(A) Tom의 생일
(B) Tom의 학교 첫날
(C) Tom의 학교 마지막날

유형 세부 내용 파악

풀이 'Today I start school.'에서 오늘이 Tom이 학교에 가는 첫 번째 날이라는 사실을 알 수 있으므로 (B)가 정답이다.

10. What is NOT true?

(A) There is no Sarah.
(B) Henry is near Sofia.
(C) Tom sees his friends.

해석 옳지 않은 설명은 무엇인가?

(A) Sarah가 없다.
(B) Henry는 Sofia 가까이 있다.
(C) Tom은 그의 친구들을 본다.

유형 세부 내용 파악

풀이 'Her name is Sarah.'(그녀의 이름은 Sarah예요.)에서 Sarah의 이름을 말했으므로 Sarah가 없다는 말은 거짓이 되어 (A)가 정답이다.

Listening Practice PS1-1 p.16

My name is Tom. Today I start school. I am happy. I see my friends. I know their names. Her name is Sarah. And her name is Emma. He is Liam. She is Sofia. Henry is near Sofia. And I am……? Yes, my name is Tom!

1. school
2. happy
3. friends
4. name

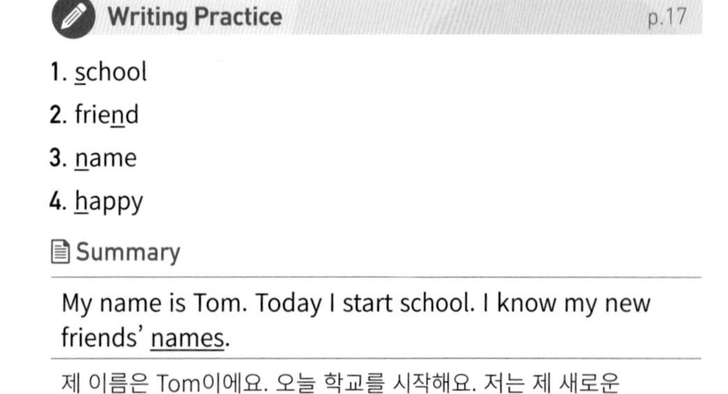

Writing Practice p.17

1. school
2. friend
3. name
4. happy

Summary

My name is Tom. Today I start school. I know my new friends' names.

제 이름은 Tom이에요. 오늘 학교를 시작해요. 저는 제 새로운 친구들의 이름을 알아요.

Word Puzzle p.18

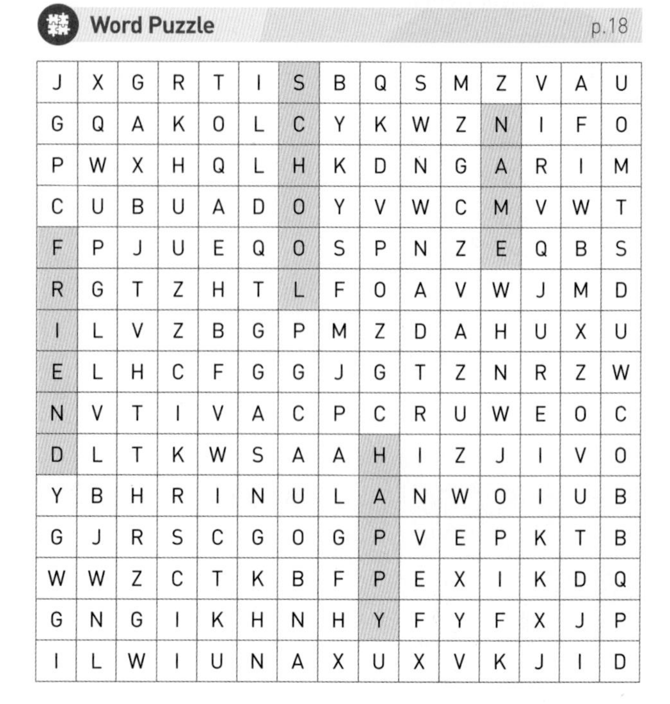

J	X	G	R	T	I	S	B	Q	S	M	Z	V	A	U
G	Q	A	K	O	L	C	Y	K	W	Z	N	I	F	O
P	W	X	H	Q	L	H	K	D	N	G	A	R	I	M
C	U	B	U	A	D	O	Y	V	W	C	M	V	W	T
F	P	J	U	E	Q	O	S	P	N	Z	E	Q	B	S
R	G	T	Z	H	T	L	F	O	A	V	W	J	M	D
I	L	V	Z	B	G	P	M	Z	D	A	H	U	X	U
E	L	H	C	F	G	G	J	G	T	Z	N	R	Z	W
N	V	T	I	V	A	C	P	C	R	U	W	E	O	C
D	L	T	K	W	S	A	A	H	I	Z	J	I	V	O
Y	B	H	R	I	N	U	L	A	N	W	O	I	U	B
G	J	R	S	C	G	O	G	P	V	E	P	K	T	B
W	W	Z	C	T	K	B	F	P	E	X	I	K	D	Q
G	N	G	I	K	H	N	H	Y	F	Y	F	X	J	P
I	L	W	I	U	N	A	X	U	X	V	K	J	I	D

1. school
2. friend
3. name
4. happy

Unit 2 | Maria's Monday p.19

Part A. Spell the Words p.21

1 (C) 2 (C)

Part B. Situational Writing p.21

3 (C) 4 (A)

Part C. Practical Reading and Retelling p.22

5 (A) 6 (B)

Part D. General Reading and Retelling p.23

7 (C) 8 (B) 9 (A) 10 (A)

Listening Practice p.24

1 wakes up 2 breakfast
3 lunch 4 dinner

Writing Practice p.25

1 breakfast 2 lunch
3 dinner 4 wake up
Summary school

Word Puzzle p.26

1 breakfast 2 lunch
3 dinner 4 wake up

Pre-reading Questions p.19

Who is at your school? Draw a picture.

여러분의 학교에 누가 있나요? 그림을 그려보세요.

Reading Passage p.20

Maria's Monday

It is Monday. Maria wakes up. She eats breakfast. She says, "Good morning, Mom." She goes to school. It is 9 AM. She sees her English teacher. Her teacher asks, "How are you?" Maria says, "I am fine." Maria eats lunch. She sees her friends. Then she goes home. She talks to her father. She eats dinner. She says, "Good night." Then she goes to sleep.

Maria의 월요일

(오늘은) 월요일이에요. Maria는 일어나요. 그녀는 아침을 먹어요. 그녀는 말해요, "좋은 아침이에요, 엄마." 그녀는 학교에 가요. 오전 9시예요. 그녀는 영어 선생님을 만나요. 그녀의 선생님이 물어요, "어떻게 지내니?" Maria가 말해요, "잘 지내요." Maria는 점심을 먹어요. 그녀는 친구들을 만나요. 그런 다음 집에 가요. 아버지와 대화해요. 그녀는 저녁을 먹어요. 그녀는 말해요, "안녕히 주무세요." 그런 다음 잠을 자요.

어휘 Monday 월요일 | wake up 일어나다 | breakfast 아침 식사 | Good morning. 좋은 아침이에요. | school 학교 | AM 오전 | English 영어 | teacher 선생님 | ask 질문하다 | How are you? 넌 잘 지내니? | lunch 점심 | go 가다 | home 집으로 | Good night. 안녕히 주무세요., 잘 자. | go to sleep 잠자다 | art 미술; 예술 | math 수학 | market 시장 | See you later. 잘 가., 다음에 봐. | Where are you from? 넌 어디서 왔니? | family 가족 | fun 재밌는 | fine 괜찮은 | apple 사과 | cook 요리하다 | study 공부하다

Comprehension Questions p.21

1. wake up

(A) h
(B) s
(C) w

풀이 소녀가 기지개를 켜며 일어나고 있다. '일어나다'는 영어로 'wake up'이므로 (C)가 정답이다.

관련 문장 Maria wakes up.

2. breakfast

(A) beraksaft
(B) braketasf
(C) breakfast

풀이 소녀가 오전 7시에 아침을 먹고 있다. '아침 식사'는 영어로 'breakfast'이므로 (C)가 정답이다.

관련 문장 She eats breakfast.

3. Maria sees her English teacher.

(A) art
(B) math
(C) English

해석 Maria는 그녀의 영어 선생님을 만난다.

(A) 미술
(B) 수학
(C) 영어

풀이 선생님이 소녀에게 알파벳을 가르쳐주고 있다. 따라서 선생님은 영어 선생님이므로 (C)가 정답이다.

관련 문장 She sees her English teacher.

4. She goes to sleep.

(A) sleep
(B) school
(C) market

해석 그녀는 잠을 잔다.

(A) 잠
(B) 학교
(C) 시장

풀이 소녀가 밤이 되어 침대에서 잠을 자고 있다. 따라서 (A)가 정답이다.

관련 문장 She says, "Good night." Then she goes to sleep.

[5-6]

해석

Maria의 월요일				
오전 8시	오전 9시	오후 12시	오후 5시	오후 7시

5. What day is it today?

(A) Monday
(B) Tuesday
(C) Wednesday

해석 오늘은 무슨 요일인가?

(A) 월요일
(B) 화요일
(C) 수요일

풀이 Maria의 월요일 일상을 그린 시간표이므로 (A)가 정답이다.

6. Where is Maria at 9 AM?

(A) home
(B) school
(C) cafeteria

해석 Maria는 오전 9시에 어디에 있는가?

(A) 집
(B) 학교
(C) 식당

풀이 오전 9시에 Maria는 학교에 있으므로 (B)가 정답이다.

[7-10]

It is Monday. Maria wakes up. She eats breakfast. She says, "Good morning, Mom." She goes to school. It is 9 AM. She sees her English teacher. Her teacher asks, "How are you?" Maria says, "I am fine." Maria eats lunch. She sees her friends. Then she goes home. She talks to her father. She eats dinner. She says, "Good night." Then she goes to sleep.

해석

(오늘은) 월요일이에요. Maria는 일어나요. 그녀는 아침을 먹어요. 그녀는 말해요, "좋은 아침이에요, 엄마." 그녀는 학교에 가요. 오전 9시예요. 그녀는 영어 선생님을 만나요. 그녀의 선생님이 물어요, "어떻게 지내니?" Maria가 말해요, "잘 지내요." Maria는 점심을 먹어요. 그녀는 친구들을 만나요. 그런 다음 집에 가요. 아버지와 대화해요. 그녀는 저녁을 먹어요. 그녀는 말해요, "안녕히 주무세요." 그런 다음 잠을 자요.

7. What is the best title?

(A) Maria's Family
(B) A Fun Sunday
(C) Maria's Monday

해석 가장 알맞은 제목은 무엇인가?

(A) Maria의 가족
(B) 재밌는 일요일
(C) Maria의 월요일

유형 전체 내용 파악

풀이 첫 문장에서 'It is Monday'(오늘은 월요일이에요.)라고 말한 뒤, Maria가 하루 동안 무엇을 하는지 차례대로 말하고 있다. 따라서 글의 주제는 Maria의 월요일 일상이므로 (C)가 정답이다.

8. What goes in ________?
   (A) I have 9.
   (B) I am fine.
   (C) I like apples.

해석 ______에 들어갈 말은 무엇인가?
   (A) 9개가 있어요.
   (B) 잘 지내요.
   (C) 사과를 좋아해요.

유형 추론하기

풀이 영어 선생님이 'How are you?'(잘 지내니?)라고 Maria의 안부를 물었다. 빈칸에는 이에 대한 대답이 들어가야 한다. 여기서 'I am fine.'(잘 지내요.)이라고 대답할 수 있으므로 (B)가 정답이다.

9. What does Maria do first?
   (A) eat breakfast
   (B) study English
   (C) see her father

해석 Maria가 처음으로 하는 것은 무엇인가?
   (A) 아침 먹기
   (B) 영어 공부하기
   (C) 아버지 만나기

유형 세부 내용 파악

풀이 Maria는 일어나서 먼저 아침을 먹는다고 했으므로 (A)가 정답이다.

10. What does Maria do at home?
   (A) eat dinner
   (B) cook lunch
   (C) study math

해석 Maria는 집에서 무엇을 하는가?
   (A) 저녁 먹기
   (B) 점심 요리하기
   (C) 수학 공부하기

유형 세부 내용 파악

풀이 Maria는 집에 돌아와서 아버지와 대화하고 저녁을 먹은 뒤 잠을 잔다고 했으므로 여기에 해당하는 (A)가 정답이다.

Listening Practice

PS1-2 p.24

It is Monday. Maria wakes up. She eats breakfast. She says, "Good morning, Mom." She goes to school. It is 9 AM. She sees her English teacher. Her teacher asks, "How are you?" Maria says, "I am fine." Maria eats lunch. She sees her friends. Then she goes home. She talks to her father. She eats dinner. She says, "Good night." Then she goes to sleep.

1. wakes up
2. breakfast
3. lunch
4. dinner

Writing Practice

p.25

1. breakfast
2. lunch
3. dinner
4. wake up

Summary

Maria goes to school. She sees her teacher and her friends. Then she goes home.

Maria가 학교에 가요. 그녀는 그녀의 선생님과 친구들을 만나요. 그런 다음 그녀는 집으로 가요.

Word Puzzle

p.26

N	T	N	C	I	R	D	X	A	X	E	K	B	A	M
U	B	W	I	K	T	S	L	Q	P	W	S	X	F	X
M	E	D	P	Q	D	C	M	H	V	U	R	L	T	E
W	H	B	R	E	A	K	F	A	S	T	S	Q	T	C
E	T	U	J	I	I	B	E	L	M	F	D	L	A	W
X	F	X	R	G	S	S	L	P	J	N	Q	I	U	J
M	P	M	R	T	C	Y	S	L	O	H	D	U	N	V
Y	I	L	D	T	C	S	Z	S	J	D	I	J	E	G
N	Z	P	K	Q	H	C	J	U	B	B	S	V	C	L
P	V	N	J	Y	S	Z	E	K	X	D	G	P	V	U
M	H	V	S	J	A	V	G	I	M	Y	M	W	A	N
G	S	W	A	K	E	U	P	Y	K	Q	R	P	J	C
Z	X	A	Y	W	I	N	F	F	Z	P	J	U	A	H
X	B	M	Z	U	Y	Q	F	D	I	N	N	E	R	O
R	J	Z	N	X	I	P	Z	N	M	Q	O	F	M	P

1. breakfast
2. lunch
3. dinner
4. wake up

Unit 3 | Family at a Birthday Party p.27

Part A. Spell the Words				p.29
1 (C)	2 (A)			
Part B. Situational Writing				p.29
3 (C)	4 (A)			
Part C. Practical Reading and Retelling				p.30
5 (C)	6 (C)			
Part D. General Reading and Retelling				p.31
7 (B)	8 (B)	9 (A)	10 (B)	
Listening Practice				p.32
1 birthday	2 family			
3 grandparents	4 cousin			
Writing Practice				p.33
1 birthday	2 family			
3 grandparents	4 cousin			
Summary family				
Word Puzzle				p.34
1 birthday	2 family			
3 grandparents	4 cousin			

Pre-reading Questions p.27

Think! It is your birthday.
What day is it? Who is at your party?

생각해보세요! 여러분의 생일이에요.
무슨 요일인가요? 파티에 누가 있나요?

Reading Passage p.28

Family at a Birthday Party

Today is Fadi's birthday. There is a party. Who is there? Fadi's family is there. Fadi's mom and dad are there. Fadi's grandparents are all there. Fadi's uncles are all there. There are three uncles. Fadi's aunts are all there, too. There are two aunts. One cousin is there. But the other cousin is sick. He is not at the party.

생일파티에 온 가족

오늘은 Fadi의 생일이에요. 파티가 있어요. 거기에 누가 있나요? Fadi의 가족이 거기에 있어요. Fadi의 엄마와 아빠가 거기에 있어요. Fadi의 조부모님이 모두 거기에 있어요. Fadi의 삼촌들이 모두 거기에 있어요. 삼촌이 세 명 있어요. Fadi의 고모들도 모두 거기에 있어요. 고모가 두 명 있어요. 사촌 한 명이 거기에 있어요. 그런데 다른 사촌 한 명은 아파요. 그는 파티에 있지 않아요.

어휘 today 오늘 | birthday 생일 | There is/are ~. ~가 있다. | party 파티 | who 누구 | there 거기에 | family 가족 | mom 엄마 | dad 아빠 | grandparent 조부모님 | all 모두 | uncle 삼촌 | aunt 고모, 이모 | too ~도 | cousin 사촌 | the other 둘 중의 다른 한 | sick 아픈 | friend 친구 | teacher 선생님 | busy 바쁜 | happy 행복한 | sister 여동생, 누나, 언니 | grandfather 할아버지 | grandmother 할머니 | brother 남동생, 형, 오빠

Comprehension Questions p.29

1. birthday
   (A) b
   (B) d
   (C) h

풀이 그림에서 아이들이 생일 파티를 열고 있다. '생일'은 영어로 'birthday'이므로 (C)가 정답이다.

새겨 두기 'th'는 혀를 윗니와 아랫니 사이에 넣어 발음하는 소리이다.

관련 문장 Today is Fadi's birthday.

2. cousin
   (A) cousin
   (B) siocun
   (C) niuosc

풀이 고모와 삼촌의 자식은 나와 사촌 관계이다. '사촌'은 영어로 'cousin'이므로 (A)가 정답이다.

관련 문장 One cousin is there. But the other cousin is sick.

3. Fadi's <u>grandparents</u> come to the party.
   (A) friends
   (B) teachers
   (C) grandparents

해석 Fadi의 <u>조부모님</u>은 파티에 오신다.
   (A) 친구들
   (B) 선생님들
   (C) 조부모님

풀이 그림에서 머리가 하얗게 센 조부모님이 웃고 있다. 따라서 (C)가 정답이다.

관련 문장 Fadi's grandparents are all there.

4. One cousin is <u>sick</u> today.
   (A) sick
   (B) busy
   (C) happy

해석 사촌 한 명이 오늘 <u>아프다</u>.
   (A) 아픈
   (B) 바쁜
   (C) 행복한

풀이 그림에서 한 소년이 침대 위에서 앓고 있다. 따라서 (A)가 정답이다.

관련 문장 But the other cousin is sick. He is not at the party.

[5-6]

해석

할아버지 ─ 할머니
어머니 ─ 아버지 　 고모 　 삼촌
언니 　 <u>오빠</u> 　 나

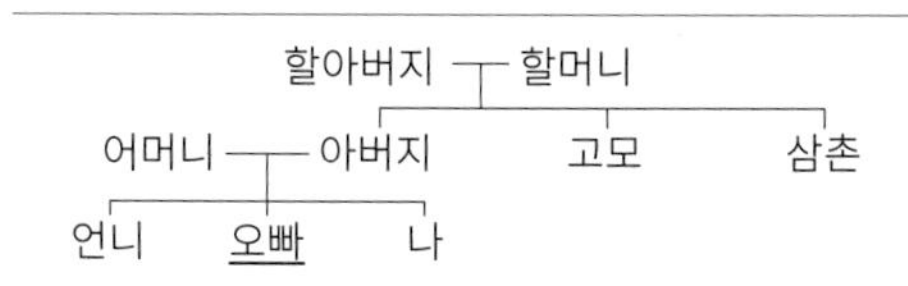

가계도

5. What goes in the blank?
   (A) sister
   (B) cousin
   (C) brother

해석 빈칸에 들어갈 말은 무엇인가?
   (A) 언니
   (B) 사촌
   (C) 오빠

풀이 빈칸에 들어갈 사람은 'me'(나)의 남자 형제이다. 따라서 (C)가 정답이다.

6. Who is at the top?
   (A) aunt
   (B) uncle
   (C) grandfather

해석 꼭대기에는 누가 있는가?
   (A) 고모
   (B) 삼촌
   (C) 할아버지

풀이 꼭대기에는 부모님의 부모님이 있다. 부모님의 부모님은 조부모님이므로 (C)가 정답이다.

[7-10]

Today is Fadi's birthday. There is a party. Who is there? Fadi's family is there. Fadi's mom and dad are there. Fadi's grandparents are all there. Fadi's uncles are all there. There are three uncles. Fadi's aunts are all there, too. There are two aunts. One cousin is there. But the other cousin is sick. He is not at the party.

해석

오늘은 Fadi의 생일이에요. 파티가 있어요. 거기에 누가 있나요? Fadi의 가족이 거기에 있어요. Fadi의 엄마와 아빠가 거기에 있어요. Fadi의 조부모님이 모두 거기에 있어요. Fadi의 삼촌들이 모두 거기에 있어요. 삼촌이 세 명 있어요. Fadi의 고모들도 모두 거기에 있어요. 고모가 두 명 있어요. 사촌 한 명이 거기에 있어요. 그런데 다른 사촌 한 명은 아파요. 그는 파티에 있지 않아요.

7. Who is at the party?
   (A) Fadi's friends
   (B) Fadi's uncles
   (C) Fadi's teachers

해석 파티에 누가 있는가?
   (A) Fadi의 친구들
   (B) Fadi의 삼촌들
   (C) Fadi의 선생님들

유형 세부 내용 파악

풀이 Fadi의 생일 파티에 Fadi의 가족들이 와있으며, 구체적으로 엄마, 아빠, 조부모님, 삼촌, 고모, 사촌이 차례대로 언급되었다. 이 중에 포함되는 (B)가 정답이다.

8. How many aunts are there?

(A) 1
(B) 2
(C) 3

해석 고모가 몇 명 있는가?

(A) 1
(B) 2
(C) 3

유형 세부 내용 파악

풀이 'Fadi's aunts are all there, too. There are 2 aunts.'에서 Fadi의 고모가 두 명 왔음을 알 수 있다. 따라서 (B)가 정답이다.

9. Who is sick?

(A) a cousin
(B) an uncle
(C) a brother

해석 누가 아픈가?

(A) 사촌
(B) 삼촌
(C) 남동생

유형 세부 내용 파악

풀이 'But the other cousin is sick. He is not at the party.'에서 사촌 한 명이 아파서 파티에 못 왔다고 설명하고 있다. 따라서 (A)가 정답이다.

10. What is NOT true about the party?

(A) It's Fadi's birthday party.
(B) There are three cousins.
(C) Fadi's parents are there.

해석 파티에 관하여 옳지 않은 설명은 무엇인가?

(A) Fadi의 생일파티이다.
(B) 사촌이 세 명 있다.
(C) Fadi의 부모님이 거기에 있다.

유형 세부 내용 파악

풀이 'One cousin is there. But the other cousin is sick.'에서 파티에 온 사촌은 한 명임을 알 수 있으므로 (B)가 정답이다. (A)는 'Today is Fadi's birthday. There is a party.'에서, (C)는 'Fadi's mom and dad are there.'에서 확인할 수 있는 내용이므로 오답이다.

새겨 두기 어떤 물건이나 대상이 두 개 있을 때 사용하는 대명사 'one'(어떤 하나), 'the other'(다른 하나)를 익혀두자.

Listening Practice

PS1-3 p.32

Today is Fadi's <u>birthday</u>. There is a party. Who is there? Fadi's <u>family</u> is there. Fadi's mom and dad are there. Fadi's <u>grandparents</u> are all there. Fadi's uncles are all there. There are three uncles. Fadi's aunts are all there, too. There are two aunts. One <u>cousin</u> is there. But the other cousin is sick. He is not at the party.

1. birthday
2. family
3. grandparents
4. cousin

Writing Practice

p.33

1. <u>b</u>irth<u>d</u>ay
2. f<u>a</u>mily
3. gran<u>d</u>p<u>a</u>rents
4. <u>c</u>ousin

Summary

Today is Fadi's birthday party. Fadi's <u>family</u> is at the party. But one cousin is sick.

오늘은 Fadi의 생일파티 날이에요. Fadi의 <u>가족</u>이 파티에 있어요. 하지만 사촌 한 명은 아파요.

Word Puzzle p.34

B	K	X	T	Y	H	G	K	Q	D	Z	V	U	H	Q
F	H	V	I	L	I	R	O	E	P	I	L	P	Y	E
B	I	R	T	H	D	A	Y	Z	N	O	H	A	S	P
W	L	R	L	C	J	N	N	R	D	Q	P	J	N	E
R	M	P	L	S	S	D	V	O	L	H	Y	J	Y	Q
W	R	X	O	P	Y	P	F	H	S	A	F	V	A	H
T	H	Q	Q	X	T	A	E	V	C	O	O	Y	H	Q
T	P	A	W	I	O	R	T	B	O	N	X	C	I	B
H	Y	A	F	F	S	E	G	M	U	A	P	G	W	F
K	V	C	A	E	J	N	B	P	S	M	S	G	L	T
G	H	J	M	L	U	T	R	T	I	A	L	E	P	V
D	C	X	I	K	B	S	X	X	N	J	R	F	Z	V
U	O	P	L	D	R	R	A	Q	S	A	K	S	V	W
W	I	R	Y	U	J	I	R	Z	F	E	S	C	S	P
Y	M	B	Z	V	J	J	T	Y	N	L	P	E	J	A

1. birthday
2. family
3. grandparents
4. cousin

Unit 4 | Birthday Gifts p.35

Part A. Spell the Words p.37

1 (A) 2 (A)

Part B. Situational Writing p.37

3 (C) 4 (A)

Part C. Practical Reading and Retelling p.38

5 (B) 6 (C)

Part D. General Reading and Retelling p.39

7 (A) 8 (A) 9 (C) 10 (B)

Listening Practice p.40

1 soccer 2 shoes
3 week 4 robots

Writing Practice p.41

1 week 2 soccer
3 shoes 4 robot
Summary gift

Word Puzzle p.42

1 week 2 soccer
3 shoes 4 robot

Pre-reading Questions p.35

Think! What is in the box?
What do you want for your birthday?

생각해보세요! 상자 안에 무엇이 있나요?
생일 선물로 무엇을 원하나요?

Reading Passage p.36

Birthday Gifts

It's a birthday! Is it Nina's birthday? No, it's her brother's birthday. Nina's brother is eight years old. He wants soccer shoes. And he wants books. Nina gives him five books. He reads two books today. Next week is Nina's birthday. She does not want books. She wants two robots.

생일 선물

(오늘은) 생일이에요! Nina의 생일인가요? 아니요, 그녀 남동생의 생일이에요. Nina의 남동생은 8살이에요. 그는 축구화를 원해요. 그리고 그는 책을 원해요. Nina는 그에게 책 다섯 권을 줘요. 그는 오늘 책 두 권을 읽어요. 다음 주는 Nina의 생일이에요. 그녀는 책을 원하지 않아요. 그녀는 로봇 두 개를 원해요.

어휘 birthday 생일 | her 그녀의 | brother 남동생, 형, 오빠 | eight 여덟 | be ~ years old (나이가) ~살이다 | soccer 축구 | shoes 신발 | want 원하다 | book 책 | give A에게 B를 주다 | five 다섯 | read 읽다 | two 둘 | next 다음 | week 주 | robot 로봇 | get 얻다 | ball 공 | cake 케이크 | baseball 야구 | basketball 농구 | sad 슬픈 | day 날 | wedding 결혼 | count (개수를) 세다 | How old is ~? ~는 몇 살이니? | gift 선물 | party 파티

Comprehension Questions p.37

1. robot
   (A) o
   (B) u
   (C) y

풀이 팔다리가 있는 로봇 그림이다. '로봇'은 영어로 'robot'이므로 (A)가 정답이다.

관련 문장 She wants two robots.

2. shoes
   (A) shoes
   (B) sshoe
   (C) sheos

풀이 빨간색 신발 그림이다. '신발 (켤레)'은 영어로 'shoes'이므로 (A)가 정답이다.

새겨 두기 신발 한 켤레를 표현할 때는 늘 복수형('shoes' + '-s')을 쓴다는 점에 유의한다.

관련 문장 He wants soccer shoes.

3. Nina's brother gets books.
   (A) balls
   (B) cake
   (C) books

해석 Nina의 남동생에게 책이 생겼다.
(A) 공
(B) 케이크
(C) 책

풀이 소년이 책을 들고 가고 있으므로 (C)가 정답이다.

관련 문장 Nina gives him five books.

4. She likes soccer.
   (A) soccer
   (B) baseball
   (C) basketball

해석 그녀는 축구를 좋아한다.
(A) 축구
(B) 야구
(C) 농구

풀이 소녀가 축구를 하고 있다. 따라서 (A)가 정답이다.

관련 문장 He wants soccer shoes.

[5-6]

5. What day is it?
   (A) his sad day
   (B) his birthday
   (C) his wedding day

해석 무슨 날인가?
(A) 그의 슬픈 날
(B) 그의 생일
(C) 그의 결혼식 날

풀이 소년이 촛불을 꽂은 케이크를 들고 활짝 웃고 있다. 이는 주로 생일에 볼 수 있는 모습이므로 (B)가 정답이다.

6. Count the candles. How old is he?

(A) seven years old
(B) eight years old
(C) nine years old

해석 초의 개수를 세시오. 그는 몇 살인가?

(A) 7살
(B) 8살
(C) 9살

풀이 초가 9개 있으므로 소년의 나이가 9살이라는 사실을 알 수 있다. 따라서 (C)가 정답이다.

[7-10]

It's a birthday! Is it Nina's birthday? No, it's her brother's birthday. Nina's brother is eight years old. He wants soccer shoes. And he wants books. Nina gives him five books. He reads two books today. Next week is Nina's birthday. She does not want books. She wants two robots.

해석

(오늘은) 생일이에요! Nina의 생일인가요? 아니요, 그녀 남동생의 생일이에요. Nina의 남동생은 8살이에요. 그는 축구화를 원해요. 그리고 그는 책을 원해요. Nina는 그에게 책 다섯 권을 줘요. 그는 오늘 책 두 권을 읽어요. 다음 주는 Nina의 생일이에요. 그녀는 책을 원하지 않아요. 그녀는 로봇 두 개를 원해요.

7. What is the best title?

(A) Birthday gifts
(B) Birthday party
(C) Birthday cakes

해석 가장 알맞은 제목은 무엇인가?

(A) 생일 선물
(B) 생일 파티
(C) 생일 케이크

유형 전체 내용 파악

풀이 글의 전체 흐름을 살펴보면, Nina의 남동생이 생일 선물로 무엇을 원하는지, Nina가 남동생에게 생일 선물로 무엇을 주는지, Nina는 생일 선물로 무엇을 원하는지 차례대로 언급하고 있다. 따라서 글의 중심 소재는 생일 선물이므로 (A)가 정답이다.

8. How old is Nina's brother?

(A) 8
(B) 9
(C) 10

해석 Nina의 남동생은 몇 살인가?

(A) 8
(B) 9
(C) 10

유형 세부 내용 파악

풀이 'Nina's brother is eight years old.'에서 Nina의 남동생이 8살이라고 했으므로 (A)가 정답이다.

9. What does Nina want?

(A) a robot
(B) two books
(C) two robots

해석 Nina는 무엇을 원하는가?

(A) 로봇 한 개
(B) 책 두 권
(C) 로봇 두 개

유형 세부 내용 파악

풀이 'She does not want books. She wants two robots.'에서 Nina는 생일 선물로 로봇 두 개를 원한다고 했으므로 (C)가 정답이다. (B)의 경우, 책은 원하지 않는다고 했으므로 오답이다.

10. How many books does Nina give her brother?

(A) 2
(B) 5
(C) 7

해석 Nina는 남동생에게 몇 권의 책을 주는가?

(A) 2
(B) 5
(C) 7

유형 세부 내용 파악

풀이 'Nina gives him five books.'에서 Nina가 남동생에게 생일 선물로 책 다섯 권을 준다고 했으므로 (B)가 정답이다. (A)의 경우, Nina의 남동생이 오늘 읽은 책이 두 권이므로 오답이다.

Listening Practice

PS1-4 p.40

It's a birthday! Is it Nina's birthday? No, it's her brother's birthday. Nina's brother is eight years old. He wants soccer shoes. And he wants books. Nina gives him five books. He reads two books today. Next week is Nina's birthday. She does not want books. She wants two robots.

1. soccer
2. shoes
3. week
4. robots

Writing Practice p.41

1. week
2. soccer
3. shoes
4. robot

Summary

It's Nina's brother's birthday. Nina gives him a birthday gift. Next week is Nina's birthday.

(오늘은) Nina 남동생의 생일이에요. Nina가 그에게 생일 선물을 줘요. 다음 주는 Nina의 생일이에요.

Word Puzzle p.42

S	Q	S	N	I	G	P	D	O	V	U	V	Q	W	W
N	U	D	S	I	U	I	A	J	M	L	U	U	A	S
W	Z	X	U	L	E	L	M	L	S	H	J	J	M	O
J	Q	J	V	W	H	S	G	X	Q	Q	D	L	N	Z
C	N	S	M	E	F	X	L	T	X	F	U	G	A	W
K	M	O	Y	I	E	P	W	G	Y	J	X	G	K	L
R	M	C	S	X	I	Q	T	R	N	Y	R	A	Y	N
A	I	C	M	P	S	V	C	K	O	B	W	E	S	A
A	F	E	J	I	H	G	U	S	T	N	I	B	U	I
Q	M	R	U	J	O	W	G	I	U	M	A	B	C	U
C	D	C	O	Q	E	V	W	M	G	J	C	A	H	B
N	D	R	K	N	S	Y	E	S	A	T	Q	Q	Z	D
N	S	Y	O	Q	V	P	E	Q	N	L	S	L	X	O
F	J	D	Q	W	U	S	K	J	R	O	B	O	T	Z
O	W	Z	V	B	I	W	H	D	A	F	R	J	G	A

1. week
2. soccer
3. shoes
4. robot

Chapter Review p.43

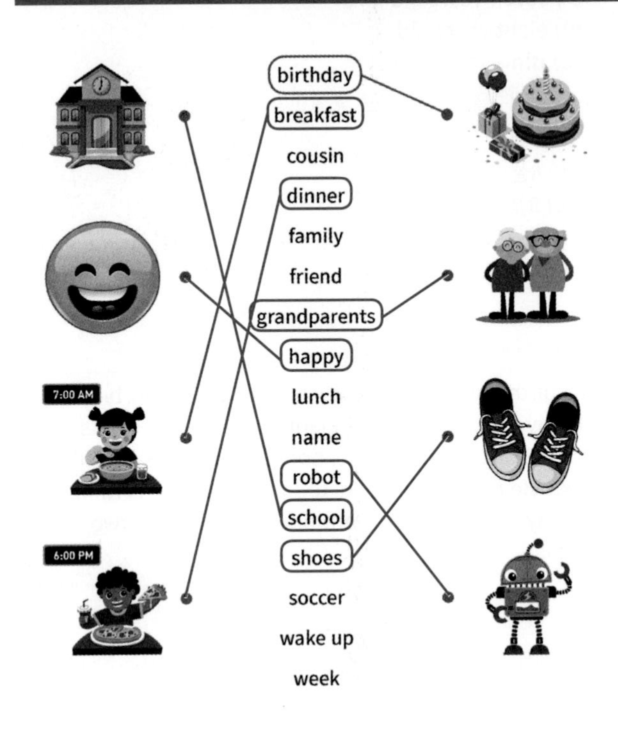

※ 학생의 생각에 따라 다양한 정답이 가능할 수 있습니다.

예)

grandparents, happy, friend, …

breakfast, cousin, friend, …

Chapter 2. A Colorful World

Unit 5 | Color Land p.45

Part A. Spell the Words p.47

1 (A) 2 (B)

Part B. Situational Writing p.47

3 (B) 4 (A)

Part C. Practical Reading and Retelling p.48

5 (C) 6 (A)

Part D. General Reading and Retelling p.49

7 (A) 8 (A) 9 (C) 10 (C)

Listening Practice p.50

1 red 2 yellow
3 purple 4 green

Writing Practice p.51

1 red 2 yellow
3 purple 4 green
Summary colors

Word Puzzle p.52

1 red 2 yellow
3 purple 4 green

Pre-reading Questions p.45

Look out the window.
What colors are in the sky?
Name three colors.

창문 밖을 보세요.
하늘에는 무슨 색깔들이 있나요?
색깔 세 개 이름을 대보세요.

Reading Passage p.46

Color Land

We are in Color Land. The sky has many colors. Is it sunny? Then the sky is red. The clouds are yellow. Is it stormy? Then the sky is purple and green. Is it snowy? Then the sky is green! Is it the afternoon? Then the sun sets. The sky is white. Is it night? Then the sky is pink.

색깔 나라

우리는 색깔 나라(Color Land)에 있어요. 하늘은 많은 색을 가지고 있어요. 화창한 날씨인가요? 그러면 하늘은 빨간색이에요. 구름들은 노란색이에요. 폭풍이 치나요? 그러면 하늘은 보라색과 초록색이에요! 눈이 오나요? 그러면 하늘은 초록색이에요! 오후인가요? 그러면 해가 져요. 하늘은 하얀색이에요. 밤인가요? 그러면 하늘은 분홍색이에요.

어휘 in ~의 안에 | color 색깔 | land 육지, 땅 | sky 하늘 | many 많은 | sunny 화창한 | then 그러면 | red 빨간색(의) | cloud 구름 | yellow 노란색(의) | stormy 폭풍이 치는 | purple 보라색(의) | green 초록색(의) | snowy 눈이 오는 | afternoon 오후 | sun 태양, 해 | set (해가) 지다 | white 하얀색(의) | night 밤 | pink 분홍색(의) | bird 새 | moon 달 | rainbow 무지개 | black 검은색(의) | car 자동차 | animal 동물 | blue 파란색(의) | gray 회색(의) | morning 아침

Comprehension Questions p.47

1. stormy
   (A) m
   (B) n
   (C) l

풀이 폭풍이 치고 있는 날씨이다. '폭풍이 치는'은 영어로 'stormy'이므로 (A)가 정답이다.

관련 문장 Is it stormy? Then the sky is purple and green.

2. green
   (A) a
   (B) e
   (C) i

풀이 초록색 물감이 칠해져 있다. '초록색'은 영어로 'green'이므로 (B)가 정답이다.

관련 문장 Then the sky is purple and green.

3. There are many colors in the sky.

(A) birds
(B) colors
(C) moons

해석 하늘에 많은 색깔들이 있다.

(A) 새들
(B) 색깔들
(C) 달들

풀이 하늘에 노란색, 주황색, 파란색의 여러 색깔들이 있으므로 (B)가 정답이다.

새겨 두기 '~이 있다'를 나타내는 'There is ~'. 'There are ~' 구문을 확실히 익혀두자.

관련 문장 The sky has many colors.

4. The clouds are red.

(A) red
(B) yellow
(C) purple

해석 구름들이 빨갛다.

(A) 빨간색의
(B) 노란색의
(C) 보라색의

풀이 붉은색을 띠는 구름 사진이다. 따라서 (A)가 정답이다.

관련 문장 Is it sunny? Then the sky is red.

[5-6]

5. What is this?

(A) a star
(B) a cloud
(C) a rainbow

해석 이것은 무엇인가?

(A) 별
(B) 구름
(C) 무지개

풀이 비가 온 뒤 형형색색의 색깔로 하늘을 수놓는 무지개이다. '무지개'는 영어로 'rainbow'이므로 (C)가 정답이다.

6. What color is NOT in the picture?

(A) black
(B) green
(C) yellow

해석 그림에 있지 않은 색은 무엇인가?

(A) 검은색
(B) 초록색
(C) 노란색

풀이 'green'은 위에서 네 번째, 'yellow'는 세 번째에서 볼 수 있다. 'black'은 없으므로 (A)가 정답이다.

[7-10]

We are in Color Land. The sky has many colors. Is it sunny? Then the sky is red. The clouds are yellow. Is it stormy? Then the sky is purple and green. Is it snowy? Then the sky is green! Is it the afternoon? Then the sun sets. The sky is white. Is it night? Then the sky is pink.

해석

우리는 색깔 나라(Color Land)에 있어요. 하늘은 많은 색을 가지고 있어요. 화창한 날씨인가요? 그러면 하늘은 빨간색이에요. 구름들은 노란색이에요. 폭풍이 치나요? 그러면 하늘은 보라색과 초록색이에요! 눈이 오나요? 그러면 하늘은 초록색이에요! 오후인가요? 그러면 해가 져요. 하늘은 하얀색이에요. 밤인가요? 그러면 하늘은 분홍색이에요.

7. What is the best title?

(A) The Sky of Color Land
(B) The Cars of Color Land
(C) The Animals of Color Land

해석 가장 알맞은 제목은 무엇인가?

(A) 색깔 나라의 하늘
(B) 색깔 나라의 자동차들
(C) 색깔 나라의 동물들

유형 전체 내용 파악

풀이 날씨별, 시간별로 색깔 나라 하늘의 색깔을 열거하고 있는 글이므로 (A)가 정답이다.

8. It is a sunny day in Color Land. What color is the sky?

(A) red
(B) blue
(C) yellow

해석 색깔 나라에서 화창한 날이다. 하늘은 무슨 색인가?

(A) 빨간색
(B) 파란색
(C) 노란색

유형 세부 내용 파악

풀이 'Is it sunny? Then the sky is red.'에서 화창한 날에는 하늘이 빨갛다고 했으므로 (A)가 정답이다.

9. It is a stormy day in Color Land. What color is the sky?
   (A) gray and red
   (B) pink and blue
   (C) purple and green

해석 색깔 나라에서 폭풍이 치는 날이다. 하늘은 무슨 색인가?
   (A) 회색과 빨간색
   (B) 분홍색과 파란색
   (C) 보라색과 초록색

유형 세부 내용 파악

풀이 'Is it stormy? Then the sky is purple and green.'에서 폭풍이 치는 날에는 하늘이 보라색과 초록색이라고 했으므로 (C)가 정답이다.

10. When is the sky pink?
   (A) morning
   (B) afternoon
   (C) night

해석 하늘은 언제 분홍색인가?
   (A) 아침
   (B) 오후
   (C) 밤

유형 세부 내용 파악

풀이 'Is it night? Then the sky is pink.'에서 밤에 하늘이 분홍색이라는 것을 알 수 있으므로 (C)가 정답이다.

Listening Practice
PS1-5 p.50

We are in Color Land. The sky has many colors. Is it sunny? Then the sky is red. The clouds are yellow. Is it stormy? Then the sky is purple and green. Is it snowy? Then the sky is green! Is it the afternoon? Then the sun sets. The sky is white. Is it night? Then the sky is pink.

1. red
2. yellow
3. purple
4. green

Writing Practice
p.51

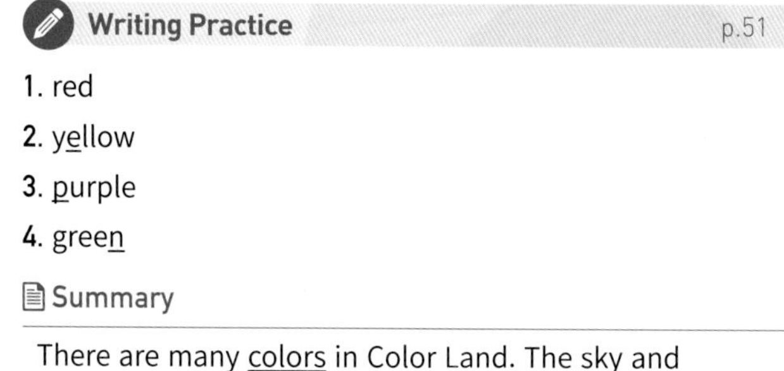

1. red
2. yellow
3. purple
4. green

Summary

There are many colors in Color Land. The sky and clouds change.

색깔 나라에는 많은 색깔들이 있어요. 하늘과 구름들이 변해요.

Word Puzzle
p.52

B	Y	J	L	M	G	I	A	X	L	G	C	U	H	R
Z	Q	T	A	O	S	D	U	W	E	N	T	Z	Y	T
I	D	K	I	X	Y	T	D	S	R	T	R	U	S	B
L	R	C	G	U	J	S	T	P	V	W	G	P	H	A
V	F	O	Y	C	S	J	R	U	J	N	P	Y	K	W
T	Q	W	V	C	U	U	S	R	T	S	T	D	L	H
K	Q	Q	S	R	H	S	O	P	B	O	T	Q	S	X
J	X	N	Z	T	L	O	Q	L	J	W	U	G	T	F
Y	K	W	U	S	N	G	R	E	E	N	J	Z	Q	D
W	Y	P	N	A	T	A	E	S	V	N	G	Q	O	Y
R	J	K	Y	E	L	L	O	W	U	R	N	M	N	V
E	G	H	L	A	M	F	M	K	W	E	F	N	K	E
D	R	V	X	A	Y	Q	X	I	M	Z	T	A	J	D
G	F	Y	F	H	J	A	T	L	E	I	M	D	P	I
L	W	L	D	Q	R	G	V	Y	A	D	D	N	L	T

1. red
2. yellow
3. purple
4. green

Unit 6 | So Many Shapes! p.53

Part A. Spell the Words	p.55
1 (A) 2 (C)	
Part B. Situational Writing	p.55
3 (C) 4 (C)	
Part C. Practical Reading and Retelling	p.56
5 (B) 6 (C)	
Part D. General Reading and Retelling	p.57
7 (C) 8 (B) 9 (C) 10 (A)	
Listening Practice	p.58
1 circles 2 rectangles 3 triangle 4 squid	
Writing Practice	p.59
1 circle 2 rectangle 3 triangle 4 squid Summary shapes	
Word Puzzle	p.60
1 circle 2 rectangle 3 triangle 4 squid	

Pre-reading Questions p.53

Color the circle yellow.
Color the square red.
Color the triangle blue.

동그라미를 노란색으로 칠하세요.
정사각형을 빨간색으로 칠하세요.
삼각형을 파란색으로 칠하세요.

Reading Passage p.54

So Many Shapes!

There are so many shapes! What is a basketball? What is a baseball? What is a soccer ball? They are circles. What is not a circle? Is a textbook a circle? Is a tall building a circle? No, they are rectangles. What about a triangle? Is there one in our music class? Yes! And a squid is almost a triangle, too!

정말 많은 모양들!

정말 많은 모양들이 있어요! 농구공은 무엇인가요? 야구공은 무엇인가요? 축구공은 무엇인가요? 그것들은 동그라미예요. 동그라미가 아닌 것은 무엇인가요? 교과서는 동그라미인가요? 큰 건물은 동그라미인가요? 아니요, 그것들은 직사각형이에요. 삼각형은요? 우리 음악 수업에 있나요? 그래요!* 그리고 오징어도 거의 삼각형이에요!

* 'triangle'은 세모 모양의 타악기 '트라이앵글'을 뜻하기도 한다.

어휘 There is/are ~. ~가 있다. | many 많은 | shape 모양 | basketball 농구(공) | baseball 야구(공) | soccer 축구 | ball 공 | circle 동그라미 | textbook 교과서 | tall 키가 큰 | building 건물 | rectangle 직사각형 | triangle 삼각형; 트라이앵글 (악기) | our 우리의 | music 음악 | class 수업 | squid 오징어 | too ~도 | lid 뚜껑 | step 걸음 | bat (야구) 방망이 | player 선수 | star 별 | pizza 피자 | whole 전체의, 전부의 | square 정사각형 | look like ~처럼 생기다 | piece 조각 | give 주다 | so 정말, 너무 | egg 달걀

Comprehension Questions p.55

1. triangle
   (A) a
   (B) e
   (C) w

풀이 세 개의 선으로 둘러싸인 세모 모양 그림이다. '세모, 삼각형'은 영어로 'triangle'이므로 (A)가 정답이다.

관련 문장 What about a triangle? Is there one in our music class? Yes! And a squid is almost a triangle, too!

2. squid
   (A) lid
   (B) step
   (C) squid

풀이 머리 부분이 세모꼴인 오징어 그림이다. '오징어'는 영어로 'squid'이므로 (C)가 정답이다.

관련 문장 And a squid is almost a triangle, too!

3. A <u>baseball</u> is a circle.
   (A) bat
   (B) player
   (C) baseball

해석 <u>야구공</u>은 동그라미이다.
   (A) 야구방망이
   (B) 선수
   (C) 야구공

풀이 그림에서 동그라미 모양인 것은 야구공이므로 (C)가 정답이다.

관련 문장 What is a basketball? What is a baseball? What is a soccer ball? They are circles.

4. A textbook is a <u>rectangle</u>.
   (A) star
   (B) circle
   (C) rectangle

해석 교과서는 <u>직사각형</u>이다.
   (A) 별
   (B) 동그라미
   (C) 직사각형

풀이 그림에 제시된 책은 네 개의 선으로 둘러싸인 직사각형이므로 (C)가 정답이다.

관련 문장 Is a textbook a circle? Is a tall building a circle? No, they are rectangles.

[5-6]

5. What shape does the whole pizza look like?
   (A) a circle
   (B) a square
   (C) a triangle

해석 피자 한 판은 무슨 모양처럼 생겼는가?
   (A) 동그라미
   (B) 정사각형
   (C) 삼각형

풀이 그림의 피자 한 판은 네모난 정사각형 모양과 가장 비슷하므로 (B)가 정답이다.

6. What shape does one piece look like?
   (A) a circle
   (B) a square
   (C) a triangle

해석 한 조각은 무슨 모양처럼 생겼는가?
   (A) 동그라미
   (B) 정사각형
   (C) 삼각형

풀이 피자 한 조각은 세 개의 선으로 둘러싸인 삼각형 모양과 가장 비슷하므로 (C)가 정답이다.

[7-10]

There are so many shapes! What is a basketball? What is a baseball? What is a soccer ball? They are circles. What is not a circle? Is a textbook a circle? Is a tall building a circle? No, they are rectangles. What about a triangle? Is there one in our music class? Yes! And a squid is almost a triangle, too!

해석

정말 많은 모양들이 있어요! 농구공은 무엇인가요? 야구공은 무엇인가요? 축구공은 무엇인가요? 그것들은 동그라미예요. 동그라미가 아닌 것은 무엇인가요? 교과서는 동그라미인가요? 큰 건물은 동그라미인가요? 아니요, 그것들은 직사각형이에요. 삼각형은요? 우리 음악 수업에 있나요? 그래요!* 그리고 오징어도 거의 삼각형이에요!

* 'triangle'은 세모 모양의 타악기 '트라이앵글'을 뜻하기도 한다.

7. What is the best title?
   (A) I Like Circles!
   (B) Give Me Squid!
   (C) So Many Shapes!

해석 가장 알맞은 제목은 무엇인가?
   (A) 나는 동그라미가 좋아!
   (B) 오징어를 저에게 주세요!
   (C) 정말 다양한 모양들!

유형 전체 내용 파악

풀이 첫 문장 'There are so many shapes!'에서부터 중심 소재가 나온 뒤, 어떤 것이 동그라미인지, 직사각형인지, 삼각형인지 차례대로 나열하고 있는 글이다. 따라서 (C)가 정답이다.

8. Which is a circle?

(A) music
(B) a baseball
(C) a textbook

해석 무엇이 동그라미인가?

(A) 음악
(B) 야구공
(C) 교과서

유형 세부 내용 파악

풀이 'What is a basketball? What is a baseball? What is a soccer ball? They are circles.'에서 농구공, 야구공, 축구공이 동그라미라고 했으므로 (B)가 정답이다.

9. Which is a rectangle?

(A) an egg
(B) a squid
(C) a building

해석 무엇이 직사각형인가?

(A) 달걀
(B) 오징어
(C) 건물

유형 세부 내용 파악

풀이 'Is a textbook a circle? Is a tall building a circle? No, they are rectangles.'에서 교과서와 건물은 동그라미가 아니라 직사각형이라고 했으므로 (C)가 정답이다.

10. What is true about a soccer ball?

(A) It is a circle.
(B) It has many shapes.
(C) It is in the music class.

해석 축구공에 관해 옳은 설명은 무엇인가?

(A) 그것은 동그라미이다.
(B) 그것은 모양이 다양하다.
(C) 그것은 음악 수업에 있다.

유형 세부 내용 파악

풀이 'What is a soccer ball? They are circles.'에서 축구공이 동그라미라고 했으므로 (A)가 정답이다. (B)는 축구공의 모양이 동그라미 하나이므로 오답이다. (C)는 음악실에 있는 것이 삼각형이라고 했고, 축구공이 있다고는 하지 않았으므로 오답이다.

Listening Practice

PS1-6 p.58

There are so many shapes! What is a basketball? What is a baseball? What is a soccer ball? They are circles. What is not a circle? Is a textbook a circle? Is a tall building a circle? No, they are rectangles. What about a triangle? Is there one in our music class? Yes! And a squid is almost a triangle, too!

1. circles
2. rectangles
3. triangle
4. squid

Writing Practice

p.59

1. circle
2. rectangle
3. triangle
4. squid

Summary

There are so many shapes. Balls are circles. Books and buildings are rectangles. Squids are almost triangles.

정말 많은 모양들이 있어요. 공은 동그라미예요. 책과 건물은 직사각형이에요. 오징어는 거의 삼각형이에요.

Word Puzzle p.60

H	E	T	Z	N	K	M	U	B	A	B	L	J	T	J
K	T	U	G	J	Y	Q	D	M	D	G	G	Z	G	K
R	G	M	S	N	H	F	T	K	T	V	Q	I	S	X
J	Y	E	Z	J	Z	T	R	W	Q	G	D	S	Q	P
C	Y	N	C	T	X	G	E	U	Z	A	Z	G	U	W
F	Z	O	Q	G	I	C	C	R	W	F	L	T	I	Z
C	J	V	X	T	Y	H	T	K	W	X	Z	H	D	D
I	Q	X	B	I	V	M	A	T	V	Y	R	Q	F	M
R	A	E	S	X	B	H	N	T	V	Z	E	D	M	A
C	B	T	K	U	A	A	G	P	O	F	Q	I	Z	X
L	T	F	K	E	B	I	L	K	S	B	J	J	L	P
E	C	A	G	Y	P	I	E	K	H	Z	V	H	Y	F
K	O	Q	U	S	G	R	H	Z	B	X	O	Q	R	T
O	R	D	O	R	E	K	T	Z	B	I	L	R	X	E
T	R	I	A	N	G	L	E	U	O	M	U	L	O	Y

1. circle
2. rectangle
3. triangle
4. squid

Unit 7 | Animals at the Zoo p.61

Part A. Spell the Words p.63

1 (A)　2 (A)

Part B. Situational Writing p.63

3 (C)　4 (A)

Part C. Practical Reading and Retelling p.64

5 (A)　6 (B)

Part D. General Reading and Retelling p.65

7 (C)　8 (A)　9 (B)　10 해설참조

Listening Practice p.66

1 zoo　2 heads
3 arms　4 legs

Writing Practice p.67

1 arm　2 leg
3 head　4 zoo
Summary animals

Word Puzzle p.68

1 arm　2 leg
3 head　4 zoo

Pre-reading Questions p.61

What animals are in this picture?
Name three.

이 그림에는 무슨 동물들이 있나요?
이름 3개를 대보세요.

Reading Passage p.62

Animals at the Zoo

Today is Children's Day. Ben and his family go to the zoo. They see many animals. The birds turn their heads. The monkeys wave their arms. The giraffes eat leaves. The elephants play in the water. The seals smile and swim. The donkeys kick with their legs. Ben loves animals. He wants to visit every year.

동물원의 동물들

오늘은 어린이날이에요. Ben과 그의 가족은 동물원에 가요. 그들은 많은 동물들을 보아요. 새들이 고개를 돌려요. 원숭이들이 팔을 흔들어요. 기린들이 잎사귀를 먹어요. 코끼리들이 물속에서 놀아요. 물개들이 웃고 헤엄쳐요. 당나귀들이 발로 차요. Ben은 동물들을 좋아해요. 그는 매년 방문하고 싶어요.

어휘 today 오늘 | children 어린이들 (child의 복수형) | his 그의 | family 가족 | zoo 동물원 | see 보다 | many 많은 | animal 동물 | bird 새 | turn 돌리다 | their 그들의 | head 머리, 고개 | monkey 원숭이 | wave 흔들다 | arm 팔 | giraffe 기린 | eat 먹다 | leaves 잎들 (leaf의 복수형) | elephant 코끼리 | play 놀다 | water 물 | seal 물개 | smile 웃다 | swim 수영하다 | donkey 당나귀 | kick 차다 | with ~로, ~를 갖고 | leg 다리 | visit 방문하다 | every 매; 모든 | year 년 | every year 매년 | mud 진흙 | sand 모래 | home 집 | school 학교 | body 신체 | part 부위 | song 노래 | Here's ~. 여기 ~가 있어요. | nose 코 | hand 손 | touch 만지다 | lift (up) ~을 올리다 | stretch 쭉 펴다, 뻗다 | use 사용하다 | teeth 치아, 이, 이빨 (tooth의 복수형) | pie 파이 | toe 발가락 | feet 발 (foot의 복수형) | tired 피곤한 | Christmas 크리스마스, 성탄절 | fun 재미 | ear 귀 | run 달리다

Comprehension Questions p.63

1. lea<u>f</u>

   (A) f
   (B) p
   (C) v

풀이 줄기에 잎사귀들이 달린 모습이다. '잎사귀'는 영어로 'leaf'이므로 (A)가 정답이다.

새겨 두기 'leaf'의 복수형은 'leaves'라는 점도 알아두자.

관련 문장 The giraffes eat leaves.

2. arm

   (A) arm
   (B) ram
   (C) mar

풀이 해당 그림은 어깨와 손목 사이의 신체 부위인 팔을 나타내고 있다. '팔'은 영어로 'arm'이므로 (A)가 정답이다.

관련 문장 The monkeys wave their arms.

3. The elephants play in <u>water</u>.

   (A) mud
   (B) sand
   (C) water

해석 코끼리들은 <u>물</u>속에서 논다.

(A) 진흙
(B) 모래
(C) 물

풀이 코끼리들이 물속에서 놀고 있으므로 (C)가 정답이다.

관련 문장 The elephants play in the water.

4. Ben is at the <u>zoo</u>.

   (A) zoo
   (B) home
   (C) school

해석 Ben은 <u>동물원</u>에 있다.

(A) 동물원
(B) 집
(C) 학교

풀이 사람들이 사자와 판다를 구경하고 있으므로 (A)가 정답이다.

관련 문장 Ben and his family go to the zoo.

[5-6]

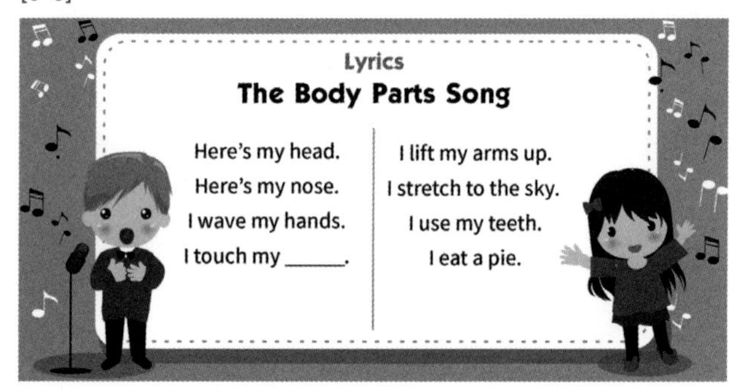

해석

가사

신체 부위 노래

여기 머리가 있어요.	두 팔을 위로 들어요.
여기 코가 있어요.	하늘을 향해 쭉 펴요.
두 손을 흔들어요.	치아를 이용해요.
<u>발가락</u>을 만져요.	파이를 먹어요.

5. Look at the picture. What word goes in ________?

(A) toes
(B) head
(C) teeth

해석 그림을 보시오. 어떤 단어가 _______ 안에 들어가는가?

(A) 발가락
(B) 머리
(C) 치아

풀이 그림에서 소년이 몸을 숙여 손으로 발가락을 만지고 있다. 따라서 (A)가 정답이다.

6. What does the girl stretch to the sky?

(A) her feet
(B) her arms
(C) her teeth

해석 하늘을 향해 소녀가 쭉 펴는 것은 무엇인가?

(A) 발
(B) 팔
(C) 치아

풀이 소녀가 침대에서 위를 향해 팔을 쭉 뻗어 기지개를 켜고 있다. 따라서 (B)가 정답이다.

[7-10]

Today is Children's Day. Ben and his family go to the zoo. They see many animals. The birds turn their heads. The monkeys wave their arms. The giraffes eat leaves. The elephants play in the water. The seals smile and swim. The donkeys kick with their legs. Ben loves animals. He wants to visit every year.

해석

오늘은 어린이날이에요. Ben과 그의 가족은 동물원에 가요. 그들은 많은 동물들을 보아요. 새들이 고개를 돌려요. 원숭이들이 팔을 흔들어요. 기린들이 잎사귀를 먹어요. 코끼리들이 물속에서 놀아요. 물개들이 웃고 헤엄쳐요. 당나귀들이 발로 차요. Ben은 동물들을 좋아해요. 그는 매년 방문하고 싶어요.

7. What is the best title?

(A) Tired Ben
(B) Christmas Fun
(C) Animals in the Zoo

해석 가장 알맞은 제목은 무엇인가?

(A) 피곤한 Ben
(B) 크리스마스의 즐거움
(C) 동물원의 동물들

유형 전체 내용 파악

풀이 Ben 가족이 어린이날에 동물원에 가서 본 많은 동물들의 행동을 나열하고 있으므로 (C)가 정답이다.

8. What do the giraffes do?

(A) eat leaves
(B) play in water
(C) wave their ears

해석 기린들은 무엇을 하는가?

(A) 잎사귀 먹기
(B) 물에서 놀기
(C) 귀 흔들기

유형 세부 내용 파악

풀이 'The giraffes eat leaves.'에서 기린들은 잎사귀를 먹는다고 했으므로 (A)가 정답이다.

9. What do the donkeys do?

(A) run
(B) kick
(C) smile

해석 당나귀들은 무엇을 하는가?

(A) 달리기
(B) 발차기
(C) 웃기

유형 세부 내용 파악

풀이 'The donkeys kick with their legs.'에서 당나귀들은 발차기를 한다고 했으므로 (B)가 정답이다.

10. Match the animals and their actions.

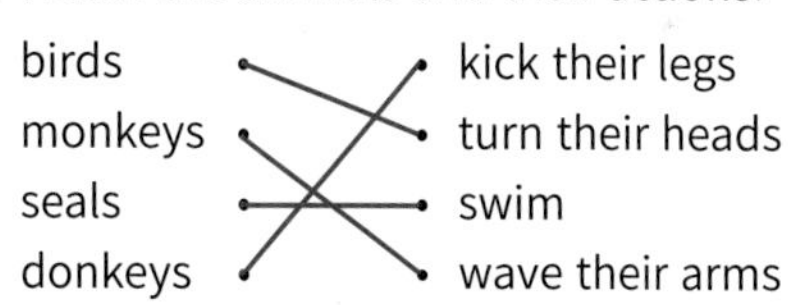

해석 동물과 행동을 연결하시오.

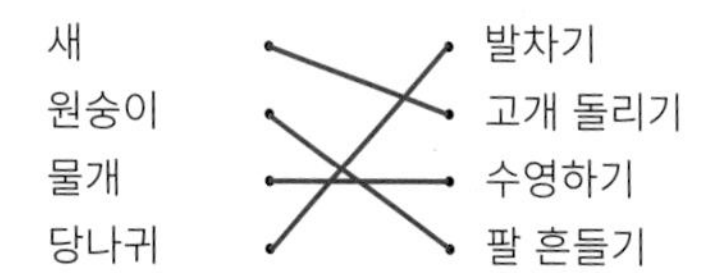

유형 세부 내용 파악

풀이 'The birds turn their heads.', 'The monkeys wave their arms.', 'The seals smile and swim.', 'The donkeys kick with their legs.' 문장에서 각각의 동물에 알맞은 행동을 찾아 연결하면 된다.

새겨 두기 행동을 묘사하는 단어가 많이 나와 있다. 이러한 단어를 공부할 때 몸동작을 같이 하면 효과적이다.

Listening Practice

▶PS1-7 p.66

Today is Children's Day. Ben and his family go to the zoo. They see many animals. The birds turn their heads. The monkeys wave their arms. The giraffes eat leaves. The elephants play in the water. The seals smile and swim. The donkeys kick with their legs. Ben loves animals. He wants to visit every year.

1. zoo
2. heads
3. arms
4. legs

Writing Practice

p.67

1. arm
2. leg
3. head
4. zoo

Summary

Ben and his family see many animals in the zoo. Ben loves animals.

Ben과 그의 가족은 동물원에서 많은 동물들을 보아요. Ben은 동물들을 아주 좋아해요.

Word Puzzle

p.68

Z	X	H	E	A	D	I	Z	D	B	E	T	O	H	P
P	B	R	N	R	X	R	O	S	Y	H	T	V	A	T
J	D	M	P	M	C	E	O	T	K	U	K	U	T	Z
A	K	D	K	X	N	U	Z	P	P	D	S	I	Z	R
M	O	V	J	Z	U	G	T	P	J	Y	V	L	C	U
X	K	T	S	E	K	O	Y	F	Y	K	X	K	B	I
X	V	X	I	A	W	B	L	W	R	Z	V	J	K	E
G	P	E	F	Q	N	P	R	C	A	B	T	H	X	B
Q	U	T	V	G	N	V	V	Z	Z	L	V	A	W	Y
V	J	F	Y	E	G	M	J	O	L	E	V	T	G	R
K	U	F	O	P	J	E	G	C	D	G	U	Y	V	C
I	L	V	L	V	Z	T	W	Q	M	E	O	X	K	W
X	Q	V	U	L	I	S	H	B	E	D	F	C	Z	T
G	G	Z	Y	I	V	F	F	B	C	C	C	B	B	Y
P	K	A	B	C	U	X	X	H	U	Q	F	M	W	O

1. arm
2. leg
3. head
4. zoo

Unit 8 | Packing Clothes for Camping p.69

Part A. Spell the Words p.71

1 (A)　2 (B)

Part B. Situational Writing p.71

3 (A)　4 (A)

Part C. Practical Reading and Retelling p.72

5 (C)　6 (A)

Part D. General Reading and Retelling p.73

7 (C)　8 (C)　9 (C)　10 (A)

Listening Practice p.74

1 shirt　2 pants
3 jacket　4 socks

Writing Practice p.75

1 shirt　2 pants
3 jacket　4 socks
Summary　clothes

Word Puzzle p.76

1 shirt　2 pants
3 jacket　4 socks

Pre-reading Questions p.69

Think! You are going camping.
What clothes do you pack?

생각해보세요! 여러분은 캠핑에 가요.
무슨 옷을 챙길 건가요?

Reading Passage p.70

Packing Clothes for Camping

Tomorrow I go camping with friends. So now I am packing my clothes. I take a blue bag. I put one brown shirt in the bag. I choose purple pants and a warm green jacket. I pack my yellow socks. I wear a red cap. Now I'm ready for camping!

캠핑 옷 챙기기

내일 저는 친구들과 캠핑에 가요. 그래서 지금 옷을 챙기고 있어요. 저는 파란 가방을 가져가요. 저는 가방에 갈색 셔츠 한 장을 넣어요. 저는 보라색 바지와 따뜻한 초록색 재킷을 골라요. 저는 노란색 양말을 챙겨요. 저는 빨간색 모자를 써요. 이제 저는 캠핑갈 준비가 되었어요!

어휘 tomorrow 내일 | camping 캠핑 | go camping 캠핑 가다 | with ~와 함께 | friend 친구 | so 그래서 | now 이제 | pack 싸다; 챙기다 | clothes 의류 | take 가져가다, 챙기다 | blue 파란색(의) | bag 가방 | put 넣다 | brown 갈색(의) | shirt 셔츠 | choose 선택하다 | purple 보라색(의) | warm 따뜻한 | green 초록색(의) | jacket 재킷 | yellow 노란색(의) | lock 자물쇠 | socks 양말 (한 켤레) | wear 입고 있다 | red 빨간색(의) | cap 모자 | ready (for) (~하기 위한) 준비가 된 | put on 입다 | basket 바구니 | white 하얀색(의) | black 검은색(의) | post office 우체국 | fire station 소방서 | shop 가게; 쇼핑하다 | buy 사다 | shorts 반바지

Comprehension Questions p.71

1. jacket
   (A) j
   (B) z
   (C) s

풀이 상의 위에 걸쳐 입는 외투 중 하나인 재킷이다. '재킷'은 영어로 'jacket'이므로 (A)가 정답이다.

관련 문장 I choose purple pants and a warm green jacket.

2. socks
   (A) locks
   (B) socks
   (C) docks

풀이 양말 한 켤레이다. '양말 한 켤레'는 영어로 'socks'이므로 (B)가 정답이다.

새겨 두기 양말 한 켤레를 나타낼 때는 복수형으로 쓴다는 점에 유의한다.

관련 문장 I pack my yellow socks.

3. I have a blue bag.
   (A) bag
   (B) bear
   (C) basket

해석 나는 파란색 가방이 있어.
   (A) 가방
   (B) 곰
   (C) 바구니

풀이 파란색 가방이므로 (A)가 정답이다.

관련 문장 I take a blue bag.

4. I put on a red cap.
   (A) red
   (B) white
   (C) black

해석 나는 빨간 모자를 쓴다.
   (A) 빨간
   (B) 하얀
   (C) 검은

풀이 빨간색 모자이므로 (A)가 정답이다.

새겨 두기 'wear'(~을 입고 있다)과 'put on'(~을 입다)은 유사한 표현이다.

관련 문장 I wear a red cap.

[5-6]

5. What is this place?
   (A) a post office
   (B) a fire station
   (C) a clothes shop

해석 이 장소는 무엇인가?
   (A) 우체국
   (B) 소방서
   (C) 옷가게

풀이 바지, 셔츠, 드레스, 재킷 등 여러 종류의 옷이 옷걸이에 걸려 있다. 이러한 것들은 옷가게에서 볼 수 있으므로 (C)가 정답이다.

6. What can you NOT buy here?
   (A) caps
   (B) shirts
   (C) pants

해석 여기서 살 수 없는 것은 무엇인가?
   (A) 모자
   (B) 셔츠
   (C) 바지

풀이 그림에서 모자는 보이지 않으므로 (A)가 정답이다.

[7-10]

Tomorrow I go camping with friends. So now I am packing my clothes. I take a blue bag. I put one brown shirt in the bag. I choose purple pants and a warm green jacket. I pack my yellow socks. I wear a red cap. Now I'm ready for camping!

해석

내일 저는 친구들과 캠핑에 가요. 그래서 지금 옷을 챙기고 있어요. 저는 파란 가방을 가져가요. 저는 가방에 갈색 셔츠 한 장을 넣어요. 저는 보라색 바지와 따뜻한 초록색 재킷을 골라요. 저는 노란색 양말을 챙겨요. 저는 빨간색 모자를 써요. 이제 저는 캠핑갈 준비가 되었어요!

7. What is the best title?
   (A) Buying a Bag
   (B) Shopping for Clothes
   (C) Packing for Camping

해석 가장 알맞은 제목은 무엇인가?
   (A) 가방 사기
   (B) 옷 쇼핑하기
   (C) 캠핑 짐 챙기기

유형 전체 내용 파악

풀이 글쓴이가 캠핑에 가기 위해 짐을 챙기고 있고, 구체적으로 어떤 것들을 챙기는지 차례대로 나열하고 있으므로 (C)가 정답이다.

8. What color are the pants?
   (A) red
   (B) blue
   (C) purple

해석 바지는 무슨 색인가?
   (A) 빨간색
   (B) 파란색
   (C) 보라색

유형 세부 내용 파악

풀이 'I choose purple pants and a warm green jacket.'에서 바지의 색깔은 보라색이라는 것을 알 수 있으므로 (C)가 정답이다.

9. What is green?
   (A) a cap
   (B) a shirt
   (C) a jacket

해석 무엇이 초록색인가?
   (A) 모자
   (B) 셔츠
   (C) 재킷

유형 세부 내용 파악

풀이 'I choose purple pants and a warm green jacket.'에서 재킷이 초록색이라는 것을 알 수 있으므로 (C)가 정답이다.

10. What do I pack?
   (A) pants
   (B) shorts
   (C) shoes

해석 나는 무엇을 챙기는가?
   (A) 바지
   (B) 반바지
   (C) 신발

유형 세부 내용 파악

풀이 글쓴이가 캠핑에 셔츠('shirt'), 바지('pants'), 재킷('jacket'), 양말('socks')을 챙긴다고 했으므로 여기에 포함되는 (A)가 정답이다.

Listening Practice

PS1-8 p.74

Tomorrow I go camping with friends. So now I am packing my clothes. I take a blue bag. I put one brown shirt in the bag. I choose purple pants and a warm green jacket. I pack my yellow socks. I wear a red cap. Now I'm ready for camping!

1. shirt
2. pants
3. jacket
4. socks

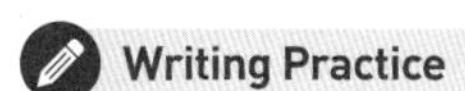

Writing Practice

p.75

1. shirt
2. pants
3. jacket
4. socks

Summary

I am going camping. I pack my clothes in my blue bag.

저는 캠핑을 가요. 저는 파란색 가방 안에 옷을 챙겨요.

Word Puzzle

p.76

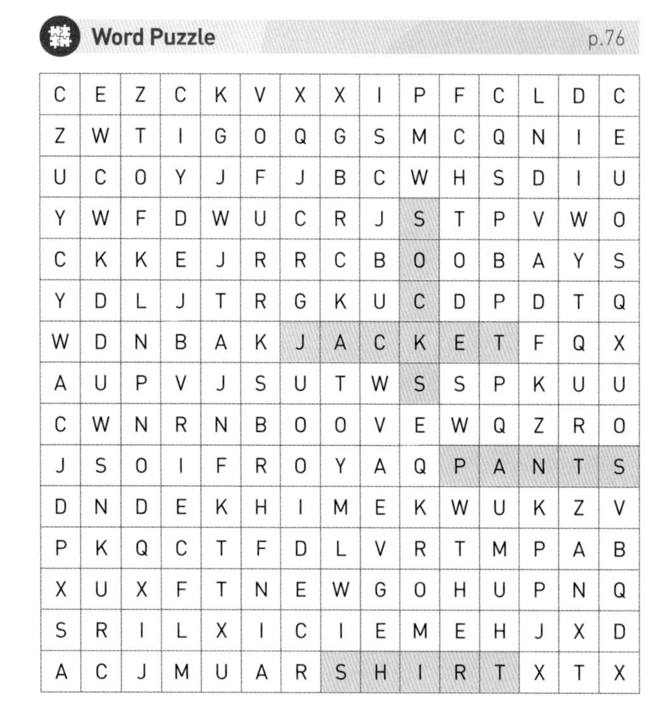

C	E	Z	C	K	V	X	X	I	P	F	C	L	D	C
Z	W	T	I	G	O	Q	G	S	M	C	Q	N	I	E
U	C	O	Y	J	F	J	B	C	W	H	S	D	I	U
Y	W	F	D	W	U	C	R	J	S	T	P	V	W	O
C	K	K	E	J	R	R	C	B	O	O	B	A	Y	S
Y	D	L	J	T	R	G	K	U	C	D	P	D	T	Q
W	D	N	B	A	K	J	A	C	K	E	T	F	Q	X
A	U	P	V	J	S	U	T	W	S	S	P	K	U	U
C	W	N	R	N	B	O	O	V	E	W	Q	Z	R	O
J	S	O	I	F	R	O	Y	A	Q	P	A	N	T	S
D	N	D	E	K	H	I	M	E	K	W	U	K	Z	V
P	K	Q	C	T	F	D	L	V	R	T	M	P	A	B
X	U	X	F	T	N	E	W	G	O	H	U	P	N	Q
S	R	I	L	X	I	C	I	E	M	E	H	J	X	D
A	C	J	M	U	A	R	S	H	I	R	T	X	T	X

1. shirt
2. pants
3. jacket
4. socks

Chapter Review

p.77

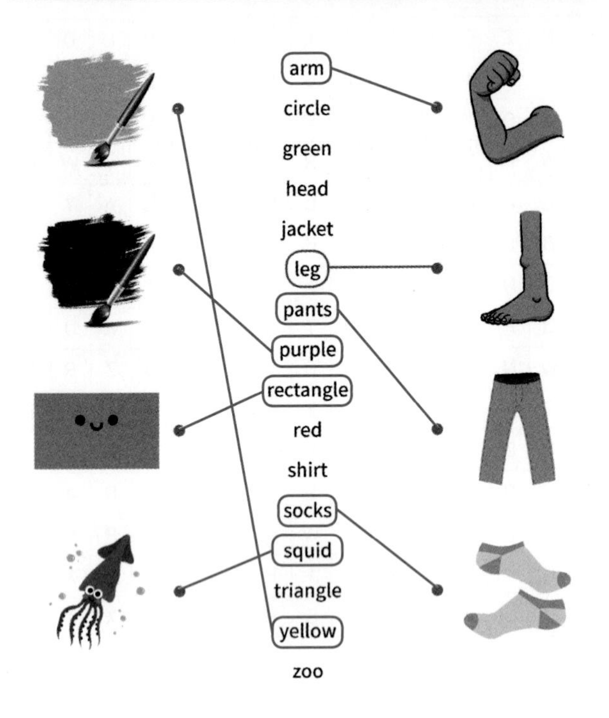

※ 학생의 생각에 따라 다양한 정답이 가능할 수 있습니다.

예)

Chapter 3. My House

Unit 9 | Linda's New House p.79

Part A. Spell the Words p.81

1 (A) 2 (A)

Part B. Situational Writing p.81

3 (B) 4 (B)

Part C. Practical Reading and Retelling p.82

5 (A) 6 (C)

Part D. General Reading and Retelling p.83

7 (B) 8 (B) 9 (B) 10 (A)

Listening Practice p.84

1 windows 2 kitchen
3 bathrooms 4 bedroom

Writing Practice p.85

1 window 2 kitchen
3 bathroom 4 bedroom
Summary house

Word Puzzle p.86

1 window 2 kitchen
3 bathroom 4 bedroom

Pre-reading Questions p.79

Your home has doors.
What color are they?

여러분의 집에는 문이 있어요.
무슨 색깔인가요?

Reading Passage p.80

Linda's New House

Linda's family moves to a new house. Linda's mother paints the door. Now it is red. Linda pulls and opens the door. The living room has big windows. Linda's parents are happy. Now they have a large kitchen. There are two bathrooms in the new house. Linda looks at her bedroom. She likes her new room.

Linda의 새 집

Linda의 가족은 새 집으로 이사를 해요. Linda의 어머니는 문을 칠해요. 이제 그것은 빨간색이에요. Linda는 문을 당겨서 열어요. 거실에는 큰 창문들이 있어요. Linda의 부모님은 행복해요. 이제 그들에게는 커다란 주방이 있어요. 새 집에는 욕실이 두 군데 있어요. Linda는 자기 침실을 봐요. 그녀는 그녀의 새 방이 마음에 들어요.

어휘 family 가족 | move 이사하다 | new 새 | house 집 | paint 칠하다 | door 문 | now 이제 | red 빨간색(의) | pull 당기다 | open 열다 | room 방 | living room 거실 | big 큰 | window 창문 | parent 부모님 | happy 행복한 | large 큰 | kitchen 주방 | bathroom 화장실 | look at ~를 보다 | bedroom 침실 | roof 지붕 | garden 정원 | bathtub 욕조 | old 오래된; 예전의 | town 도시 | library 도서관 | dirty 더러운 | clean 깨끗한

Comprehension Questions p.81

1. window

(A) w
(B) s
(C) h

풀이 큰 창문 그림이다. '창문'은 영어로 'window'이므로 (A)가 정답이다.

관련 문장 The living room has big windows.

2. bathroom

(A) bathroom
(B) roombath
(C) bothroam

풀이 세안이나 목욕을 하는 욕실이다. '욕실'은 영어로 'bathroom'이므로 (A)가 정답이다.

관련 문장 There are two bathrooms in the new house.

3. The door is red.

(A) roof
(B) door
(C) garden

해석 문은 빨갛다.

(A) 지붕
(B) 문
(C) 정원

풀이 그림 속 문은 빨간색이다. 따라서 (B)가 정답이다.

관련 문장 Linda's mother paints the door. Now it is red.

4. Linda likes her <u>bedroom</u>.

(A) kitchen
(B) bedroom
(C) living room

해석 Linda는 자신의 <u>침실</u>이 좋다.

(A) 부엌
(B) 침실
(C) 거실

풀이 침대와 서랍 등이 있는 침실의 모습이다. 따라서 (B)가 정답이다.

관련 문장 Linda looks at her bedroom. She likes her new room.

[5-6]

5. How many bathrooms are in the house?

(A) 1
(B) 2
(C) 3

해석 집에 화장실이 몇 개 있는가?

(A) 1
(B) 2
(C) 3

풀이 세면대와 변기 등이 보이는 화장실은 2층에 한 개 있다. 따라서 (A)가 정답이다.

6. Which of these can you see?

(A) a door
(B) a bathtub
(C) a window

해석 다음 중 볼 수 있는 것은 무엇인가?

(A) 문
(B) 욕조
(C) 창문

풀이 침실과 거실 등에 창문이 보이므로 (C)가 정답이다.

[7-10]

Linda's family moves to a new house. Linda's mother paints the door. Now it is red. Linda pulls and opens the door. The living room has big windows. Linda's parents are happy. Now they have a large kitchen. There are two bathrooms in the new house. Linda looks at her bedroom. She likes her new room.

해석

Linda의 가족은 새 집으로 이사를 해요. Linda의 어머니는 문을 칠해요. 이제 그것은 빨간색이에요. Linda는 문을 당겨서 열어요. 거실에는 큰 창문들이 있어요. Linda의 부모님은 행복해요. 이제 그들에게는 커다란 주방이 있어요. 새 집에는 욕실이 두 군데 있어요. Linda는 자기 침실을 봐요. 그녀는 그녀의 새 방이 마음에 들어요.

7. What is the best title?

(A) Linda's Old House
(B) Linda's New House
(C) Linda Paints a House

해석 가장 알맞은 제목은 무엇인가?

(A) Linda의 옛날 집
(B) Linda의 새 집
(C) Linda가 집을 칠하다

유형 전체 내용 파악

풀이 첫 문장 'Linda's family moves to a new house.'에서 중심 소재가 나온 뒤, Linda의 가족이 새로 이사한 집에서 무엇을 하고, 새로 이사한 집은 어떤지를 다루고 있다. 따라서 (B)가 정답이다.

8. Where does the family go?

(A) to a new town
(B) to a new house
(C) to a new library

해석 가족은 어디에 가는가?

(A) 새 도시에
(B) 새 집에
(C) 새 도서관에

유형 세부 내용 파악

풀이 첫 문장 'Linda's family moves to a new house.'에서 Linda의 가족이 새 집으로 이사한다고 했으므로 (B)가 정답이다. (A)는 새로 이사한 집이 새 도시에 있다고는 하지 않았으므로 오답이다.

9. Why are Linda's parents happy?
   (A) The door is blue.
   (B) The kitchen is large.
   (C) There are three bathrooms.

해석 Linda의 부모님은 왜 행복한가?
   (A) 문이 파랗다.
   (B) 부엌이 크다.
   (C) 화장실이 세 개 있다.

유형 세부 내용 파악

풀이 'Linda's parents are happy. Now they have a large kitchen.'에서 부엌이 커서 Linda의 부모님이 행복하다는 사실을 알 수 있으므로 (B)가 정답이다.

10. What are the windows like?
   (A) big
   (B) dirty
   (C) clean

해석 창문들은 어떠한가?
   (A) 큰
   (B) 더러운
   (C) 깨끗한

유형 세부 내용 파악

풀이 'The living room has big windows.'에서 거실의 창문이 크다고 했으므로 (A)가 정답이다.

Listening Practice

PS1-9 p.84

Linda's family moves to a new house. Linda's mother paints the door. Now it is red. Linda pulls and opens the door. The living room has big windows. Linda's parents are happy. Now they have a large kitchen. There are two bathrooms in the new house. Linda looks at her bedroom. She likes her new room.

1. windows
2. kitchen
3. bathrooms
4. bedroom

Writing Practice

p.85

1. window
2. kitchen
3. bathroom
4. bedroom

Summary

Linda's family moves to a new house. Linda's mother paints the door. Linda likes her new room.

Linda의 가족은 새 집으로 이사를 해요. Linda의 어머니는 문을 칠해요. Linda는 그녀의 새 방이 마음에 들어요.

Word Puzzle

p.86

V	Z	Q	G	Y	J	W	H	Z	V	V	K	D	V	V
R	U	H	I	R	N	C	B	M	H	T	V	V	Y	R
D	M	F	V	E	Y	Q	Y	I	R	D	T	V	V	Z
Y	C	C	D	Q	Q	Y	Z	Q	K	R	D	M	F	P
D	I	L	L	W	U	B	B	A	P	N	O	F	Y	H
W	L	U	C	K	C	C	E	F	C	D	O	T	I	U
J	C	R	M	I	L	M	D	P	X	F	J	G	O	J
G	C	S	U	M	S	M	R	B	N	P	Y	D	R	M
Z	B	A	T	H	R	O	O	M	T	U	K	Z	R	Y
B	V	P	D	J	W	P	O	G	K	I	F	B	K	S
O	J	L	J	N	D	E	M	L	B	C	L	O	J	E
L	V	P	T	F	O	X	G	I	X	J	H	T	Z	S
M	O	K	I	T	C	H	E	N	L	L	P	X	N	S
H	X	T	J	L	E	D	L	I	O	O	V	H	G	R
F	G	H	U	W	I	N	D	O	W	V	D	N	V	A

1. window
2. kitchen
3. bathroom
4. bedroom

Unit 10 | Guess What It Is! p.87

Part A. Spell the Words				p.89
1 (A)	2 (A)			
Part B. Situational Writing				p.89
3 (B)	4 (A)			
Part C. Practical Reading and Retelling				p.90
5 (A)	6 (A)			
Part D. General Reading and Retelling				p.91
7 (B)	8 (C)	9 (C)	10 (C)	
Listening Practice				p.92
1 tongue	2 wings			
3 ground	4 forest			
Writing Practice				p.93
1 tongue	2 wing			
3 forest	4 ground			
Summary snake				
Word Puzzle				p.94
1 tongue	2 wing			
3 forest	4 ground			

Pre-reading Questions p.87

Think of an animal. Is it big or small?
Can it fly? What does it eat? What is it?

동물 한 가지를 생각해보세요. 큰가요 작은가요?
날 수 있나요? 무엇을 먹나요? 그것은 무엇인가요?

 Reading Passage p.88

Guess What It Is!

It is really long. It has a long, red tongue. It bites, kills, and eats small animals. It does not have arms, legs, or wings. It does not walk, run, or fly. It stays on the ground. Be careful in the forest. Sometimes it hurts people!

무엇인지 맞혀보세요!

그것은 정말 길어요. 그것은 길고 빨간 혀를 갖고 있어요. 그것은 작은 동물들을 물고, 죽이고, 그리고 먹어요. 그것은 팔, 다리, 또는 날개가 없어요. 그것은 걷거나, 달리거나, 날지 않아요. 그것은 땅 위에 머물러 있어요. 숲속에서 조심하세요. 때때로 그것은 사람들을 해치니까요!

어휘 really 정말로 | long 긴 | red 빨간 | tongue 혀 | bite 물다 | kill 죽이다 | eat 먹다 | small 작은 | animal 동물 | arm 팔 | leg 다리 | wing 날개 | walk 걷다 | run 달리다 | fly 날다 | stay 머물다 | ground 땅 | careful 주의하는 | forest 숲 | sometimes 때때로 | hurt 다치게 하다 | people 사람들 (person의 복수형) | city 도시 | beach 해변 | lion 사자 | tiger 호랑이 | hippo(hippopotamus) 하마 | crocodile 악어 | turtle 거북이 | snake 뱀 | parrot 앵무새 | air 공기 | sea 바다 | art 미술 | class 수업 | music 음악 | science 과학

Comprehension Questions p.89

1. tongue
   (A) g
   (B) k
   (C) h

풀이 해당 그림은 음식의 맛을 느끼게 해주는 혀이다. '혀'는 영어로 'tongue'이므로 (A)가 정답이다.

관련 문장 It has a long, red tongue.

2. wings
   (A) wings
   (B) ginws
   (C) swing

풀이 하늘을 날 때 퍼덕이는 날개이다. '날개'는 영어로 'wing'이므로 (A)가 정답이다.

관련 문장 It does not have arms, legs, or wings.

3. It is in the forest.

(A) city
(B) forest
(C) beach

해석 그것은 숲속에 있다.

(A) 도시
(B) 숲
(C) 해변

풀이 해당 그림은 수풀이 우거지고 여러 동물들이 서식하는 숲이다. 따라서 (B)가 정답이다.

관련 문장 Be careful in the forest.

4. They cannot fly.

(A) fly
(B) run
(C) stand

해석 그들은 날 수 없다.

(A) 날다
(B) 달리다
(C) 서다

풀이 원숭이, 코끼리 등 육지의 동물이 달리고 있는 모습이다. 이들은 날 수 없는 동물이므로 (A)가 정답이다. (C)는 동물들이 서서 달리고 있으므로 오답이다.

관련 문장 It doesn't walk, run, or fly.

[5-6]

5. What animals are in this picture?

(A) lions
(B) tigers
(C) hippos

해석 어떤 동물들이 이 그림에 있는가?

(A) 사자
(B) 호랑이
(C) 하마

풀이 12시 방향에 사자가 있으므로 (A)가 정답이다.

6. How many crocodiles are there?

(A) 1
(B) 2
(C) 3

해석 악어는 몇 마리나 있는가?

(A) 1
(B) 2
(C) 3

풀이 10시 방향에 악어가 한 마리 있다. 따라서 (A)가 정답이다.

[7-10]

It is really long. It has a long, red tongue. It bites, kills, and eats small animals. It does not have arms, legs, or wings. It does not walk, run, or fly. It stays on the ground. Be careful in the forest. Sometimes it hurts people!

해석

그것은 정말 길어요. 그것은 길고 빨간 혀를 갖고 있어요. 그것은 작은 동물들을 물고, 죽이고, 그리고 먹어요. 그것은 팔, 다리, 또는 날개가 없어요. 그것은 걷거나, 달리거나, 날지 않아요. 그것은 땅 위에 머물러 있어요. 숲속에서 조심하세요. 때때로 그것은 사람들을 해치니까요!

7. What is it?

(A) a turtle
(B) a snake
(C) a parrot

해석 그것은 무엇인가?

(A) 거북이
(B) 뱀
(C) 앵무새

유형 추론하기

풀이 'it'의 외형을 살펴보면, 몸통이 길고, 혀가 길고 빨가며, 팔다리는 물론 날개도 없다. 행동을 살펴보면, 땅 위에 살고, 작은 동물을 물어서('bite') 먹는다. 이러한 특징을 종합적으로 고려하면 'it'은 바로 숲속에서 혀를 날름거리고 몸통의 힘만으로 땅 위를 기어 다니는 뱀('snake')이라는 것을 추론할 수 있다. 따라서 (B)가 정답이다.

8. Where does it stay?

(A) in the air
(B) under the sea
(C) on the ground

해석 그것은 어디에 머물러 있는가?

(A) 공중에
(B) 바다 밑에
(C) 땅 위에

유형 세부 내용 파악

풀이 'It stays on the ground.'에서 'it'이 땅 위에 머물러 있다고 했으므로 (C)가 정답이다.

9. What is true?
(A) It is short.
(B) It has long arms.
(C) It has a red tongue.

해석 옳은 설명은 무엇인가?
(A) 그것은 짧다.
(B) 그것은 긴 팔을 갖고 있다.
(C) 그것은 빨간 혀를 갖고 있다.

유형 세부 내용 파악

풀이 'It has a long, red tongue.'에서 'it'이 빨간 혀를 가지고 있다고 했으므로 (C)가 정답이다. (B)는 'it'이 팔다리는 물론 날개도 없다고 했으므로 오답이다.

10. Where can we read this passage?
(A) in art class
(B) in music class
(C) in science class

해석 이 지문을 어디서 읽을 수 있는가?
(A) 미술 수업에서
(B) 음악 수업에서
(C) 과학 수업에서

유형 전체 내용 파악 & 추론하기

풀이 어떤 동물 'it'에 관해 외형, 습성 등을 다루고 있는 글이다. 동물은 제시된 선택지 중 과학 수업에서 가장 다룰 법한 주제이므로 (C)가 정답이다.

Listening Practice

PS1-10 p.92

It is really long. It has a long, red tongue. It bites, kills, and eats small animals. It does not have arms, legs, or wings. It does not walk, run, or fly. It stays on the ground. Be careful in the forest. Sometimes it hurts people!

1. tongue
2. wings
3. ground
4. forest

Writing Practice

p.93

1. tongue
2. wing
3. forest
4. ground

Summary

A snake is really long. It has a long, red tongue. It does not walk, run, or fly.

뱀은 정말 길어요. 그것은 길고 빨간 혀를 가지고 있어요. 그것은 걷거나, 달리거나, 혹은 날지 않아요.

Word Puzzle

p.94

V	M	Q	O	Y	O	S	S	N	G	T	K	I	O	H
O	U	V	F	Y	U	H	W	R	R	Y	F	V	A	D
O	Y	T	O	N	G	U	E	P	O	H	Z	Q	X	G
L	G	Q	R	H	F	G	R	U	U	P	F	M	W	S
M	P	X	E	C	F	L	A	I	N	S	Q	Z	I	L
L	A	K	S	D	N	A	K	E	D	O	Y	O	N	C
O	M	S	T	G	N	Z	J	J	V	R	Y	L	G	W
U	Y	W	Q	D	N	K	Z	D	X	D	G	E	A	Y
H	K	D	Y	G	K	U	N	L	J	F	K	G	V	F
I	D	D	K	U	V	V	H	S	M	D	O	Z	T	O
X	B	P	E	Q	N	Q	N	J	D	K	K	G	M	B
A	L	E	T	A	H	D	R	D	M	W	L	C	H	E
F	T	J	X	W	M	M	R	Y	U	R	D	W	O	W
X	L	P	P	A	J	F	V	W	K	Q	V	N	E	M
O	N	N	E	N	L	I	F	H	N	N	J	U	J	J

1. tongue
2. wing
3. forest
4. ground

Unit 11 | Sandra's Dad Is a Great Cook! p.95

Part A. Spell the Words p.97

1 (B) 2 (C)

Part B. Situational Writing p.97

3 (B) 4 (A)

Part C. Practical Reading and Retelling p.98

5 (B) 6 (A)

Part D. General Reading and Retelling p.99

7 (C) 8 (C) 9 (B) 10 (B)

Listening Practice p.100

1 soup 2 cheese
3 pasta 4 chicken

Writing Practice p.101

1 soup 2 cheese
3 pasta 4 chicken
Summary cook

Word Puzzle p.102

1 soup 2 cheese
3 pasta 4 chicken

Pre-reading Questions p.95

What is your favorite food?
What do you want for dinner tonight?

여러분이 특히 좋아하는 음식은 무엇인가요?
오늘 저녁 식사로 무엇을 먹고 싶나요?

Reading Passage p.96

Sandra's Dad Is a Great Cook!

Sandra's dad cooks delicious food. This morning, Sandra eats soup and bread. Sandra's sister eats rice and fish. Sandra's dad also makes snacks. Sandra's favorite snack is pizza. Her mother likes hamburgers with cheese the most. Today Sandra's dad tries a new food. It is chicken pasta. Sandra is hungry! She wants chicken pasta right now!

Sandra의 아빠는 훌륭한 요리사예요!

Sandra의 아빠는 맛있는 음식을 요리해요. 오늘 아침, Sandra는 수프와 빵을 먹어요. Sandra의 여동생은 밥과 생선을 먹어요. Sandra의 아빠는 또한 간식도 만들어요. Sandra가 특히 좋아하는 간식은 피자예요. 그녀의 어머니는 치즈가 있는 햄버거를 가장 좋아해요. 오늘 Sandra의 아빠가 새로운 음식을 시도해요. 그것은 치킨 파스타예요. Sandra는 배고파요! 그녀는 지금 당장 치킨 파스타를 원해요!

어휘 cook 요리하다; 요리사 | delicious 맛있는 | food 음식 | morning 아침 | this morning 오늘 아침 | eat 먹다 | soup 수프 | bread 빵 | sister 여동생, 누나, 언니 | rice 밥; 쌀 | fish 생선 | also 또한 | make 만들다 | snack 간식 | favorite 특히 좋아하는 | pizza 피자 | hamburger 햄버거 | with ~를 곁들인, ~를 포함한 | cheese 치즈 | most 가장 | try 시도해보다 | new 새로운 | chicken 치킨 | pasta 파스타 | hungry 배고픈 | right now 지금 당장 | bee 벌 | meal 식사 | plan 계획 | tomorrow 내일 | corn 옥수수 | fruit 과일 | salad 샐러드 | noodle 국수 | breakfast 아침 식사 | sleepy 졸린 | very 매우 | full 배부른

Comprehension Questions p.97

1. pasta
   (A) b
   (B) p
   (C) f

풀이 이탈리아식 국수인 파스타이다. '파스타'는 영어로 'pasta'이므로 (B)가 정답이다.

관련 문장 It is chicken pasta.

2. cheese
   (A) bees
   (B) trees
   (C) cheese

풀이 치즈 한 덩이이다. '치즈'는 영어로 'cheese'이므로 (C)가 정답이다.

관련 문장 Her mother likes hamburgers with cheese the most.

3. Sandra likes pizza.

(A) soup
(B) pizza
(C) bread

해석 Sandra는 피자를 좋아한다.

(A) 수프
(B) 피자
(C) 빵

풀이 밀가루 반죽 위에 토마토, 치즈, 피망, 고기 등을 얹어서 오븐 위에 구운 피자이다. 따라서 (B)가 정답이다.

관련 문장 Sandra's favorite snack is pizza.

4. Sandra's sister eats fish.

(A) fish
(B) beef
(C) chicken

해석 Sandra의 여동생은 생선을 먹는다.

(A) 생선
(B) 소고기
(C) 닭고기

풀이 소녀가 생선을 먹고 있으므로 (A)가 정답이다.

관련 문장 Sandra's sister eats rice and fish.

[5-6]

해석

식단		
	오늘	내일
아침	옥수수 수프	과일 샐러드
점심	햄버거	빵
저녁	밥	국수

5. What does he eat tomorrow?

(A) rice
(B) fruit
(C) soup

해석 그는 내일 무엇을 먹는가?

(A) 밥
(B) 과일
(C) 수프

풀이 내일 식단에는 'fruit salad', 'bread', 'noodles'가 예정되어 있다. 이들 중 'fruit salad'에 해당하는 (B)가 정답이다.

6. When are the hamburgers?

(A) today
(B) tomorrow
(C) today and tomorrow

해석 햄버거는 언제 있는가?

(A) 오늘
(B) 내일
(C) 오늘과 내일

풀이 햄버거는 오늘 점심에 예정되어 있으므로 (A)가 정답이다.

[7-10]

Sandra's dad cooks delicious food. This morning, Sandra eats soup and bread. Sandra's sister eats rice and fish. Sandra's dad also makes snacks. Sandra's favorite snack is pizza. Her mother likes hamburgers with cheese the most. Today Sandra's dad tries a new food. It is chicken pasta. Sandra is hungry! She wants chicken pasta right now!

해석

Sandra의 아빠는 맛있는 음식을 요리해요. 오늘 아침, Sandra는 수프와 빵을 먹어요. Sandra의 여동생은 밥과 생선을 먹어요. Sandra의 아빠는 또한 간식도 만들어요. Sandra가 특히 좋아하는 간식은 피자예요. 그녀의 어머니는 치즈가 있는 햄버거를 가장 좋아해요. 오늘 Sandra의 아빠가 새로운 음식을 시도해요. 그것은 치킨 파스타예요. Sandra는 배고파요! 그녀는 지금 당장 치킨 파스타를 원해요!

7. What does Sandra eat for breakfast?
   (A) rice and fish
   (B) rice and pasta
   (C) soup and bread

해석 Sandra는 아침으로 무엇을 먹는가?
   (A) 밥과 생선
   (B) 밥과 파스타
   (C) 수프와 빵

유형 세부 내용 파악

풀이 'This morning, Sandra eats soup and bread.'에서 오늘 아침 Sandra가 수프와 빵을 먹는다고 했으므로 (C)가 정답이다. (A)는 여동생의 아침 식사 메뉴이므로 오답이다.

새겨 두기 'morning'은 아침 시간을, 'breakfast'는 아침 식사를 의미한다는 점에 유의한다.

8. Whose favorite snack is hamburgers?
   (A) Sandra
   (B) Sandra's father
   (C) Sandra's mother

해석 누구의 특히 좋아하는 간식이 햄버거인가?
   (A) Sandra
   (B) Sandra의 아버지
   (C) Sandra의 어머니

유형 세부 내용 파악

풀이 'Her mother likes hamburgers with cheese the most.'에서 햄버거를 가장 좋아하는 사람이 Sandra의 어머니임을 알 수 있으므로 (C)가 정답이다. (A)는 Sandra가 특히 좋아하는 간식은 피자이므로 오답이다.

9. How is Sandra right now?
   (A) She is sleepy.
   (B) She is hungry.
   (C) She is very full.

해석 Sandra는 지금 당장 어떠한가?
   (A) 그녀는 졸리다.
   (B) 그녀는 배고프다.
   (C) 그녀는 매우 배부르다.

유형 세부 내용 파악

풀이 'Sandra is hungry! She wants chicken pasta right now!'에서 Sandra가 지금 배고픈 상태라는 것을 알 수 있으므로 (B)가 정답이다.

10. What does Sandra want right now?
   (A) fish soup
   (B) chicken pasta
   (C) cheese bread

해석 Sandra는 지금 당장 무엇을 원하는가?
   (A) 생선 수프
   (B) 치킨 파스타
   (C) 치즈 빵

유형 세부 내용 파악

풀이 'Sandra is hungry! She wants chicken pasta right now!'에서 Sandra가 지금 치킨 파스타를 먹고 싶어 한다는 것을 알 수 있으므로 (B)가 정답이다.

Listening Practice

PS1-11 p.100

Sandra's dad cooks delicious food. This morning, Sandra eats soup and bread. Sandra's sister eats rice and fish. Sandra's dad also makes snacks. Sandra's favorite snack is pizza. Her mother likes hamburgers with cheese the most. Today Sandra's dad tries a new food. It is chicken pasta. Sandra is hungry! She wants chicken pasta right now!

1. soup
2. cheese
3. pasta
4. chicken

Writing Practice

p.101

1. soup
2. cheese
3. pasta
4. chicken

Summary

Sandra's dad is a great cook. He cooks for Sandra and her sister. He makes dinner and snacks.

Sandra의 아버지는 훌륭한 요리사예요. 그는 Sandra와 그녀의 여동생을 위해서 요리해요. 그는 저녁과 간식을 만들어요.

Word Puzzle p.102

U	C	L	R	Q	P	R	R	H	W	M	E	Q	K	K
U	Q	R	B	Y	A	O	Z	A	C	X	A	H	L	G
C	K	J	K	C	S	R	P	X	N	P	Z	S	S	M
Y	H	R	E	Z	T	M	A	B	I	Z	V	O	C	E
Y	C	F	S	W	A	W	R	C	Z	I	P	U	U	Q
U	K	U	J	H	V	F	K	C	K	Z	X	P	W	Y
A	E	E	T	C	I	Y	P	T	L	H	W	J	Q	A
X	U	S	M	I	C	T	O	L	J	P	C	S	Z	P
L	V	L	I	Z	M	R	N	L	J	Y	K	P	C	F
G	D	T	A	C	F	Z	O	V	U	W	O	O	H	A
U	K	Z	J	V	J	A	N	G	E	W	R	S	E	H
W	K	G	R	T	N	A	L	J	N	U	Q	V	E	U
X	Z	L	I	S	F	I	Q	A	L	B	R	V	S	I
G	B	A	Z	Z	W	C	Z	C	H	I	C	K	E	N
C	Z	L	A	N	R	Y	C	C	D	V	F	Z	S	N

1. soup
2. cheese
3. pasta
4. chicken

Unit 12 | Lars Loves Music p.103

Part A. Spell the Words p.105

1 (B) 2 (B)

Part B. Situational Writing p.105

3 (B) 4 (B)

Part C. Practical Reading and Retelling p.106

5 (C) 6 (C)

Part D. General Reading and Retelling p.107

7 (C) 8 (A) 9 (A) 10 (C)

Listening Practice p.108

1 piano 2 guitar
3 violin 4 cello

Writing Practice p.109

1 piano 2 guitar
3 violin 4 cello
Summary music

Word Puzzle p.110

1 piano 2 guitar
3 violin 4 cello

Pre-reading Questions p.103

Can you play a musical instrument?
Which one?

악기를 연주할 수 있나요?
어떤 악기인가요?

Reading Passage p.104

Lars Loves Music

Lars loves music. He likes to listen to the piano. And he likes guitar music. But he can't play the piano or guitar. He can play the violin and cello. He plays them well. His violin is small. His cello is big. Now Lars is learning the drums. He likes the drums. The drums are easy. Lars holds sticks and hits the drums.

Lars는 음악을 사랑해요

Lars는 음악을 사랑해요. 그는 피아노 감상하는 걸 좋아해요. 그리고 그는 기타 음악을 좋아해요. 하지만 그는 피아노나 기타를 연주하지 못해요. 그는 바이올린과 첼로를 연주할 수 있어요. 그는 그것들을 잘 연주해요. 그의 바이올린은 작아요. 그의 첼로는 커요. 이제 Lars는 드럼을 배우고 있어요. 그는 드럼을 좋아해요. 드럼은 쉬워요. Lars는 (드럼) 스틱을 들고 드럼을 쳐요.

어휘 music 음악 | like to ~ ~하는 것을 좋아하다 | hear 듣다 | piano 피아노 | guitar 기타 | play 연주하다; (어떤 경기를) 하다 | violin 바이올린 | cello 첼로 | well 잘 | small 작은 | big 큰 | now 이제 | learn 배우다 | drum 드럼, 북 | easy 쉬운 | hold 들다; 열다, 주최하다 | stick 스틱, 막대기 | hit 치다 | with ~을 갖고 | bat (야구) 방망이 | read 읽다 | book 책 | baseball 야구 | concert 연주회, 콘서트 | son 아들 | student 학생 | musician 음악가

Comprehension Questions p.105

1. violin

(A) b
(B) v
(C) p

풀이 활로 줄을 문질러 소리 내는 서양 현악기인 바이올린이다. '바이올린'은 영어로 'violin'이므로 (B)가 정답이다.

관련 문장 His violin is small.

2. guitar

(A) i
(B) u
(c) e

풀이 손가락으로 줄을 튕겨 연주하는 현악기인 기타이다. '기타'는 영어로 'guitar'이므로 (B)가 정답이다.

관련 문장 And he likes guitar music. But he can't play the piano or guitar.

3. Does Lars play the piano?

(A) cello
(B) piano
(C) drums

해석 Lars는 피아노를 연주하니?

(A) 첼로
(B) 피아노
(C) 드럼

풀이 소년이 피아노를 서툴게 연주하고 있다. 따라서 그 소년이 피아노를 연주하는지 물을 수 있으므로 (B)가 정답이다.

관련 문장 But he can't play the piano or guitar.

4. Lars plays the drums with sticks.

(A) bats
(B) sticks
(C) friends

해석 Lars는 막대기로 드럼을 칠 수 있다.

(A) 방망이
(B) 막대기
(C) 친구

풀이 드럼 스틱을 들고 드럼을 치고 있는 소년의 모습이다. 따라서 (B)가 정답이다.

관련 문장 Lars holds sticks and hits the drums.

[5-6]

5. What is NOT in this picture?

(A) a guitar
(B) a violin
(C) a drum

해석 이 그림에 있지 않은 것은 무엇인가?

(A) 기타
(B) 바이올린
(C) 드럼

풀이 그림에서 드럼은 보이지 않으므로 (C)가 정답이다.

6. What are they doing?
   (A) reading books
   (B) playing baseball
   (C) holding a concert

해석 그들은 무엇을 하고 있는가?
   (A) 책 읽기
   (B) 야구하기
   (C) 콘서트 열기

풀이 네 사람이 무대 위에서 여러 악기를 연주하며 연주회를 열고 있으므로 (C)가 정답이다.

[7-10]

Lars loves music. He likes to listen to the piano. And he likes guitar music. But he can't play the piano or guitar. He can play the violin and cello. He plays them well. His violin is small. His cello is big. Now Lars is learning the drums. He likes the drums. The drums are easy. Lars holds sticks and hits the drums.

해석

Lars는 음악을 사랑해요. 그는 피아노 감상하는 걸 좋아해요. 그리고 그는 기타 음악을 좋아해요. 하지만 그는 피아노나 기타를 연주하지 못해요. 그는 바이올린과 첼로를 연주할 수 있어요. 그는 그것들을 잘 연주해요. 그의 바이올린은 작아요. 그의 첼로는 커요. 이제 Lars는 드럼을 배우고 있어요. 그는 드럼을 좋아해요. 드럼은 쉬워요. Lars는 (드럼) 스틱을 들고 드럼을 쳐요.

7. What is the best title?
   (A) Lars Is a Good Son
   (B) Lars Is a Good Student
   (C) Lars is a Good Musician

해석 가장 알맞은 제목은 무엇인가?
   (A) Lars는 훌륭한 아들이다
   (B) Lars는 훌륭한 학생이다
   (C) Lars는 훌륭한 음악가이다

유형 전체 내용 파악

풀이 첫 문장 'Lars loves music.'에서 바로 중심 내용이 드러나고 있다. 이어서 Lars가 좋아하는 음악과 연주할 줄 알거나 못하는 악기 등에 대해 언급하였다. 따라서 (C)가 정답이다.

8. What can Lars play?
   (A) the violin
   (B) the piano
   (C) the guitar

해석 Lars는 무엇을 연주할 수 있는가?
   (A) 바이올린
   (B) 피아노
   (C) 기타

유형 세부 내용 파악

풀이 'He can play the violin and cello.'에서 Lars가 바이올린과 첼로를 연주할 수 있다고 했으므로 (A)가 정답이다. (B)와 (C)는 피아노와 기타 음악을 좋아하지만 연주는 하지 못한다고 했으므로 오답이다.

9. How does Lars play the drums?
   (A) He hits the drums.
   (B) He holds the drums.
   (C) He can't play the drums.

해석 Lars는 어떻게 드럼을 치는가?
   (A) 드럼을 친다.
   (B) 드럼을 들고 있는다.
   (C) 드럼을 치지 못한다.

유형 세부 내용 파악

풀이 마지막 문장 'Lars holds sticks and hits the drums.'에서 Lars가 (드럼) 스틱을 들고 드럼을 친다고 했으므로 (A)가 정답이다.

새겨 두기 'drum'은 드럼 하나를 의미한다. 따라서 복수형 'play (the) drums'는 여러 개의 드럼을 치는 것을 뜻한다.

10. What is NOT true?
   (A) Lars has a big cello.
   (B) Lars likes piano music.
   (C) Lars plays the guitar well.

해석 옳지 않은 설명은 무엇인가?
   (A) Lars는 큰 첼로를 갖고 있다.
   (B) Lars는 피아노 음악을 좋아한다.
   (C) Lars는 기타를 잘 연주한다.

유형 세부 내용 파악

풀이 'But he can't play the piano or guitar.'에서 Lars가 기타를 연주할 줄 모른다고 했으므로 (C)가 정답이다.

Listening Practice

PS1-12 p.108

Lars loves music. He likes to listen to the piano. And he likes guitar music. But he can't play the piano or guitar. He can play the violin and cello. He plays them well. His violin is small. His cello is big. Now Lars is learning the drums. He likes the drums. The drums are easy. Lars holds sticks and hits the drums.

1. piano
2. guitar
3. violin
4. cello

Writing Practice

p.109

1. piano
2. guitar
3. violin
4. cello

Summary

Lars loves music. He likes to listen to the piano and guitar. He can play the violin and cello.

Lars는 음악을 사랑해요. 그는 피아노와 기타 감상하는 것을 좋아해요. 그는 바이올린과 첼로를 연주할 수 있어요.

Word Puzzle

p.110

N	W	P	G	A	M	X	F	A	F	F	K	S	K	W
W	A	I	G	R	J	Y	C	V	T	E	C	F	T	B
G	K	A	W	K	Q	E	Y	E	Y	U	Q	V	O	P
Q	N	N	F	V	V	Q	I	J	G	X	I	K	P	S
G	B	O	F	K	Z	S	T	K	H	D	R	R	Y	N
U	D	U	G	B	D	B	V	M	V	W	N	Y	V	U
I	F	S	B	E	K	L	A	F	U	N	K	F	I	J
T	N	K	T	Q	W	R	X	I	C	E	L	L	O	F
A	Y	X	H	L	T	M	Y	Z	C	O	B	H	L	C
R	D	A	K	J	M	P	Q	Q	F	D	Z	N	I	S
N	M	C	G	H	J	A	B	C	W	V	L	H	N	E
I	F	C	S	U	G	U	F	L	Q	E	C	W	P	V
Q	N	U	O	H	M	U	V	M	L	D	H	V	X	L
G	B	R	S	B	Y	O	Q	W	E	Y	X	V	J	T
M	O	B	E	L	B	K	I	E	F	T	T	B	I	G

1. piano
2. guitar
3. violin
4. cello

Chapter Review

p.111

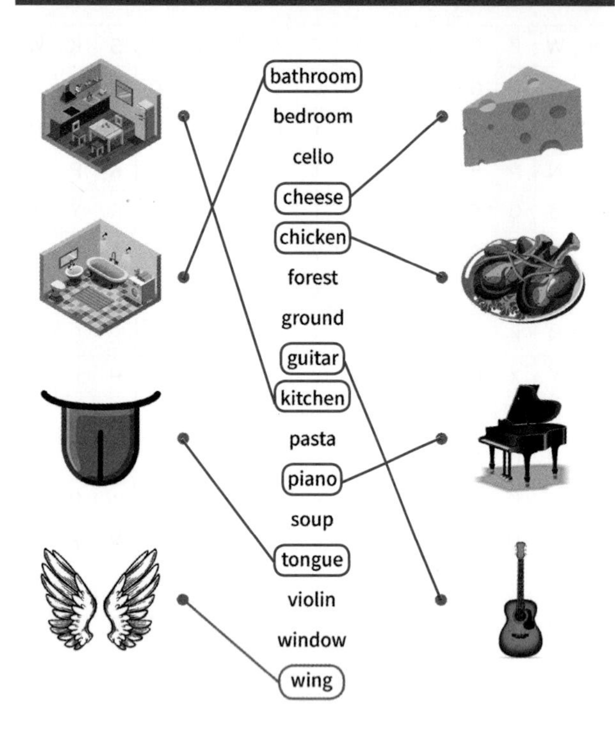

※ 학생의 생각에 따라 다양한 정답이 가능할 수 있습니다.

예)

bathroom, window, …

chicken, wing, …

MEMO

MEMO

TOSEL® Reading
PreStarter Book 2

PreStarter Book 2

ANSWERS

CHAPTER 1 | In My Classroom p.10

Unit										
UNIT 1	1 (A)	2 (C)	3 (A)	4 (B)	5 (A)	6 (A)	7 (C)	8 (B)	9 (A)	10 (B)
PS2-1	1 teacher		2 art		3 draws		4 class			
p.11	1 art		2 draw		3 teacher		4 class		art	
	1 art		2 draw		3 teacher		4 class			
UNIT 2	1 (A)	2 (B)	3 (B)	4 (B)	5 (B)	6 (C)	7 (B)	8 (B)	9 (C)	10 (C)
PS2-2	1 stands		2 pencil		3 eraser		4 writes			
p.19	1 stand		2 write		3 eraser		4 pencil		math	
	1 stand		2 write		3 eraser		4 pencil			
UNIT 3	1 (B)	2 (B)	3 (C)	4 (C)	5 (B)	6 (C)	7 (C)	8 (A)	9 (C)	10 (B)
PS2-3	1 studies		2 reads		3 listens		4 sings			
p.27	1 read		2 listen		3 sing		4 study		study	
	1 read		2 listen		3 sing		4 study			
UNIT 4	1 (A)	2 (B)	3 (B)	4 (A)	5 (B)	6 (C)	7 (B)	8 (B)	9 (A)	10 (B)
PS2-4	1 speak		2 eat		3 sleep		4 raises			
p.35	1 eat		2 sleep		3 speak		4 raise		rule	
	1 eat		2 sleep		3 speak		4 raise			

CHAPTER 2 | My Day at School p.44

Unit										
UNIT 5	1 (C)	2 (A)	3 (A)	4 (C)	5 (B)	6 (C)	7 (B)	8 (B)	9 (A)	10 (B)
PS2-5	1 wakes up		2 shower		3 leaves		4 arrives			
p.45	1 wake up		2 take a shower		3 arrive		4 leave		morning	
	1 wake up		2 take a shower		3 arrive		4 leave			
UNIT 6	1 (A)	2 (B)	3 (A)	4 (A)	5 (C)	6 (C)	7 (C)	8 (C)	9 (B)	10 (C)
PS2-6	1 Monday		2 Wednesday		3 Thursday		4 Friday			
p.53	1 Monday	2 Tuesday	3 Wednesday	4 Thursday	5 Friday	6 Saturday	festival			
	1 Monday	2 Tuesday	3 Wednesday	4 Thursday	5 Friday					
UNIT 7	1 (B)	2 (A)	3 (C)	4 (C)	5 (B)	6 (C)	7 (B)	8 (C)	9 (A)	10 (B)
PS2-7	1 swims		2 break		3 vacation		4 cold			
p.61	1 break		2 vacation		3 cold		4 swim		busy	
	1 break		2 vacation		3 cold		4 swim			
UNIT 8	1 (A)	2 (B)	3 (C)	4 (C)	5 (A)	6 (A)	7 (C)	8 (C)	9 (B)	10 (A)
PS2-8	1 spring		2 summer		3 fall		4 Winter			
p.69	1 spring		2 summer		3 fall		4 winter		seasons	
	1 spring		2 summer		3 fall		4 winter			

CHAPTER 3 | At School p.78

Unit										
UNIT 9	1 (A)	2 (A)	3 (B)	4 (B)	5 (C)	6 (A)	7 (A)	8 (B)	9 (A)	10 (A)
PS2-9	1 baseball		2 loses		3 bat		4 tired			
p.79	1 baseball		2 lose		3 bat		4 tired		happy	
	1 baseball		2 lose		3 bat		4 tired			
UNIT 10	1 (C)	2 (C)	3 (A)	4 (B)	5 (B)	6 (B)	7 (C)	8 (B)	9 (B)	10 (B)
PS2-10	1 glass		2 umbrellas		3 dots		4 hat			
p.87	1 glass		2 umbrella		3 hat		4 dot		shopping	
	1 glass		2 umbrella		3 hat		4 dot			
UNIT 11	1 (A)	2 (A)	3 (A)	4 (A)	5 (A)	6 (C)	7 (C)	8 (A)	9 (C)	10 (A)
PS2-11	1 bike		2 wheel		3 bus		4 car			
p.95	1 bike		2 bus		3 car		4 wheel		rides	
	1 bike		2 bus		3 car		4 wheel			
UNIT 12	1 (B)	2 (A)	3 (A)	4 (C)	5 (C)	6 (B)	7 (B)	8 (A)	9 (C)	10 (B)
PS2-12	1 tennis		2 ball		3 racket		4 table			
p.103	1 tennis		2 ball		3 racket		4 table tennis		Tennis	
	1 tennis		2 ball		3 racket		4 table tennis			

Chapter 1. In My Classroom

Unit 1 | A Happy Art Class				p.11
Part A. Spell the Words				p.13
1 (A)	2 (C)			
Part B. Situational Writing				p.13
3 (A)	4 (B)			
Part C. Practical Reading and Retelling				p.14
5 (A)	6 (A)			
Part D. General Reading and Retelling				p.15
7 (C)	8 (B)	9 (A)	10 (B)	
Listening Practice				p.16
1 teacher	2 art			
3 draws	4 class			
Writing Practice				p.17
1 art	2 draw			
3 teacher	4 class			
Summary art				
Word Puzzle				p.18
1 art	2 draw			
3 teacher	4 class			

Pre-reading Questions p.11

What can you draw?
Let's draw something!

무엇을 그릴 수 있나요?
무언가를 그려봅시다!

Reading Passage p.12

A Happy Art Class

Mila likes to go to school. She sees her favorite teacher, Mr. Shu. Mr. Shu is an art teacher. He is very kind. And he draws really well. Today the class draws flowers. At first, Mila can't draw well. But Mr. Shu helps her. Mila draws a beautiful flower garden. She is happy.

행복한 미술 수업

Mila는 학교에 가는 것을 좋아해요. 그녀는 특히 좋아하는 선생님인 Shu 선생님을 만나요. Shu 선생님은 미술 선생님이에요. 그는 아주 친절해요. 그리고 (그림을) 아주 잘 그려요. 오늘 수업에서는 꽃을 그려요. 처음에(는), Mila는 잘 그리지 못해요. 그런데 Shu 선생님이 그녀를 도와줘요. Mila는 아름다운 꽃 정원을 그려요. 그녀는 행복해요.

어휘 like 좋아하다 | see 보다, 만나다 | favorite 특히(매우, 아주) 좋아하는 | teacher 선생님 | Mr. (남자를 높여 부를 때) (선생)님, 씨 | art 미술; 예술 | very 매우 | kind 친절한 | draw 그리다 | really 정말 | well 잘 | today 오늘 | class 수업 | flower 꽃 | at first 처음에(는) | help 돕다 | beautiful 아름다운 | garden 정원 | happy 행복한 | math 수학 | rock 바위 | vegetable 채소 | I 나 | my 나의 | you 너; 너를 | your 너의 | he 그 | his 그의 | she 그녀 | her 그녀의; 그녀를 | board 칠판 | stand 서다 | by ~의 옆에 | forest 숲

Comprehension Questions p.13

1. draw
   (A) w
   (B) x
   (C) y

풀이 아이가 그림을 그리고 있는 모습이다. '(그림을) 그리다'는 영어로 'draw'이므로 (A)가 정답이다.

관련 문장 Today the class draws flowers.

2. teacher
   (A) treache
   (B) teeachr
   (C) teacher

풀이 칠판 앞에서 선생님이 수업하고 있는 모습이다. '선생님'은 영어로 'teacher'이므로 (C)가 정답이다.

관련 문장 She sees her favorite teacher, Mr. Shu.

3. Mr. Shu is Mila's <u>art</u> teacher.

(A) art
(B) math
(C) English

해석 Shu 선생님은 Mila의 <u>미술</u> 선생님이다.

(A) 미술
(B) 수학
(C) 영어

풀이 캔버스에 그림을 그리고 있는 미술 선생님의 모습이다. 따라서 (A)가 정답이다.

관련 문장 She sees her favorite teacher, Mr. Shu. Mr. Shu is an art teacher.

4. It is a <u>flower</u> garden.

(A) rock
(B) flower
(C) vegetable

해석 그곳은 <u>꽃</u> 정원이다.

(A) 바위
(B) 꽃
(C) 채소

풀이 알록달록 꽃들이 만발한 꽃 정원의 모습이다. 따라서 (B)가 정답이다.

관련 문장 Mila draws a beautiful flower garden.

[5-6]

해석

나-나의
너-너의
그-그의
그녀-<u>그녀의</u>

5. Look at the board. What goes here: ________?

(A) her
(B) she
(C) she is

해석 칠판을 보시오. ______에는 무엇이 들어가는가?

(A) 그녀의
(B) 그녀
(C) 그녀는 ~이다

풀이 왼쪽은 인칭 대명사 중 주로 문장 앞에 와서 주어 역할을 하는 주격이고, 오른쪽은 명사 앞에 와서 '~의'로 해석되는 소유격이다. 'she'(그녀)에 대응하는 소유격은 'her'(그녀의)이므로 (A)가 정답이다.

6. What is NOT true?

(A) It is a math class.
(B) There are six students.
(C) The teacher stands by the board.

해석 옳지 않은 설명은 무엇인가?

(A) 수학 수업이다.
(B) 학생이 여섯 명 있다.
(C) 선생님이 칠판 옆에 서있다.

풀이 칠판에 적힌 내용으로 보아 수학 수업이 아니라 영어 수업에 가까우므로 (A)가 정답이다.

[7-10]

Mila likes to go to school. She sees her favorite teacher, Mr. Shu. Mr. Shu is an art teacher. He is very kind. And he draws really well. Today the class draws flowers. At first, Mila can't draw well. But Mr. Shu helps her. Mila draws a beautiful flower garden. She is happy.

해석

Mila는 학교에 가는 것을 좋아해요. 그녀는 특히 좋아하는 선생님인 Shu 선생님을 만나요. Shu 선생님은 미술 선생님이에요. 그는 아주 친절해요. 그리고 (그림을) 아주 잘 그려요. 오늘 수업에서는 꽃을 그려요. 처음에(는), Mila는 잘 그리지 못해요. 그런데 Shu 선생님이 그녀를 도와줘요. Mila는 아름다운 꽃 정원을 그려요. 그녀는 행복해요.

7. What is the best title?

(A) Mila's Father
(B) Mr. Shu's Garden
(C) A Happy Art Class

해석 가장 알맞은 제목은 무엇인가?

(A) Mila의 아버지
(B) Shu 선생님의 정원
(C) 행복한 미술 수업

유형 전체 내용 파악

풀이 Mila가 좋아하는 미술 선생님을 만나고, 미술 수업을 듣고, 그림을 그리고, 행복해한다는 내용으로 글이 전개되고 있다. 따라서 중심 소재는 Mila가 오늘 학교에서 듣는 미술 수업이므로 (C)가 정답이다.

8. What does Mila draw today?

(A) a forest
(B) a garden
(C) a teacher

해석 Mila는 오늘 무엇을 그리는가?

(A) 숲
(B) 정원
(C) 선생님

유형 세부 내용 파악

풀이 'Mila draws a beautiful flower garden.'에서 Mila가 꽃 정원을 그린다고 했으므로 (B)가 정답이다.

9. Who is Mr. Shu?

(A) an art teacher
(B) a math teacher
(C) a science teacher

해석 Shu 선생님은 누구인가?

(A) 미술 선생님
(B) 수학 선생님
(C) 과학 선생님

유형 세부 내용 파악

풀이 'She sees her favorite teacher, Mr. Shu. Mr. Shu is an art teacher.'를 통해 Shu 선생님이 Mila의 미술 선생님이라는 사실을 알 수 있으므로 (A)가 정답이다.

새겨 두기 선생님을 지칭할 때 'Mr./Ms. + 성'의 형태로 높여 부른다는 점에 유의한다.

10. What is NOT true about Mila?

(A) She likes school.
(B) She is sad in art class.
(C) She has an art class today.

해석 Mila에 관해 옳지 않은 설명은 무엇인가?

(A) 학교를 좋아한다.
(B) 미술 수업에서 슬프다.
(C) 오늘 미술 수업이 있다.

유형 세부 내용 파악

풀이 'Mila draws a beautiful flower garden. She is happy.'에서 Mila가 미술 수업에서 슬픈 게 아니라 행복하다는 사실을 알 수 있으므로 (B)가 정답이다.

Listening Practice

PS2-1 p.16

Mila likes to go to school. She sees her favorite teacher, Mr. Shu. Mr. Shu is an art teacher. He is very kind. And he draws really well. Today the class draws flowers. At first, Mila can't draw well. But Mr. Shu helps her. Mila draws a beautiful flower garden. She is happy.

1. teacher
2. art
3. draws
4. class

Writing Practice

p.17

1. art
2. draw
3. teacher
4. class

Summary

Mr. Shu is Mila's art teacher. He is very kind and he draws very well. He helps Mila.

Shu 선생님은 Mila의 미술 선생님이에요. 그는 아주 친절하고 (그림을) 아주 잘 그려요. 그는 Mila를 도와줘요.

Word Puzzle p.18

C	O	G	M	S	Q	F	Z	C	T	H	K	O	A	S
J	Z	W	M	Y	Z	Q	I	L	H	P	E	C	N	E
M	Z	Q	O	R	U	Y	B	A	B	D	F	M	O	J
L	B	C	A	L	G	E	F	S	O	T	R	K	I	O
L	K	W	Q	N	V	J	D	S	Y	A	W	B	Q	A
O	B	R	T	D	N	J	C	R	M	O	K	G	A	R
L	L	W	S	H	X	U	O	U	F	W	G	U	N	G
I	W	L	C	H	L	U	P	O	J	H	D	Z	L	M
G	S	W	R	S	L	J	P	Q	V	Z	U	E	A	F
N	Z	W	F	N	Q	U	R	T	F	U	M	B	Z	L
S	M	A	D	K	R	P	U	H	R	F	D	A	R	T
R	P	N	H	Q	T	D	R	A	W	E	P	I	Q	F
J	Y	V	H	P	M	E	P	I	L	C	G	T	V	G
C	R	Z	H	U	X	I	V	S	B	R	V	P	G	M
Q	Z	J	T	E	A	C	H	E	R	F	I	X	U	E

1. art
2. draw
3. teacher
4. class

Unit 2 | In Math Class p.19

Part A. Spell the Words p.21

1 (A) 2 (B)

Part B. Situational Writing p.21

3 (B) 4 (B)

Part C. Practical Reading and Retelling p.22

5 (B) 6 (C)

Part D. General Reading and Retelling p.23

7 (B) 8 (B) 9 (C) 10 (C)

Listening Practice p.24

1 stands 2 pencil
3 eraser 4 writes

Writing Practice p.25

1 stand 2 write
3 eraser 4 pencil
Summary math

Word Puzzle p.26

1 stand 2 write
3 eraser 4 pencil

Pre-reading Questions p.19

What do you bring to math class?
Do you like math class?

수학 수업에 무엇을 가져가나요?
수학 수업을 좋아하나요?

Reading Passage p.20

In Math Class

The math class starts. The teacher stands by the board. There are numbers on the board. Jason has a pencil. He has a book. He has an eraser. He puts them on his desk. He writes some numbers. But the numbers are wrong. Jason uses his eraser. Soon the bell rings. It is 12 o'clock. It is lunch time!

수학 시간에

수학 수업이 시작해요. 선생님이 칠판 옆에 서요. 칠판 위에 숫자들이 있어요. Jason은 연필 한 자루가 있어요. 책 한 권이 있어요. 지우개 하나가 있어요. 그는 책상에 그것들을 놓아요. 그는 숫자 몇 개를 써요. 하지만 그 숫자들은 틀렸어요. Jason은 지우개를 사용해요. 곧 종이 울려요. 12시예요. 점심시간이에요!

어휘 math 수학 | class 수업; 학급 | teacher 선생님 | stand 서다 | by ~의 옆에 | board (칠)판 | number 숫자 | pencil 연필 | book 책 | eraser 지우개 | put 놓다 | desk 책상 | write 쓰다 | wrong 잘못된 | use 사용하다 | soon 곧 | bell 종 | ring 울리다 | o'clock …시 | pen 펜 | puppy 강아지 | paint 칠하다 | erase 지우다 | take a photo 사진을 찍다 | hold 쥐다 | picture 사진 | cup 컵 | bedroom 침실 | classroom 교실 | living room 거실 | art 미술; 예술 | music 음악 | orange 오렌지

Comprehension Questions p.21

1. stand

(A) **stand**
(B) stnda
(C) satnd

풀이 여러 사람이 서 있는 모습이다. '서다, 서 있다'는 영어로 'stand' 이므로 (A)가 정답이다.

관련 문장 The teacher stands by the board.

2. <u>e</u>raser

(B) e
(A) a
(C) i

풀이 무언가를 지울 때 쓰는 지우개이다. '지우개'는 영어로 'eraser' 이므로 (B)가 정답이다.

관련 문장 But the numbers are wrong. Jason uses his eraser.

3. There is a <u>pencil</u> on his desk.

(A) pen
(B) pencil
(C) puppy

해석 그의 책상 위에 <u>연필</u> 한 자루가 있다.

(A) 펜
(B) 연필
(C) 강아지

풀이 책상 위에 연필 한 자루가 있으므로 (B)가 정답이다.

관련 문장 Jason has a pencil. He has a book. He has an eraser. He puts them on his desk.

4. Jason <u>writes</u> numbers.

(A) paints
(B) writes
(C) erases

해석 Jason이 숫자를 <u>쓴다</u>.

(A) 칠하다
(B) 쓰다
(C) 지우다

풀이 소년이 공책에 숫자를 적고 있으므로 '쓰다, 적다'라는 뜻을 가진 (B)가 정답이다.

관련 문장 He writes some numbers.

[5-6]

5. What is the girl doing?

(A) taking a photo
(B) holding a pencil
(C) erasing a picture

해석 소녀는 무엇을 하고 있는가?

(A) 사진 찍기
(B) 연필 쥐기
(C) 그림 지우기

풀이 그림에서 소녀가 연필을 쥐고 있으므로 (B)가 정답이다.

6. What is on the desk?

(A) two cups
(B) a red ball
(C) a blue book

해석 책상 위에 무엇이 있는가?

(A) 컵 두 개
(B) 빨간 공
(C) 파란 책

풀이 책상 위에 파란색 책이 한 권 있으므로 (C)가 정답이다.

[7-10]

The math class starts. The teacher stands by the board. There are numbers on the board. Jason has a pencil. He has a book. He has an eraser. He puts them on his desk. He writes some numbers. But the numbers are wrong. Jason uses his eraser. Soon the bell rings. It is 12 o'clock. It is lunch time!

해석

수학 수업이 시작해요. 선생님이 칠판 옆에 서요. 칠판 위에 숫자들이 있어요. Jason은 연필 한 자루가 있어요. 책 한 권이 있어요. 지우개 하나가 있어요. 그는 책상에 그것들을 놓아요. 그는 숫자 몇 개를 써요. 하지만 그 숫자들은 틀렸어요. Jason은 지우개를 사용해요. 곧 종이 울려요. 12시예요. 점심시간이에요!

7. Where is Jason?

(A) in a bedroom
(B) in a classroom
(C) in a living room

해석 Jason은 어디에 있는가?

(A) 침실에
(B) 교실에
(C) 거실에

유형 추론하기

풀이 Jason이 수학 수업('math class')을 듣고 있는 상황이다. 따라서 Jason은 지금 교실에 있으므로 (B)가 정답이다.

8. What does Jason study?

(A) art
(B) math
(C) music

해석 Jason은 무엇을 공부하는가?

(A) 미술
(B) 수학
(C) 음악

유형 세부 내용 파악

풀이 'The math class starts.', 'He writes some numbers.'에서 수학 수업이라는 사실을 알 수 있으므로 (B)가 정답이다.

9. What is NOT on Jason's desk?

(A) a pencil
(B) an eraser
(C) an orange

해석 Jason의 책상 위에 있지 않은 것은 무엇인가?

(A) 연필
(B) 지우개
(C) 오렌지

유형 세부 내용 파악

풀이 'Jason has a pencil. He has a book. He has an eraser. He puts them on his desk.'에서 Jason의 책상 위에 연필, 책, 지우개가 있음을 알 수 있다. 따라서 여기에 해당하지 않는 (C)가 정답이다.

10. When does Jason have lunch?

(A) at ten
(B) at eleven
(C) at twelve

해석 Jason은 언제 점심을 먹는가?

(A) 10시에
(B) 11시에
(C) 12시에

유형 세부 내용 파악

풀이 'It's 12 o'clock. It is lunch time!'에서 12시가 점심 시간이라는 사실을 알 수 있으므로 (C)가 정답이다.

Listening Practice 

The math class starts. The teacher <u>stands</u> by the board. There are numbers on the board. Jason has a <u>pencil</u>. He has a book. He has an <u>eraser</u>. He puts them on his desk. He <u>writes</u> some numbers. But the numbers are wrong. Jason uses his eraser. Soon the bell rings. It is 12 o'clock. It is lunch time!

1. stands
2. pencil
3. eraser
4. writes

Writing Practice p.25

1. stand
2. write
3. eraser
4. pencil

Summary

The math class starts. The teacher writes numbers on the board. Jason writes numbers, too.

수학 수업이 시작해요. 선생님이 칠판 위에 숫자들을 써요. Jason도 숫자들을 써요.

Word Puzzle p.26

Q	W	R	I	T	E	U	F	X	U	N	W	Z	B	N
X	T	V	O	D	A	X	D	D	J	O	Z	K	Q	B
D	B	G	M	K	N	J	U	H	T	L	N	G	P	Y
U	C	W	C	G	P	S	Q	L	X	I	L	A	Q	I
P	D	N	H	E	R	A	S	E	R	W	M	T	C	H
L	L	L	X	A	U	E	X	F	K	X	G	S	G	H
A	L	I	P	W	I	S	J	Q	V	M	D	W	M	S
E	L	C	F	V	G	Q	N	L	S	E	P	X	Y	J
A	O	X	K	D	V	I	R	R	L	B	S	H	O	G
D	G	B	Q	C	W	N	S	Y	S	T	A	N	D	S
H	P	K	Y	Y	M	X	Y	N	M	X	N	T	G	D
X	A	N	X	Z	L	P	E	N	C	I	L	M	N	L
C	N	M	Y	A	A	B	V	Y	B	C	L	Z	G	N
E	J	H	G	W	W	G	D	L	N	Z	B	N	O	E
N	A	W	V	Y	F	H	Y	S	Q	E	L	M	G	L

1. stand
2. write
3. eraser
4. pencil

Unit 3 | How Taki Studies p.27

Part A. Spell the Words p.29

1 (B) 2 (B)

Part B. Situational Writing p.29

3 (C) 4 (C)

Part C. Practical Reading and Retelling p.30

5 (B) 6 (C)

Part D. General Reading and Retelling p.31

7 (C) 8 (A) 9 (C) 10 (B)

Listening Practice p.32

1 studies 2 reads

3 listens 4 sings

Writing Practice p.33

1 read 2 listen

3 sing 4 study

Summary study

Word Puzzle p.34

1 read 2 listen

3 sing 4 study

Pre-reading Questions p.27

What new English word do you know?

Draw it.

어떤 새로운 영어 단어를 알고 있나요?

그것을 그려보세요.

Reading Passage p.28

How Taki Studies

Taki studies Spanish. How does he study it? He reads. And he listens to music. He tries new ways. Sometimes he says the words. But he is not too noisy. Sometimes he makes songs from Spanish words. Then he sings the songs. Sometimes he watches Spanish video! Taki likes learning Spanish.

Taki가 공부하는 법

Taki는 스페인어를 공부해요. 그는 어떻게 공부하나요? 그는 읽어요. 그리고 음악을 들어요. 새로운 방법을 시도해요. 때때로 단어들을 말해요. 하지만 너무 시끄럽지는 않아요. 때때로 스페인어 단어로 노래를 만들어요. 그러고 나서 그는 그 노래들을 불러요. 때때로 그는 스페인어 비디오를 봐요. Taki는 스페인어 배우는 게 좋아요.

어휘 study 공부하다 | Spanish 스페인어; 스페인의 | how 어떻게 | read 읽다 | listen to ~을 (주의를 기울여) 듣다, 감상하다 | music 음악 | try 시도해보다 | new 새로운 | way 방법 | say 말하다 | word 단어, (낱)말 | too 너무 | noisy 시끄러운 | sometimes 때때로 | song 노래 | sing 부르다 | then 그런 다음 | drawing 그림 | learn 배우다 | bead 구슬 | run 달리다 | wet 젖은 | dance 춤추다 | swim 수영하다 | draw 그리다 | fast 빠르게 | Spain 스페인

Comprehension Questions p.29

1. sing

(A) r
(B) s
(C) t

풀이 소녀가 마이크를 들고 노래를 부르고 있다. '노래하다'는 영어로 'sing'이므로 (B)가 정답이다.

관련 문장 Then he sings the songs.

2. read

(A) red
(B) read
(C) bead

풀이 소녀가 책을 읽고 있는 모습이다. '읽다'는 영어로 'read'이므로 (B)가 정답이다.

관련 문장 He reads.

3. I listen to music.

(A) run
(B) sleep
(C) listen

해석 나는 음악을 듣는다.

(A) 뛰다
(B) 자다
(C) 듣다

풀이 소녀가 헤드셋을 끼고 음악을 듣고 있으므로 (C)가 정답이다.

관련 문장 And he listens to music.

4. The guitar is noisy.

(A) wet
(B) pink
(C) noisy

해석 기타가 시끄럽다.

(A) 젖은
(B) 분홍색의
(C) 시끄러운

풀이 기타 연주 소리가 시끄러워서 오른쪽 두 사람이 괴로워하고 있다. 따라서 (C)가 정답이다.

관련 문장 But he is not too noisy.

[5-6]

해석

무엇을 할 수 있나요?	
춤출 수 있어요!	5
수영할 수 있어요!	6
그릴 수 있어요!	4
빠르게 달릴 수 있어요!	3

5. How many students can draw?

(A) 3
(B) 4
(C) 5

해석 몇 명의 학생이 그릴 수 있는가?

(A) 3
(B) 4
(C) 5

풀이 4명의 학생이 그림을 그릴 수 있다('I can draw!')고 했으므로 (B)가 정답이다.

6. What is true about this graph?

(A) 5 students can swim.
(B) 6 students can dance.
(C) 3 students can run fast.

해석 이 그래프에 관해 옳은 설명은 무엇인가?

(A) 5명의 학생이 수영할 수 있다.
(B) 6명의 학생이 춤출 수 있다.
(C) 3명의 학생이 빠르게 달릴 수 있다.

풀이 3명의 학생이 빨리 달릴 수 있다('I can run fast!')고 했으므로 (C)가 정답이다.

[7-10]

Taki studies Spanish. How does he study it? He reads. And he listens to music. He tries new ways. Sometimes he says the words. But he is not too noisy. Sometimes he makes songs from Spanish words. Then he sings the songs. Sometimes he watches Spanish video! Taki likes learning Spanish.

해석

Taki는 스페인어를 공부해요. 그는 어떻게 공부하나요? 그는 읽어요. 그리고 음악을 들어요. 새로운 방법을 시도해요. 때때로 단어들을 말해요. 하지만 너무 시끄럽지는 않아요. 때때로 스페인어 단어로 노래를 만들어요. 그러고 나서 그는 그 노래들을 불러요. 때때로 그는 스페인어 비디오를 봐요. Taki는 스페인어 배우는 게 좋아요.

7. What is the main idea?

(A) how Taki sings
(B) how Taki draws
(C) how Taki studies

해석 요지는 무엇인가?

(A) Taki가 어떻게 노래하는지
(B) Taki가 어떻게 그리는지
(C) Taki가 어떻게 공부하는지

유형 전체 내용 파악

풀이 Taki가 책을 읽고, 음악을 듣고, 스페인어 단어로 노래를 만들어 부르는 등 Taki가 어떻게 스페인어를 공부하는지 나열하고 있다. 따라서 (C)가 정답이다.

8. What does Taki NOT do?

(A) run
(B) sing
(C) watch

해석 Taki가 하지 않는 것은 무엇인가?

(A) 달리기
(B) 노래하기
(C) 시청하기

유형 세부 내용 파악

풀이 Taki가 달린다는 내용은 언급되지 않았으므로 (A)가 정답이다. (B)와 (C)는 'Then he sings the songs. Sometimes he watches Spanish video!'에서 확인할 수 있으므로 오답이다.

9. What does Taki sing?

(A) Korean songs
(B) science words
(C) Spanish words

해석 Taki는 무엇을 노래하는가?

(A) 한국어 노래
(B) 과학 단어
(C) 스페인어 단어

유형 세부 내용 파악

풀이 'Sometimes he makes songs from Spanish words. Then he sings the songs.'에서 Taki가 스페인어 단어로 노래를 만들어서 부른다고 했으므로 (C)가 정답이다.

10. What does Taki like?

(A) running in Spain
(B) learning Spanish
(C) eating Spanish food

해석 Taki는 무엇을 좋아하는가?

(A) 스페인에서 달리기
(B) 스페인어 배우기
(C) 스페인 음식 먹기

유형 세부 내용 파악

풀이 마지막 문장 'Taki likes learning Spanish.'에서 Taki가 스페인어 배우는 것을 좋아한다고 했으므로 (B)가 정답이다.

Listening Practice PS2-3 p.32

Taki studies Spanish. How does he study it? He reads. And he listens to music. He tries new ways. Sometimes he says the words. But he is not too noisy. Sometimes he makes songs from Spanish words. Then he sings the songs. Sometimes he watches Spanish video! Taki likes learning Spanish.

1. studies
2. reads
3. listens
4. sings

Writing Practice p.33

1. read
2. listen
3. sing
4. study

Summary

Taki likes studying Spanish. He reads, listens to music, sings, and speaks Spanish words.

Taki는 스페인어 공부하는 것을 좋아해요. 그는 읽고, 음악을 듣고, 노래를 부르고, 스페인어 단어들을 말해요.

Word Puzzle p.34

S	Y	R	Z	P	Q	H	K	T	Q	O	U	A	A	P
T	G	O	E	Z	A	U	M	R	V	W	W	M	O	Q
U	F	H	E	F	Y	L	F	Z	U	H	X	S	N	O
D	D	X	D	F	V	G	O	K	P	E	Y	M	Y	P
Y	D	L	J	S	Q	F	B	Q	M	E	C	P	M	R
X	Y	A	B	S	B	Z	Y	B	X	W	N	L	D	D
N	K	S	Q	F	D	E	D	T	D	V	I	I	U	F
O	E	K	M	V	T	N	U	N	D	F	A	S	C	R
V	E	R	W	Z	R	A	H	A	D	I	O	T	K	D
I	N	P	E	P	C	U	O	K	Z	G	J	E	D	F
R	J	J	D	O	B	B	M	C	I	M	L	N	H	K
E	E	L	L	S	R	F	T	D	T	A	H	M	P	X
A	I	W	A	I	K	O	B	X	F	I	K	Q	I	V
D	Y	V	Q	N	G	K	H	U	C	K	Y	I	G	V
F	P	Z	K	G	X	O	M	F	K	I	W	V	L	G

1. read
2. listen
3. sing
4. study

Unit 4 | The Class Rules p.35

Part A. Spell the Words p.37

1 (A) 2 (B)

Part B. Situational Writing p.37

3 (B) 4 (A)

Part C. Practical Reading and Retelling p.38

5 (B) 6 (C)

Part D. General Reading and Retelling p.39

7 (B) 8 (B) 9 (A) 10 (B)

Listening Practice p.40

1 speak 2 eat
3 sleep 4 raises

Writing Practice p.41

1 eat 2 sleep
3 speak 4 raise
Summary rule

Word Puzzle p.42

1 eat 2 sleep
3 speak 4 raise

Pre-reading Questions p.35

Can you eat in English class?
Can you sleep in English class?

영어 시간에 먹을 수 있나요?
영어 시간에 잘 수 있나요?

 Reading Passage p.36

The Class Rules

Ms. Parker is in the class. Where is she? She is in front of the students. She tells them the class rules. The students can read and listen. They can write and speak. But they can't eat, sleep, or sing. They can't run. Brad raises his hand. He asks, "Can I close the windows? I'm cold now."

학급 규칙

Parker 선생님은 수업을 하고 있어요. 그녀는 어디 있나요? 학생들 앞에 있어요. 그녀는 수업 규칙을 그들에게 말해요. 학생들은 읽고 들을 수 있어요. 그들은 쓰고 말할 수 있어요. 하지만 먹거나, 잠자거나, 노래할 수 없어요. 그들은 달릴 수 없어요. Brad는 손을 들어요. 그는 물어요, "창문을 닫을 수 있나요? 지금 추워서요."

어휘 Ms. (여자를 높여 부를 때) (선생)님, 씨 | class 수업; 학급 | where 어디 | in front of ~의 앞에 | student 학생 | tell 말하다 | rule 규칙 | read 읽다 | listen 듣다 | write 쓰다 | speak 말하다 | eat 먹다 | sleep 자다 | sing 노래하다 | run 달리다 | raise 들다 | hand 손 | ask 묻다 | close 닫다 | window 창문 | cold 추운 | now 이제, 지금 | slip 미끄러지다 | sheep 양 | hide 숨다 | how to ~하는 방법 | question 질문 | step 단계 | point at ~를 가리키다, 지목하다 | stand up 일어서다 | sit down 앉다 | board 칠판 | noisy 시끄러운 | vacation 방학

Comprehension Questions p.37

1. eat
   (A) e
   (B) a
   (C) i

풀이 소년이 음식을 먹고 있는 모습이다. '먹다'는 영어로 'eat'이므로 (A)가 정답이다.

관련 문장 But they can't eat, sleep, or sing.

2. sleep
   (A) slip
   (B) sleep
   (C) sheep

풀이 소년이 침대에서 자고 있다. '자다'는 영어로 'sleep'이므로 (B)가 정답이다.

관련 문장 But they can't eat, sleep, or sing.

3. Brad raises his hand.
   (A) hides
   (B) raises
   (C) closes

해석 Brad가 손을 든다.
(A) 숨기다
(B) 들다
(C) 닫다

풀이 소년이 손을 들고 있다. 따라서 (B)가 정답이다.

관련 문장 Brad raises his hand. He asks, "Can I close the windows?"

4. Students! Please do not run.
   (A) run
   (B) study
   (C) listen

해석 학생들! 달리지 마세요.
(A) 달리다
(B) 공부하다
(C) 듣다

풀이 학생들이 복도에서 달리고 있다. 따라서 (A)가 정답이다.

관련 문장 They can't run.

[5-6]

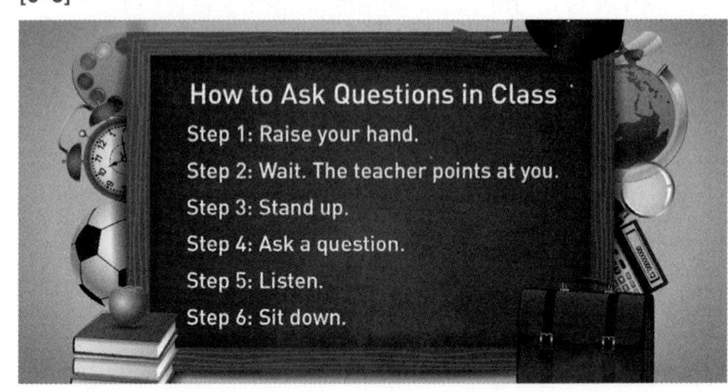

해석

수업 시간에 질문하는 방법
1단계: 손을 들어요.
2단계: 기다려요. 선생님께서 가리켜요.
3단계: 일어나요.
4단계: 질문해요.
5단계: 들어요.
6단계: 앉아요.

5. What is NOT in a class rule?

(A) Sit down.
(B) Go to the board.
(C) Raise your hand.

해석 교실 규칙에 있지 않은 것은 무엇인가?

(A) 앉아요.
(B) 칠판으로 가요.
(C) 손을 들어요.

풀이 수업 중 어떻게 질문해야 하는지에 대한 단계별 규칙이 쓰여있다. 칠판으로 가라는 말은 언급되지 않았으므로 (B)가 정답이다. (A)와 (C)는 각각 6단계와 1단계에서 확인할 수 있으므로 오답이다.

6. Choose the best picture for step 3.

(B)

(C)
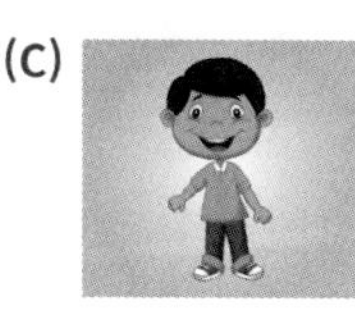

해석 3단계에 가장 알맞은 그림을 고르시오.

풀이 3단계는 'Stand up'이므로 학생이 서 있는 그림 (C)가 정답이다. (B)는 선생님이 칠판 앞에 서 있는 그림이므로 오답이다.

[7-10]

Ms. Parker is in the class. Where is she? She is in front of the students. She tells them the class rules. The students can read and listen. They can write and speak. But they can't eat, sleep, or sing. They can't run. Brad raises his hand. He asks, "Can I close the windows? I'm cold now."

해석

Parker 선생님은 수업을 하고 있어요. 그녀는 어디 있나요? 학생들 앞에 있어요. 그녀는 수업 규칙을 그들에게 말해요. 학생들은 읽고 들을 수 있어요. 그들은 쓰고 말할 수 있어요. 하지만 먹거나, 잠자거나, 노래할 수 없어요. 그들은 달릴 수 없어요. Brad는 손을 들어요. 그는 물어요, "창문을 닫을 수 있나요? 지금 추워서요."

7. What is the best title?

(A) Noisy Students
(B) The Classroom Rules
(C) Ms. Parker's Vacation

해석 가장 알맞은 제목은 무엇인가?

(A) 시끄러운 학생들
(B) 교실 규칙
(C) Parker 선생님의 방학

유형 전체 내용 파악

풀이 해당 글은 Parker 선생님이 말해 주는 수업 규칙을 주로 다루고 있다. 글의 흐름을 살펴보면, 수업 시간에 할 수 있는 것과 할 수 없는 것을 차례대로 설명하고 있다. 따라서 (B)가 정답이다.

8. Where is Ms. Parker?

(A) at home
(B) in the class
(C) under a desk

해석 Parker 선생님은 어디에 있는가?

(A) 집에
(B) 교실에
(C) 책상 아래

유형 세부 내용 파악

풀이 'Ms. Parker is in the class.'에서 Parker 선생님이 수업 중이라고 했으므로 (B)가 정답이다.

9. What can students NOT do in the class?

(A) sleep
(B) study
(C) speak

해석 학생들이 수업에서 할 수 없는 것은 무엇인가?

(A) 잠자기
(B) 공부하기
(C) 말하기

유형 세부 내용 파악

풀이 'But they can't eat, sleep, or sing. They can't run.'에서 수업 시간에 먹고, 자고, 노래할 수 없고 달릴 수도 없다고 했으므로 (A)가 정답이다.

10. What does Brad do?

(A) open a door
(B) ask a question
(C) close a window

해석 Brad는 무엇을 하는가?

(A) 문 열기
(B) 질문하기
(C) 창문 닫기

유형 세부 내용 파악

풀이 마지막 부분에서 'Brad raises his hand. He asks, [...]'를 통해 Brad가 손을 들어 질문하고 있다는 것을 알 수 있으므로 (B)가 정답이다. (C)는 창문을 닫을 수 있는지 물어본 것이지 아직 창문을 닫은 것은 아니므로 오답이다.

Listening Practice

PS2-4 p.40

Ms. Parker is in the class. Where is she? She is in front of the students. She tells them the class rules. The students can read and listen. They can write and speak. But they can't eat, sleep, or sing. They can't run. Brad raises his hand. He asks, "Can I close the windows? I'm cold now."

1. speak
2. eat
3. sleep
4. raises

Writing Practice p.41

1. eat
2. sleep
3. speak
4. raise

Summary

Ms. Parker tells the students the class rules. Brad asks a question.

Parker 선생님은 학생들에게 수업 규칙을 말해줘요. Brad가 질문을 해요.

Word Puzzle p.42

M	L	K	C	D	T	O	K	D	B	A	B	V	I	Z
O	R	B	R	F	Y	A	M	I	S	O	L	V	L	B
B	W	I	K	M	H	Z	O	N	X	J	N	W	S	X
E	C	A	O	F	D	M	Z	B	O	M	S	N	O	I
Z	L	I	M	T	M	X	F	Q	B	R	K	L	T	N
P	N	V	E	L	F	W	Z	U	N	S	P	A	D	O
G	C	Q	F	J	U	K	A	E	P	D	U	H	U	C
W	O	U	L	A	B	Y	Q	U	M	L	T	D	N	I
H	Y	D	S	E	V	Q	G	W	L	Q	P	J	A	F
G	D	I	S	D	Y	R	Q	J	X	A	O	Z	V	Q
Y	W	Z	Q	S	L	O	J	P	Z	R	N	Q	G	H
D	Q	D	D	L	J	R	H	T	A	A	U	R	S	E
H	Z	M	N	E	V	C	I	L	Z	I	N	T	T	J
W	V	S	P	E	A	K	Y	A	B	S	O	A	N	M
U	U	O	X	P	P	K	C	F	M	E	A	T	D	G

1. eat
2. sleep
3. speak
4. raise

Chapter Review p.43

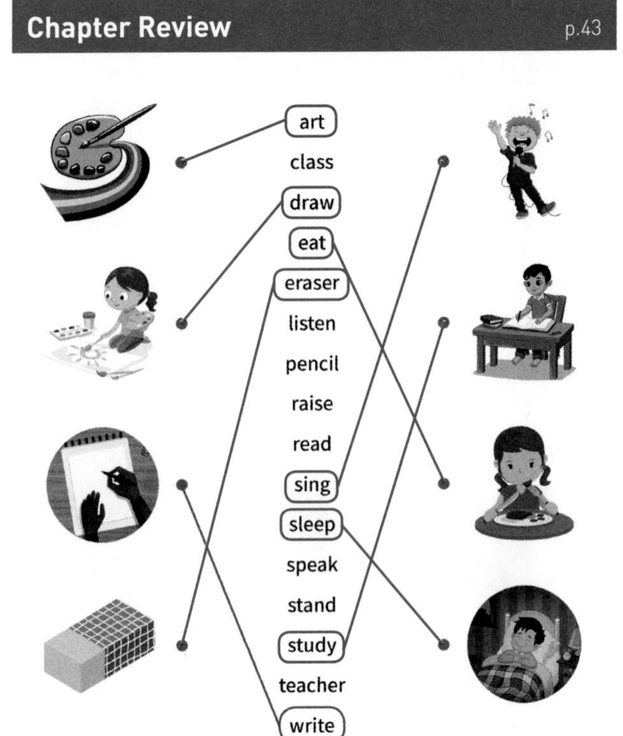

※ 학생의 생각에 따라 다양한 정답이 가능할 수 있습니다.

예)

art, draw, class, …

study, write, read, class, …

Chapter 2. My Day at School

Unit 5 | Josef's Morning p.45

Part A. Spell the Words				p.47
1 (C)	2 (A)			

Part B. Situational Writing		p.47
3 (A)	4 (C)	

Part C. Practical Reading and Retelling		p.48
5 (B)	6 (C)	

Part D. General Reading and Retelling				p.49
7 (B)	8 (B)	9 (A)	10 (B)	

Listening Practice		p.50
1 wakes up	2 shower	
3 leaves	4 arrives	

Writing Practice		p.51
1 wake up	2 take a shower	
3 arrive	4 leave	
Summary morning		

Word Puzzle		p.52
1 wake up	2 take a shower	
3 arrive	4 leave	

Pre-reading Questions p.45

What classes do you have today?

오늘은 어떤 수업이 있나요?

Reading Passage p.46

Josef's Morning

Josef wakes up at 7 o'clock. He washes his face and takes a shower. He eats breakfast. At 7:30, he leaves home. He arrives at school at 8 o'clock. The class starts at 8:20. Today's first class is science. Now Josef is in history class. His break is at 11 o'clock.

Josef의 아침

Josef는 7시에 일어나요. 그는 얼굴을 씻고 샤워를 해요. 그는 아침을 먹어요. 7시 30분에, 그는 집을 나서요. 그는 8시에 학교에 도착해요. 수업은 8시 20분에 시작해요. 오늘의 첫 수업은 과학이에요. Josef는 지금 역사 수업 시간에 있어요. 그의 휴식 시간은 11시에 있어요.

어휘 wake up 일어나다, (잠에서) 깨다 | o'clock 시 | wash 씻다 | face 얼굴 | take a shower 샤워하다 | eat 먹다 | breakfast 아침 식사 | leave ~를 떠나다, 나서다 | home 집 | arrive at ~에 도착하다 | class 수업 | today 오늘 | first 처음 | science 과학 | now 지금 | history 역사 | break 휴식 (시간) | beach 해변 | mountain 산 | pack 싸다 | bag 가방 | feed 먹이를 주다 | dog 개 | music 음악 | English 영어

Comprehension Questions p.47

1. wake up

   (A) u
   (B) y
   (C) w

풀이 기지개를 켜며 일어나고 있는 그림이다. '일어나다'는 영어로 'wake up'이므로 (C)가 정답이다.

관련 문장 Josef wakes up at 7 o'clock.

2. leave

   (A) leave
   (B) laeve
   (C) veale

풀이 가방을 멘 소년이 인사를 건네며 길을 나서고 있다. '~를 나서다, 떠나다'는 영어로 'leave'이므로 (A)가 정답이다.

관련 문장 At 7:30, he leaves home.

3. Josef goes to school at 8 o'clock.

   (A) school
   (B) the beach
   (C) the mountain

해석 Josef는 8시에 학교에 간다.

   (A) 학교
   (B) 해변
   (C) 산

풀이 소년이 학교 앞에 있다. 따라서 (A)가 정답이다.

관련 문장 He arrives at school at 8 o'clock.

PreStarter Book 2

4. Josef first studies <u>science</u>.

(A) history
(B) Korean
(C) science

해석 Josef는 먼저 <u>과학</u>을 공부한다.

(A) 역사
(B) 한국어
(C) 과학

풀이 학생들이 실험 가운을 입고 과학 실험을 하고 있다. 따라서 (C)가 정답이다.

관련 문장 Today's first class is science.

[5-6]

Margo's Morning

9:00	wake up
9:05	take a shower
9:30	breakfast
9:50	pack her bag
10:00	leave home

해석

Margo의 아침

9:00	일어나기
9:05	샤워하기
9:30	아침 식사
9:50	가방 싸기
10:00	집 나서기

5. When does Margo take a shower?

(A) 9:00
(B) 9:05
(C) 9:30

해석 Margo는 언제 샤워를 하는가?

(A) 9:00
(B) 9:05
(C) 9:30

풀이 샤워('take a shower')는 9시 5분에 한다고 나와 있으므로 (B)가 정답이다.

6. What does Margo do at 9:50?

(A) wakes up
(B) eats breakfast
(C) packs a bag

해석 Margo는 9시 50분에 무엇을 하는가?

(A) 일어난다
(B) 아침을 먹는다
(C) 가방을 싼다

풀이 9시 50분에 가방을 싼다('pack a bag')고 나와 있으므로 (C)가 정답이다.

[7-10]

Josef wakes up at 7 o'clock. He washes his face and takes a shower. He eats breakfast. At 7:30, he leaves home. He arrives at school at 8 o'clock. The class starts at 8:20. Today's first class is science. Now Josef is in history class. His break is at 11 o'clock.

해석

Josef는 7시에 일어나요. 그는 얼굴을 씻고 샤워를 해요. 그는 아침을 먹어요. 7시 30분에, 그는 집을 나서요. 그는 8시에 학교에 도착해요. 수업은 8시 20분에 시작해요. 오늘의 첫 수업은 과학이에요. Josef는 지금 역사 수업 시간에 있어요. 그의 휴식 시간은 11시에 있어요.

7. When does Josef leave home?

(A) at 7 o'clock
(B) at 7:30
(C) at 8 o'clock

해석 Josef은 언제 집을 나서는가?

(A) 7시에
(B) 7시 30분에
(C) 8시에

유형 세부 내용 파악

풀이 'At 7:30, he leaves home.'에서 7시 30분에 집을 나선다고 했으므로 (B)가 정답이다.

8. When does Josef take a break?

(A) at 10 o'clock
(B) at 11 o'clock
(C) at 12 o'clock

해석 Josef는 언제 휴식 시간을 가지는가?

(A) 10시에
(B) 11시에
(C) 12시에

유형 세부 내용 파악

풀이 마지막 문장 'His break is at 11 o'clock.'에서 Josef가 11시에 휴식 시간을 가진다는 사실을 알 수 있으므로 (B)가 정답이다.

9. What does Josef NOT do at home?
   (A) feed his dog
   (B) take a shower
   (C) wash his face

해석 Josef가 집에서 하지 않는 것은 무엇인가?
   (A) 개 먹이 주기
   (B) 샤워하기
   (C) 얼굴 씻기

유형 세부 내용 파악

풀이 Josef가 학교에 가기 전 집에서 개에게 먹이를 준다고는 언급되지 않았으므로 (A)가 정답이다.

10. What does Josef study today?
   (A) music
   (B) history
   (C) English

해석 Josef는 오늘 무엇을 공부하는가?
   (A) 음악
   (B) 역사
   (C) 영어

유형 세부 내용 파악

풀이 'Today's first class is science. And now he is in history class.'에서 Josef가 오늘 과학 수업과 역사 수업을 듣는다는 사실을 알 수 있다. 따라서 (B)가 정답이다.

Listening Practice

▶ PS2-5 p.50

Josef wakes up at 7 o'clock. He washes his face and takes a shower. He eats breakfast. At 7:30, he leaves home. He arrives at school at 8 o'clock. The class starts at 8:20. Today's first class is science. Now Josef is in history class. His break is at 11 o'clock.

1. wakes up
2. shower
3. leaves
4. arrives

Writing Practice

p.51

1. wake up
2. take a shower
3. arrive
4. leave

Summary

Josef wakes up at 7:00 in the morning. After he eats breakfast, he arrives at school at 8 o'clock and goes to class.

Josef는 아침 7시에 일어나요. 아침을 먹은 후에, 그는 8시에 학교에 도착하고 수업을 들어요.

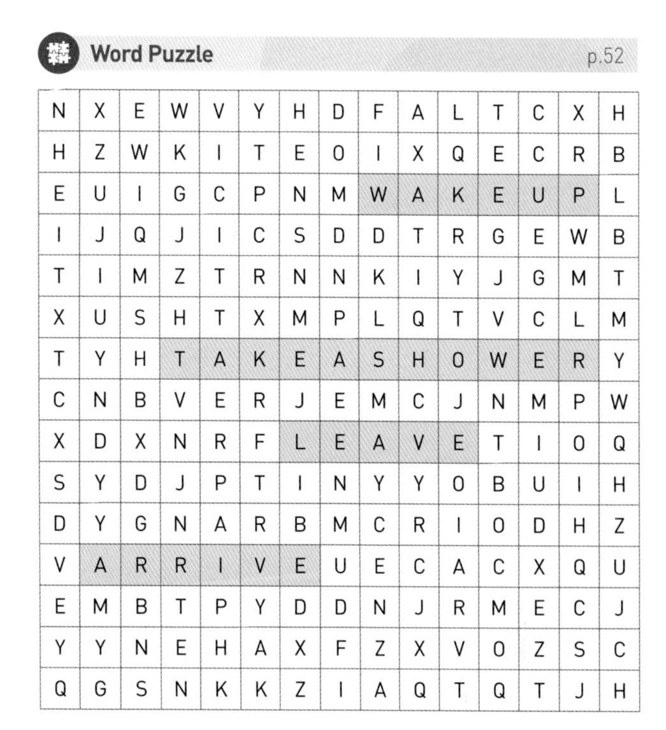

Word Puzzle

p.52

N	X	E	W	V	Y	H	D	F	A	L	T	C	X	H
H	Z	W	K	I	T	E	O	I	X	Q	E	C	R	B
E	U	I	G	C	P	N	M	W	A	K	E	U	P	L
I	J	Q	J	I	C	S	D	D	T	R	G	E	W	B
T	I	M	Z	T	R	N	N	K	I	Y	J	G	M	T
X	U	S	H	T	X	M	P	L	Q	T	V	C	L	M
T	Y	H	T	A	K	E	A	S	H	O	W	E	R	Y
C	N	B	V	E	R	J	E	M	C	J	N	M	P	W
X	D	X	N	R	F	L	E	A	V	E	T	I	O	Q
S	Y	D	J	P	T	I	N	Y	Y	O	B	U	I	H
D	Y	G	N	A	R	B	M	C	R	I	O	D	H	Z
V	A	R	R	I	V	E	U	E	C	A	C	X	Q	U
E	M	B	T	P	Y	D	D	N	J	R	M	E	C	J
Y	Y	N	E	H	A	X	F	Z	X	V	O	Z	S	C
Q	G	S	N	K	K	Z	I	A	Q	T	Q	T	J	H

1. wake up
2. take a shower
3. arrive
4. leave

Unit 6 | A School Festival p.53

Part A. Spell the Words p.55

1 (A) 2 (B)

Part B. Situational Writing p.55

3 (A) 4 (A)

Part C. Practical Reading and Retelling p.56

5 (C) 6 (C)

Part D. General Reading and Retelling p.57

7 (C) 8 (C) 9 (B) 10 (C)

Listening Practice p.58

1 Monday 2 Wednesday
3 Thursday 4 Friday

Writing Practice p.59

1 Monday 2 Tuesday
3 Wednesday 4 Thursday
5 Friday 6 Saturday
Summary festival

Word Puzzle p.60

1 Monday 2 Tuesday
3 Wednesday 4 Thursday
5 Friday

Pre-reading Questions p.53

Think about a school festival.
What do you do?

학교 축제에 관해 생각해보세요.
여러분은 무엇을 하나요?

Reading Passage p.54

A School Festival

This week is a school festival. There are many special days. Students are excited. Today is Monday. It is Book Club day. Tomorrow is Sports Day. Wednesday is Science Day. A field trip is on Thursday. Friday is a dance party! This week is a happy week.

학교 축제

이번 주는 학교 축제예요. 특별한 날이 많이 있어요. 학생들은 신나요. 오늘은 월요일이에요. 독서 모임의 날이에요. 내일은 스포츠의 날이에요. 수요일은 과학의 날이에요. 견학은 목요일에 있어요. 금요일은 댄스파티예요! 이번 주는 행복한 한 주예요.

어휘 week 주 | school 학교 | festival 축제 | special 특별한 | day 날 | student 학생 | excited 신난 | today 오늘 | Monday 월요일 | book club 독서 모임 | tomorrow 내일 | sport(s) 스포츠 | Wednesday 수요일 | science 과학 | field trip 현장 학습, 견학 | on (요일 앞에서) ~에 | Thursday 목요일 | Friday 금요일 | dance 춤 | party 파티 | happy 행복한 | music 음악 | go on a trip 여행을 가다 | boat 배, 보트 | Saturday 토요일 | Sunday 일요일 | piano 피아노 | lesson 수업 | watch 보다, 감상하다 | movie 영화 | dinner 저녁 식사 | read 읽다 | play baseball 야구 경기를 하다 | fair 박람회 | final 최종 | exam 시험 | final exam 기말고사

Comprehension Questions p.55

1. festival
   (A) f
   (B) p
   (C) b

풀이 사람들이 야외 연극을 보며 축제를 즐기고 있다. '축제'는 영어로 'festival'이므로 (A)가 정답이다.

관련 문장 This week is a school festival.

2. sports
   (A) porsts
   (B) sports
   (C) soprts

풀이 축구 선수, 농구 선수 등 스포츠 선수들의 모습이다. '스포츠 운동'은 영어로 'sport'이므로 (B)가 정답이다.

관련 문장 Tomorrow is Sports Day.

3. Monday is Book Club day.

(A) Book
(B) Music
(C) Dance

해석 월요일은 책·독서 모임 날이다.

(A) 책·독서
(B) 음악
(C) 춤

풀이 학생들이 책상에 책을 펴고 토론하고 있다. 따라서 (A)가 정답이다.

관련 문장 Today is Monday. It is Book Club day.

4. On Thursday, students go on a trip.

(A) trip
(B) boat
(C) river

해석 목요일에, 학생들은 여행(소풍)을 간다.

(A) 여행(소풍)
(B) 배
(C) 강

풀이 학생들이 버스를 타고 여행(소풍)을 가고 있다. 따라서 (A)가 정답이다.

관련 문장 A field trip is on Thursday.

[5-6]

해석

Laura의 일주일			
월요일	화요일		수요일
피아노 수업	Toby와 영화 보기		저녁 만들기
목요일	금요일	토요일	일요일
피아노 수업	책 읽기	야구하기	책 읽기

5. What does Laura do on Friday?

(A) watch a movie
(B) play the piano
(C) read books

해석 Laura는 금요일에 무엇을 하는가?

(A) 영화 보기
(B) 피아노 연주하기
(C) 책 읽기

풀이 금요일에 책을 읽는다('read books')고 나와 있으므로 (C)가 정답이다.

6. When does Laura make dinner?

(A) on Monday
(B) on Tuesday
(C) on Wednesday

해석 Laura는 언제 저녁을 만드는가?

(A) 월요일에
(B) 화요일에
(C) 수요일에

풀이 저녁을 만드는 요일은 수요일이므로 (C)가 정답이다.

[7-10]

This week is a school festival. There are many special days. Students are excited. Today is Monday. It is Book Club day. Tomorrow is Sports Day. Wednesday is Science Day. A field trip is on Thursday. Friday is a dance party! This week is a happy week.

해석

이번 주는 학교 축제예요. 특별한 날이 많이 있어요. 학생들은 신나요. 오늘은 월요일이에요. 독서 모임의 날이에요. 내일은 스포츠의 날이에요. 수요일은 과학의 날이에요. 견학은 목요일에 있어요. 금요일은 댄스파티예요! 이번 주는 행복한 한 주예요.

7. What is the best title?

(A) Science Fair
(B) Book Festival
(C) School Festival Week

해석 가장 알맞은 제목은 무엇인가?

(A) 과학 박람회
(B) 책 축제
(C) 학교 축제 주

유형 전체 내용 파악

풀이 첫 문장 'This week is a school festival.'에서 학교 축제라는 중심 소재가 드러나고, 월요일부터 금요일까지 무슨 행사가 있는지 차례차례 소개하고 있다. 따라서 (C)가 정답이다.

8. What is special this week?

(A) a final exam
(B) a new teacher
(C) a school festival

해석 이번 주 무엇이 특별한가?

(A) 기말 시험
(B) 새로운 선생님
(C) 학교 축제

유형 세부 내용 파악

풀이 첫 두 문장 'This week is a school festival. There are many special days.'에서 이번 주는 학교 축제가 있는 주이며 특별한 날이 많이 있다고 했으므로 (C)가 정답이다.

9. What is Tuesday?

(A) Book Day
(B) Sports Day
(C) Science Day

해석 화요일은 무엇인가?

(A) 독서의 날
(B) 스포츠의 날
(C) 과학의 날

유형 추론하기 & 세부 내용 파악

풀이 요일별로 차례차례 무슨 행사가 있는지 소개하고 있다. 그런데 먼저 오늘이 월요일이라고 한 뒤('Today is Monday.'), 화요일을 직접 언급하지 않고 내일('tomorrow')이라고 지칭했다. 'Tomorrow is Sports Day.'에서 화요일은 스포츠의 날이라는 사실을 알 수 있으므로 (B)가 정답이다.

10. When is there a party?

(A) on Wednesday
(B) on Thursday
(C) on Friday

해석 파티는 언제 있는가?

(A) 수요일에
(B) 목요일에
(C) 금요일에

유형 세부 내용 파악

풀이 'Friday is a dance party!'에서 파티가 있는 날은 금요일이라는 사실을 알 수 있으므로 (C)가 정답이다.

Listening Practice

PS2-6 p.58

This week is a school festival. There are many special days. Students are excited. Today is Monday. It is Book Club day. Tomorrow is Sports Day. Wednesday is Science Day. A field trip is on Thursday. Friday is a dance party! This week is a happy week.

1. Monday
2. Wednesday
3. Thursday
4. Friday

Writing Practice

p.59

1. Monday
2. Tuesday
3. Wednesday
4. Thursday
5. Friday
6. Saturday

Summary

It is school festival week. There are many special days. Students are excited.

(이번 주는) 학교 축제의 주예요. 많은 특별한 날이 있어요. 학생들은 신나요.

Word Puzzle p.60

S	J	D	S	T	P	U	B	H	W	Y	W	K	Y	Y
T	A	Y	T	J	O	A	E	N	E	G	T	Y	N	I
H	D	C	Z	B	T	U	E	S	D	A	Y	Y	E	H
U	Q	R	A	I	N	J	Y	V	N	V	E	F	A	W
R	A	G	Q	X	V	P	X	L	E	Q	B	R	T	T
S	G	O	I	B	K	S	E	N	S	H	F	I	W	R
D	Z	T	R	F	M	K	H	P	D	B	L	D	S	T
A	C	E	R	A	I	F	N	M	A	L	X	A	W	G
Y	U	D	C	M	O	N	D	A	Y	A	Z	Y	I	Q
R	J	V	H	O	P	L	N	G	E	Z	F	K	X	O
J	S	E	U	J	R	F	C	N	M	R	T	Z	L	B
I	Z	T	E	R	Q	G	I	B	S	S	P	L	U	N
I	Y	M	J	B	Q	N	M	N	I	H	A	J	P	V
C	Y	R	U	L	O	H	J	D	Z	V	K	T	C	H
E	O	M	Y	L	E	O	O	Z	S	B	P	P	Z	E

1. Monday
2. Tuesday
3. Wednesday
4. Thursday
5. Friday

Unit 7 | A Busy Year p.61

Part A. Spell the Words p.63

1 (B) 2 (A)

Part B. Situational Writing p.63

3 (C) 4 (C)

Part C. Practical Reading and Retelling p.64

5 (B) 6 (C)

Part D. General Reading and Retelling p.65

7 (B) 8 (C) 9 (A) 10 (B)

Listening Practice p.66

1 swims 2 break
3 vacation 4 cold

Writing Practice p.67

1 break 2 vacation
3 cold 4 swim
Summary busy

Word Puzzle p.68

1 break 2 vacation
3 cold 4 swim

Pre-reading Questions p.61

When is your summer vacation?
When do you start school?

여름 방학은 언제인가요?
학교는 언제 시작하나요?

Reading Passage p.62

A Busy Year

Marta is busy this year. She starts school in January. She swims in February. In March, she has a short break. She studies hard in April, May, and June. July and August are vacation months. School starts again in September. In October, Marta's family goes to Paris. November and December are cold. Marta reads books then.

바쁜 한 해

Marta는 올해 바빠요. 그녀는 1월에 학교를 시작해요. 그녀는 2월에 수영을 해요. 3월에는, 짧은 휴식을 가져요. 그녀는 4월, 5월, 그리고 6월에 공부를 열심히 해요. 7월과 8월은 방학인 달이에요. 학교는 9월에 다시 시작해요. 10월에는, Marta의 가족이 파리에 가요. 11월과 12월은 추워요. Marta는 그때 책을 읽어요.

어휘 year 해, 년 | busy 바쁜 | start 시작하다 | school 학교 | January 1월 | swimming 수영 | lesson 수업 | February 2월 | in (달 앞에서) ~에 | March 3월 | short 짧은 | break 휴식 (시간); 휴식하다 | study 공부하다 | hard 열심히 | April 4월 | May 5월 | June 6월 | July 7월 | August 8월 | vacation 방학, 휴가 | month 월, 달 | again 다시 | September 9월 | October 10월 | family 가족 | Paris 파리 | November 11월 | cold 추운; 찬, 차가운 | December 12월 | end 끝나다 | run 달리다 | test 시험 | exam 시험 | birthday 생일 | winter 겨울 | Christmas 크리스마스 | come after ~의 뒤에 오다

Comprehension Questions p.63

1. cold

   (A) k
   (B) c
   (C) t

풀이 추워하고 있는 모습이다. '추운'은 영어로 'cold'이므로 (B)가 정답이다.

관련 문장 November and December are cold.

2. swim

   (A) swim
   (B) siwm
   (C) smiw

풀이 아이들이 수영장에서 헤엄치고 있다. '수영하다, 헤엄치다'는 영어로 'swim'이므로 (A)가 정답이다.

관련 문장 She swims in February.

3. In May, Marta studies hard.

   (A) runs
   (B) cooks
   (C) studies

해석 5월에, Marta는 열심히 공부한다.

(A) 달리다
(B) 요리하다
(C) 공부하다

풀이 책을 펴고 열심히 공부하고 있는 모습이다. 따라서 (C)가 정답이다.

관련 문장 She studies hard in April, May, and June.

4. Their vacation is in August.

   (A) test
   (B) exam
   (C) vacation

해석 그들의 방학은 8월에 있다.

(A) 시험
(B) 시험
(C) 방학

풀이 아이들이 해변가에서 놀며 방학을 즐기고 있다. 따라서 (C)가 정답이다.

관련 문장 July and August are vacation months.

[5-6]

DECEMBER 2019

SUN	MON	TUE	WED	THU	FRI	SAT
1	2	3	4	5	6	7
8	9	10	11	12	13	14
15	16	17	18	19	20	21
22	23	24	25	26	27	28
29	30	31				

exam
sister's birthday
winter vacation starts
Christmas

해석

12월 5일	시험
12월 12일	여동생 생일
12월 20일	겨울 방학 시작
12월 25일	크리스마스

5. When is the sister's birthday?

(A) December 5th

(B) December 12th

(C) December 25th

해석 여동생의 생일은 언제인가?

(A) 12월 5일

(B) 12월 12일

(C) 12월 25일

풀이 여동생의 생일은 12월 12일에 표시되어 있으므로 (B)가 정답이다.

6. What starts on December 20th?

(A) an exam

(B) Christmas

(C) winter vacation

해석 12월 20일에 무엇이 시작하는가?

(A) 시험

(B) 크리스마스

(C) 겨울 방학

풀이 12월 20일에 겨울 방학이 시작한다고 표시되어 있으므로 (C)가 정답이다.

[7-10]

Marta is busy this year. She starts school in January. She swims in February. In March, she has a short break. She studies hard in April, May, and June. July and August are vacation months. School starts again in September. In October, Marta's family goes to Paris. November and December are cold. Marta reads books then.

해석

Marta는 올해 바빠요. 그녀는 1월에 학교를 시작해요. 그녀는 2월에 수영을 해요. 3월에는, 짧은 휴식을 가져요. 그녀는 4월, 5월, 그리고 6월에 공부를 열심히 해요. 7월과 8월은 방학인 달이에요. 학교는 9월에 다시 시작해요. 10월에는, Marta의 가족이 파리에 가요. 11월과 12월은 추워요. Marta는 그때 책을 읽어요.

7. How many months are in one year?

(A) 11

(B) 12

(C) 13

해석 한 해에 몇 개의 달이 있는가?

(A) 11

(B) 12

(C) 13

유형 추론하기

풀이 해당 지문은 Marta가 1월부터 12월까지 한 해 동안 무엇을 하는 지 월(月) 순서대로 나열하고 있는 글이다. 1년은 본래 12개의 달로 구성되어 있으며, 해당 글에서도 'January'부터 'December'까지 총 12개의 달이 언급되고 있다. 따라서 (B)가 정답이다.

8. Which month comes after May?

(A) March

(B) April

(C) June

해석 어떤 달이 5월 다음에 오는가?

(A) 3월

(B) 4월

(C) 6월

유형 추론하기

풀이 5월('May')의 다음 달은 6월('June')이며, 지문에서도 'May' 다음에 바로 'June'이 언급('in April, May, and June')되어 있다. 따라서 (C)가 정답이다.

9. When does Marta swim?

(A) February

(B) September

(C) December

해석 Marta는 언제 수영을 하는가?

(A) 2월

(B) 9월

(C) 12월

유형 세부 내용 파악

풀이 'She swims in February.'에서 Marta가 2월에 수영을 한다고 했으므로 (A)가 정답이다.

10. When does Marta have a vacation?

(A) June and July

(B) July and August

(C) June, July, and August

해석 Marta는 언제 방학인가?

(A) 6월과 7월

(B) 7월과 8월

(C) 6월, 7월 및 8월

유형 세부 내용 파악

풀이 'July and August are vacation months.'에서 7월과 8월이 방학 기간이라고 했으므로 (B)가 정답이다.

Listening Practice

PS2-7 p.66

Marta is busy this year. She starts school in January. She swims in February. In March, she has a short break. She studies hard in April, May, and June. July and August are vacation months. School starts again in September. In October, Marta's family goes to Paris. November and December are cold. Marta reads books then.

1. swims
2. break
3. vacation
4. cold

Writing Practice p.67

1. break
2. vacation
3. cold
4. swim

Summary

Marta is busy this year. She has school and swimming lessons. She goes to France and read books.

Marta는 올해 바빠요. 그녀는 학교에 가야 하고 수영 수업이 있어요. 그녀는 프랑스에 가고 책을 읽어요.

Word Puzzle p.68

B	U	B	S	C	J	H	H	W	T	B	D	C	Q	B
P	O	L	C	O	L	D	K	H	B	R	E	A	K	S
P	K	I	O	J	M	M	G	B	K	N	Q	O	Y	W
D	R	I	E	L	A	B	F	I	V	N	A	Y	J	E
C	B	T	V	I	G	X	H	T	Q	W	W	N	Y	J
T	M	V	H	C	T	G	W	O	U	M	Q	V	V	C
S	S	W	I	M	E	T	T	U	W	O	R	S	V	C
X	P	F	A	M	W	T	S	N	M	Y	P	D	A	C
H	Y	J	S	N	N	Y	J	H	L	F	Q	F	C	P
F	C	O	T	T	F	G	V	Q	C	X	F	F	A	E
Q	I	B	D	N	B	W	P	S	Z	N	L	D	T	L
N	X	Q	N	L	Y	A	U	G	Z	T	O	A	I	W
N	J	E	Z	H	F	E	L	P	Z	N	R	E	O	L
B	D	S	K	L	R	E	I	Z	X	E	K	H	N	B
K	C	X	O	W	H	W	I	M	L	T	U	N	L	S

1. break
2. vacation
3. cold
4. swim

Unit 8 | Four Seasons p.69

Part A. Spell the Words p.71

1 (A) 2 (B)

Part B. Situational Writing p.71

3 (C) 4 (C)

Part C. Practical Reading and Retelling p.72

5 (A) 6 (A)

Part D. General Reading and Retelling p.73

7 (C) 8 (C) 9 (B) 10 (A)

Listening Practice p.74

1 spring 2 summer
3 fall 4 Winter

Writing Practice p.75

1 spring 2 summer
3 fall 4 winter
Summary seasons

Word Puzzle p.76

1 spring 2 summer
3 fall 4 winter

Pre-reading Questions p.69

What is your favorite season?
Why do you like it?

가장 좋아하는 계절은 무엇인가요?
왜 좋아하나요?

Reading Passage p.70

Four Seasons

Parkland has four seasons. In spring, it is sunny and warm. The weather is great for picnics. And there are also many flowers. In summer, it is hot. People go swimming. The fall is cool. The sky is clear in fall. Winter in Parkland is cloudy. And winter is cold. People wear big hats in winter.

사계절

Parkland에는 사계절이 있어요. 봄에는, 화창하고 따뜻해요. 날씨가 소풍하기에 좋아요. 그리고 또한 많은 꽃들이 있어요. 여름에는, 더워요. 사람들은 수영하러 가요. 가을은 시원해요. 가을에는 하늘이 맑아요. Parkland의 겨울은 흐려요. 그리고 겨울은 추워요. 사람들은 겨울에 큰 모자를 써요.

어휘 four 4, 넷 | season 계절 | spring 봄 | sunny 화창한 | warm 따뜻한 | weather 날씨 | picnic 소풍 | also 또한 | flower 꽃 | summer 여름 | hot 더운 | go swimming 수영하러 가다 | fall 가을 | cool 시원한 | sky 하늘 | clear 맑은 | winter 겨울 | cloudy 흐린, 구름이 낀 | cold 추운 | wear 입다 | big 큰 | hat 모자 | shower 소나기; 샤워 | tree 나무 | cloud 구름 | forecast 예보 | snowy 눈이 오는 | stormy 폭풍이 치는 | foggy 안개가 낀 | swimsuit 수영복 | long 긴 | scarf(scarves) 스카프

Comprehension Questions p.71

1. fa<u>l</u>l

   (A) l
   (B) r
   (C) s

풀이 단풍이 지고 낙엽이 떨어지는 가을의 모습이다. '가을'은 영어로 'fall'이므로 (A)가 정답이다.

관련 문장 The fall is cool. The sky is clear in fall.

2. flowers

   (A) flyers
   (B) flowers
   (C) showers

풀이 꽃다발 그림이다. '꽃'은 영어로 'flower'이므로 (B)가 정답이다.

관련 문장 And there are also many flowers.

3. There are four <u>seasons</u> in Parkland.

   (A) trees
   (B) clouds
   (C) seasons

해석 Parkland에는 <u>사계절</u>이 있다.

   (A) 나무들
   (B) 구름들
   (C) 계절들

풀이 봄, 여름, 가을, 겨울을 나타내는 그림이다. 따라서 (C)가 정답이다.

관련 문장 Parkland has four seasons.

4. Parkland is <u>cloudy</u> in winter.

   (A) warm
   (B) sunny
   (C) cloudy

해석 Parkland는 겨울에 <u>흐리다</u>.

   (A) 따뜻한
   (B) 화창한
   (C) 흐린

풀이 먹구름이 하늘을 뒤덮은 흐린 날씨의 그림이다. 따라서 (C)가 정답이다.

관련 문장 Winter in Parkland is cloudy.

[5-6]

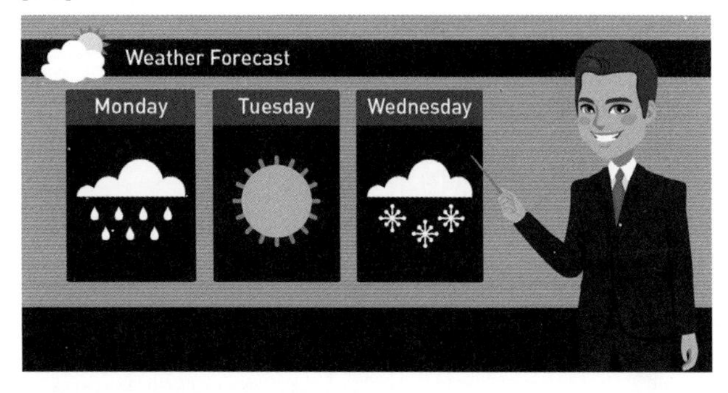

해석

날씨 예보
월요일 화요일 수요일

5. What is Tuesday's weather?

   (A) sunny
   (B) snowy
   (C) stormy

해석 화요일의 날씨는 어떤가?

   (A) 화창한
   (B) 눈이 오는
   (C) 폭풍이 치는

풀이 화요일 예보에 구름 없이 화창한 해 그림이 있으므로 (A)가 정답이다.

6. When is it rainy?

(A) on Monday
(B) on Tuesday
(C) on Wednesday

해석 언제 비가 오는가?

(A) 월요일에
(B) 화요일에
(C) 수요일에

풀이 월요일 예보에 비가 내리는 그림이 있으므로 (A)가 정답이다.

[7-10]

Parkland has four seasons. In spring, it is sunny and warm. The weather is great for picnics. And there are also many flowers. In summer, it is hot. People go swimming. The fall is cool. The sky is clear in fall. Winter in Parkland is cloudy. And winter is cold. People wear big hats in winter.

해석

Parkland에는 사계절이 있어요. 봄에는, 화창하고 따뜻해요. 날씨가 소풍하기에 좋아요. 그리고 또한 많은 꽃들이 있어요. 여름에는, 더워요. 사람들은 수영하러 가요. 가을은 시원해요. 가을에는 하늘이 맑아요. Parkland의 겨울은 흐려요. 그리고 겨울은 추워요. 사람들은 겨울에 큰 모자를 써요.

7. How is Parkland in spring?

(A) foggy
(B) cloudy
(C) sunny

해석 봄에 Parkland는 어떠한가?

(A) 안개가 낀
(B) 흐린
(C) 화창한

유형 세부 내용 파악

풀이 'In spring, it is sunny and warm.'에서 봄에 날씨가 화창하고 따뜻하다고 했으므로 (C)가 정답이다.

8. When is the sky clear in Parkland?

(A) in spring
(B) in summer
(C) in fall

해석 Parkland에서 하늘은 언제 맑은가?

(A) 봄에
(B) 여름에
(C) 가을에

유형 세부 내용 파악

풀이 'The sky is clear in fall.'에서 가을에 하늘이 맑다고 했으므로 (C)가 정답이다.

9. When do Parkland people go swimming?

(A) in spring
(B) in summer
(C) in fall

해석 Parkland 사람들은 언제 수영하러 가는가?

(A) 봄에
(B) 여름에
(C) 가을에

유형 세부 내용 파악

풀이 'In summer, it is hot. People go swimming.'에서 더운 여름에 사람들이 수영하러 간다고 했으므로 (B)가 정답이다.

10. What do Parkland people wear in winter?

(A) big hats
(B) swimsuits
(C) long scarves

해석 Parkland 사람들은 겨울에 무엇을 착용하는가?

(A) 큰 모자
(B) 수영복
(C) 긴 스카프

유형 세부 내용 파악

풀이 마지막 문장 'People wear big hats in winter.'에서 사람들이 겨울에 큰 모자를 쓴다고 했으므로 (A)가 정답이다.

Listening Practice

PS2-8 p.74

Parkland has four seasons. In spring, it is sunny and warm. The weather is great for picnics. And there are also many flowers. In summer, it is hot. People go swimming. The fall is cool. The sky is clear in fall. Winter in Parkland is cloudy. And winter is cold. People wear big hats in winter.

1. spring
2. summer
3. fall
4. Winter

Writing Practice

p.75

1. spring
2. summer
3. fall
4. winter

Summary

Parkland has four seasons. It is warm in spring. It is hot in summer. It is cool in fall. It is cold in winter.

Parkland에는 4개의 계절이 있어요. 봄에는 따뜻해요. 여름엔 더워요. 가을엔 시원해요. 겨울엔 추워요.

Word Puzzle p.76

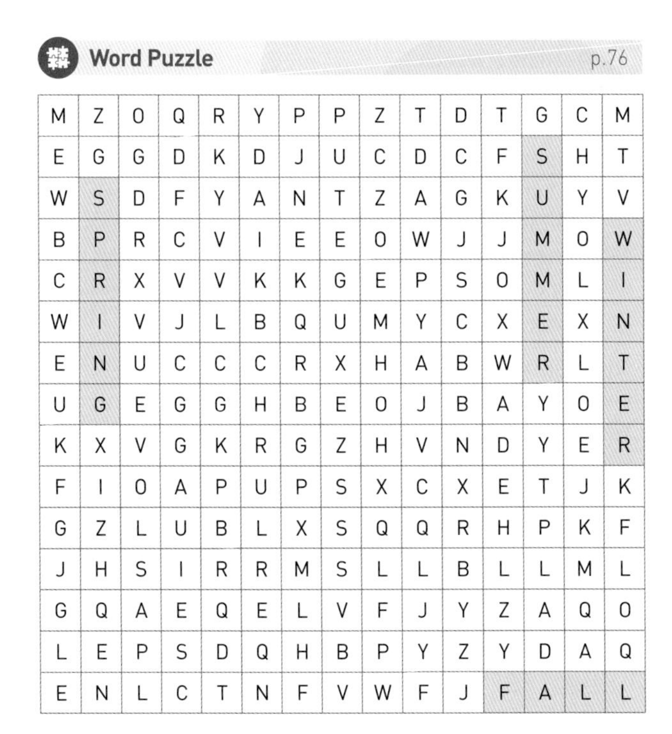

M	Z	O	Q	R	Y	P	P	Z	T	D	T	G	C	M
E	G	G	D	K	D	J	U	C	D	C	F	S	H	T
W	S	D	F	Y	A	N	T	Z	A	G	K	U	Y	V
B	P	R	C	V	I	E	E	O	W	J	J	M	O	W
C	R	X	V	V	K	K	G	E	P	S	O	M	L	I
W	I	V	J	L	B	Q	U	M	Y	C	X	E	X	N
E	N	U	C	C	C	R	X	H	A	B	W	R	L	T
U	G	E	G	G	H	B	E	O	J	B	A	Y	O	E
K	X	V	G	K	R	G	Z	H	V	N	D	Y	E	R
F	I	O	A	P	U	P	S	X	C	X	E	T	J	K
G	Z	L	U	B	L	X	S	Q	Q	R	H	P	K	F
J	H	S	I	R	R	M	S	L	L	B	L	L	M	L
G	Q	A	E	Q	E	L	V	F	J	Y	Z	A	Q	O
L	E	P	S	D	Q	H	B	P	Y	Z	Y	D	A	Q
E	N	L	C	T	N	F	V	W	F	J	F	A	L	L

1. spring
2. summer
3. fall
4. winter

Chapter Review p.77

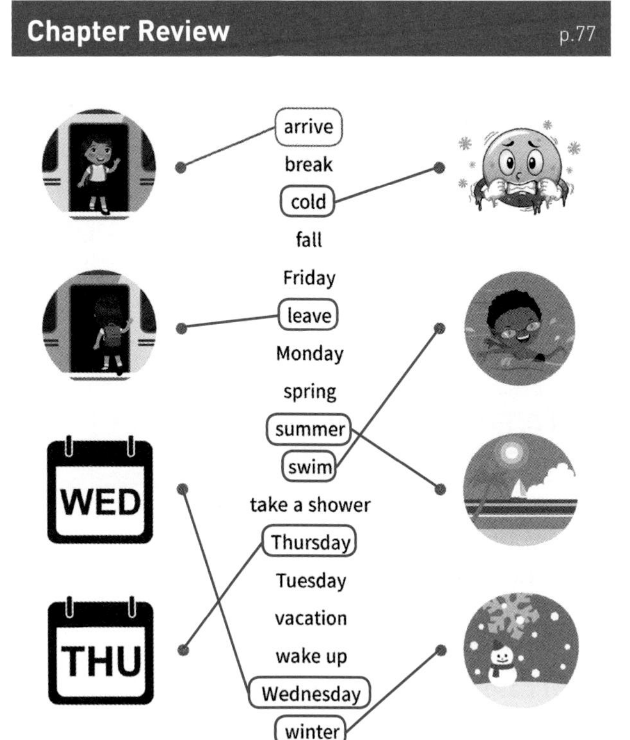

※ 학생의 생각에 따라 다양한 정답이 가능할 수 있습니다.

예)

swim, summer, vacation, …

winter, cold, vacation, …

Chapter 3. At School

Unit 9 | Olaf's Day p.79

Part A. Spell the Words p.81

1 (A) 2 (A)

Part B. Situational Writing p.81

3 (B) 4 (B)

Part C. Practical Reading and Retelling p.82

5 (C) 6 (A)

Part D. General Reading and Retelling p.83

7 (A) 8 (B) 9 (A) 10 (A)

Listening Practice p.84

1 baseball 2 loses
3 bat 4 tired

Writing Practice p.85

1 baseball 2 lose
3 bat 4 tired
Summary happy

Word Puzzle p.86

1 baseball 2 lose
3 bat 4 tired

Pre-reading Questions p.79

Look at Olaf. Think.
How is he feeling today?

Olaf를 보세요. 생각해보세요.
오늘 그의 기분은 어떤가요?

Reading Passage p.80

Olaf's Day

Today is Olaf's test day. Olaf takes the test. His score is great! Olaf is happy. After school, Olaf plays baseball. His team loses the game! And Olaf loses his bat. He is sad. He goes home. He is tired now. Then, Olaf plays with his dog. He feels happy.

Olaf의 하루

오늘은 Olaf의 시험날이에요. Olaf는 시험을 봐요. 그의 점수는 대단해요! Olaf는 행복해요. 방과 후에, Olaf는 야구를 해요. 그의 팀은 경기에서 져요! 그리고 Olaf는 야구방망이를 잃어버려요. 그는 슬퍼요. 집에 가요. 이제 피곤해요. 그런 다음, Olaf는 개와 놀아요. 그는 행복해요.

어휘 today 오늘 | test 시험 | take a test 시험을 보다 | score 점수 | great 대단한, 훌륭한 | happy 행복한 | after ~ 후에 | school 학교 | after school 방과 후에 | play (경기를) 하다 | baseball 야구 | team 팀 | lose 지다; 잃어버리다 | game 경기 | bat 야구방망이 | sad 슬픈 | home 집에, 집으로 | tired 피곤한, 졸린 | feel (어떤 기분이) 들다, 느끼다 | angry 화난 | win 이기다 | jump 뛰다, 점프하다 | excited 신난, 흥분한 | sleepy 졸린 | hungry 배고픈 | soccer 축구 | basketball 농구

Comprehension Questions p.81

1. tired
   (A) e
   (B) i
   (C) a

풀이 남자가 책상에 지쳐서 엎드린 모습이다. '지친, 피곤한'은 영어로 'tired'이므로 (A)가 정답이다.

관련 문장 He is tired now.

2. sad
   (A) s
   (B) d
   (C) h

풀이 남자가 눈물을 흘리며 슬퍼하고 있다. '슬픈'은 영어로 'sad'이므로 (A)가 정답이다.

관련 문장 His team loses the game! And Olaf loses his bat. He is sad.

3. Olaf is happy.

(A) sad
(B) happy
(C) angry

해석 Olaf는 행복하다.

(A) 슬픈
(B) 행복한
(C) 화난

풀이 소년이 좋은 점수를 받아 행복해하고 있으므로 (B)가 정답이다.

관련 문장 His score is great!

4. His team loses.

(A) wins
(B) loses
(C) jumps

해석 그의 팀이 진다.

(A) 이기다
(B) 지다
(C) 뛰다

풀이 야구복을 입은 소년이 울고 있다. 야구 경기에서 져서 울 수 있으므로 (B)가 정답이다.

관련 문장 After school, Olaf plays baseball. His team loses the game!

[5-6]

5. How does the student feel?

(A) He is excited.
(B) He is happy.
(C) He feels sleepy.

해석 학생의 기분은 어떠한가?

(A) 신나있다.
(B) 행복하다.
(C) 졸리다.

풀이 학생이 책상에서 졸고 있으므로 (C)가 정답이다.

6. How does the teacher feel?

(A) She is angry.
(B) She feels hungry.
(C) She is excited.

해석 선생님의 기분은 어떠한가?

(A) 화나있다.
(B) 배고프다.
(C) 신난다.

풀이 선생님이 졸고 있는 학생을 보며 화가 난 표정을 짓고 있으므로 (A)가 정답이다.

[7-10]

Today is Olaf's test day. Olaf takes the test. His score is great! Olaf is happy. After school, Olaf plays baseball. His team loses the game! And Olaf loses his bat. He is sad. He goes home. He is tired now. Then, Olaf plays with his dog. He feels happy.

해석

오늘은 Olaf의 시험날이에요. Olaf는 시험을 봐요. 그의 점수는 대단해요! Olaf는 행복해요. 방과 후에, Olaf는 야구를 해요. 그의 팀은 경기에서 져요! 그리고 Olaf는 야구방망이를 잃어버려요. 그는 슬퍼요. 집에 가요. 이제 피곤해요. 그런 다음, Olaf는 개와 놀아요. 그는 행복해요.

7. What is the best title?

(A) Olaf's Day
(B) Olaf's Test
(C) Olaf's Home

해석 가장 알맞은 제목은 무엇인가?

(A) Olaf의 하루
(B) Olaf의 시험
(C) Olaf의 집

유형 전체 내용 파악

풀이 이 글은 학교에서 시험을 보는 것부터 시작해서, 방과 후에 야구 경기를 하고, 집에 돌아가서 개와 노는 것까지 Olaf의 하루 일상을 다루고 있는 글이다. 따라서 (A)가 정답이다. (B)는 시험은 부분적인 내용일 뿐이므로 오답이다.

8. What does Olaf play after school?

(A) soccer
(B) baseball
(C) basketball

해석 Olaf는 방과 후에 무엇을 하는가?

(A) 축구
(B) 야구
(C) 농구

유형 세부 내용 파악

풀이 'After school, Olaf plays baseball.'에서 Olaf가 방과 후에 야구 경기를 한다고 했으므로 (B)가 정답이다.

9. How does Olaf feel after his game?

(A) sad
(B) sleepy
(C) hungry

해석 Olaf는 경기 후에 기분이 어떠한가?

(A) 슬픈
(B) 졸린
(C) 배고픈

유형 세부 내용 파악

풀이 'His team loses the game! And Olaf loses his bat. He is sad.'에서 Olaf가 야구 경기에서 지고 야구 방망이도 잃어버려서 슬프다는 사실을 알 수 있으므로 (A)가 정답이다.

10. Where does Olaf's dog play?

(A) at home
(B) at school
(C) at the park

해석 Olaf의 개는 어디서 노는가?

(A) 집에서
(B) 학교에서
(C) 공원에서

유형 추론하기

풀이 'He goes home. He is tired now. Then, Olaf plays with his dog.'에서 Olaf가 귀가한 뒤 집에서 개와 논다는 사실을 추론할 수 있으므로 (A)가 정답이다.

Listening Practice

PS2-9 p.84

Today is Olaf's test day. Olaf takes the test. His score is great! Olaf is happy. After school, Olaf plays baseball. His team loses the game! And Olaf loses his bat. He is sad. He goes home. He is tired now. Then, Olaf plays with his dog. He feels happy.

1. baseball
2. loses
3. bat
4. tired

Writing Practice

p.85

1. baseball
2. lose
3. bat
4. tired

Summary

Today, Olaf is happy. Then he is sad. Then he is happy again!

오늘, Olaf는 행복해요. 그런 다음 그는 슬퍼져요. 그런 다음에 그는 다시 행복해져요!

Word Puzzle

p.86

E	M	U	C	O	J	B	A	S	E	B	A	L	L	K
T	I	R	E	D	Q	P	K	Z	U	N	Q	X	C	W
P	Q	X	X	I	Y	T	U	O	Q	F	U	L	F	Y
J	S	B	U	C	E	G	F	S	M	K	A	U	D	T
F	U	W	O	H	E	J	R	R	C	Z	C	K	S	T
W	W	H	N	B	L	B	W	N	Y	V	R	I	V	D
R	J	A	S	Y	Y	E	O	K	L	H	B	K	V	V
X	O	R	T	F	B	M	B	J	Q	V	O	P	K	N
G	V	J	G	O	A	C	K	K	O	M	A	M	E	O
M	A	Q	I	S	H	T	I	Y	X	O	T	G	D	N
S	H	L	F	S	P	F	B	A	T	H	I	P	O	B
S	D	N	R	Z	V	Y	X	L	B	O	B	L	R	D
K	G	U	I	Q	G	V	O	J	H	L	H	O	O	K
G	R	U	F	X	G	S	O	P	A	R	E	S	W	J
R	N	J	P	N	Q	A	Y	K	W	G	G	E	Z	U

1. baseball
2. lose
3. bat
4. tired

Unit 10 | Shopping with Your Family p.87

Part A. Spell the Words				p.89
1 (C)	2 (C)			
Part B. Situational Writing				p.89
3 (A)	4 (B)			
Part C. Practical Reading and Retelling				p.90
5 (B)	6 (B)			
Part D. General Reading and Retelling				p.91
7 (C)	8 (B)	9 (B)	10 (B)	
Listening Practice				p.92
1 glass	2 umbrellas			
3 dots	4 hat			
Writing Practice				p.93
1 glass	2 umbrella			
3 hat	4 dot			
Summary shopping				
Word Puzzle				p.94
1 glass	2 umbrella			
3 hat	4 dot			

Pre-reading Questions p.87

Where are they? What are they doing?

그들은 어디에 있나요? 그들은 무엇을 하고 있나요?

Reading Passage p.88

Shopping with Your Family

It is Sunday. Dina's family goes shopping. Her father buys a glass. It is for his orange juice. Dina's mother and brother buy umbrellas. What color is her mother's umbrella? It is blue. It has white dots. What color is her brother's umbrella? It is red. It has yellow lines. Dina buys a hat. It is her first hat.

가족과 쇼핑하기

일요일이에요. Dina의 가족이 쇼핑하러 가요. 그녀의 아버지는 유리잔을 사요. 그의 오렌지 주스를 위한 것이에요. Dina의 어머니와 남동생은 우산을 사요. 어머니의 우산은 무슨 색인가요? 파란색이에요. 그것은 하얀색 점들이 있어요. 남동생의 우산은 무슨 색인가요? 빨간색이에요. 그것은 노란색 선들이 있어요. Dina는 모자를 사요. 그것은 그녀의 첫 번째 모자예요.

어휘 family 가족 | go shopping 쇼핑하러 가다 | buy 사다 | glass 유리잔 | orange juice 오렌지 주스 | umbrella 우산 | blue 파란 | white 하얀 | dot 점 | red 빨간 | line 선 | hat 모자 | first 첫 번째; 처음(으로) | dress 드레스 | glove 장갑 | mirror 거울 | scissors 가위 | doctor 의사 | musician 음악가 | clothing 옷 | drink 마시다 | cup 컵 | many 많은 | new 새로운 | shop 쇼핑하다; 가게, 상점

Comprehension Questions p.89

1. umbrella

(A) a
(B) e
(C) u

풀이 비가 올 때 쓰는 우산 그림이다. '우산'은 영어로 'umbrella'이므로 (C)가 정답이다.

관련 문장 Dina's mother and brother buy umbrellas.

2. shopping

(A) sitting
(B) sleeping
(C) shopping

풀이 사람들이 장을 보고 있는 모습이다. '장 보기, 쇼핑'은 영어로 'shopping'이므로 (C)가 정답이다.

관련 문장 It is Sunday. Dina's family goes shopping.

3. I need a <u>glass</u>.

(A) glass
(B) dress
(C) glove

해석 <u>유리잔</u>이 필요해.

(A) 유리잔
(B) 드레스
(C) 장갑

풀이 유리잔 그림이므로 (A)가 정답이다.

관련 문장 Her father buys a glass.

4. It is a <u>blue</u> umbrella.

(A) red
(B) blue
(C) white

해석 <u>파란색</u> 우산이야.

(A) 빨간색의
(B) 파란색의
(C) 하얀색의

풀이 파란색 우산 그림이므로 (B)가 정답이다.

관련 문장 Dina's mother and brother buy umbrellas. What color is her mother's umbrella? It is blue.

[5-6]

5. What is in the picture?

(A) a mirror
(B) scissors
(C) an umbrella

해석 그림에는 무엇이 있는가?

(A) 거울
(B) 가위
(C) 우산

풀이 그림에 가위가 있으므로 (B)가 정답이다. 가위는 영어에서 복수('scissors')로 표현한다는 점에 유의한다.

6. Guess. Whose bag is it?

(A) a doctor's bag
(B) a student's bag
(C) a musician's bag

해석 추측하시오. 누구의 가방인가?

(A) 의사의 가방
(B) 학생의 가방
(C) 음악가의 가방

풀이 펜, 지우개, 공책 등 여러 학용품이 있는 것으로 보아 학생의 가방일 가능성이 가장 높다. 따라서 (B)가 정답이다.

[7-10]

It is Sunday. Dina's family goes shopping. Her father buys a glass. It is for his orange juice. Dina's mother and brother buy umbrellas. What color is her mother's umbrella? It is blue. It has white dots. What color is her brother's umbrella? It is red. It has yellow lines. Dina buys a hat. It is her first hat.

해석

일요일이에요. Dina의 가족이 쇼핑하러 가요. 그녀의 아버지는 유리잔을 사요. 그의 오렌지 주스를 위한 것이에요. Dina의 어머니와 남동생은 우산을 사요. 어머니의 우산은 무슨 색인가요? 파란색이에요. 그것은 하얀색 점들이 있어요. 남동생의 우산은 무슨 색인가요? 빨간색이에요. 그것은 노란색 선들이 있어요. Dina는 모자를 사요. 그것은 그녀의 첫 번째 모자예요.

7. What is the best title?

(A) Family Dinner
(B) Family Clothing
(C) Family Shopping

해석 가장 알맞은 제목은 무엇인가?

(A) 가족 저녁 식사
(B) 가족 의류
(C) 가족 쇼핑

유형 전체 내용 파악

풀이 두 번째 문장 'Dina's family goes shopping.'에서 중심 내용이 드러나고, Dina의 아버지, 어머니, 남동생, Dina가 쇼핑에서 각각 무엇을 샀는지 차례대로 나열하고 있다. 따라서 (C)가 정답이다. (B)는 Dina가 모자를 산 것은 부분적인 내용일 뿐이므로 오답이다.

8. Who drinks orange juice?

(A) Dina
(B) Dina's father
(C) Dina's mother

해석 누가 오렌지 주스를 마시는가?

(A) Dina
(B) Dina의 아버지
(C) Dina의 어머니

유형 세부 내용 파악 & 추론하기

풀이 'Her father buys a glass. It is for his orange juice.'를 통해 아버지가 오렌지 주스를 마실 유리잔을 산다는 것을 알 수 있으므로 (B)가 정답이다.

9. What does Dina's brother buy?

(A) a yellow cup
(B) a red umbrella
(C) a blue umbrella

해석 Dina의 남동생은 무엇을 사는가?

(A) 노란색 컵
(B) 빨간색 우산
(C) 파란색 우산

유형 세부 내용 파악

풀이 'Dina's mother and brother buy umbrellas.', 'What color is her brother's umbrella? It is red.'를 통해 남동생이 산 우산은 빨간색이라는 사실을 알 수 있으므로 (B)가 정답이다. (C)는 어머니가 파란색 우산을 샀다고 했으므로 오답이다.

10. What is true about Dina?

(A) She has many hats.
(B) She buys a new hat.
(C) She shops on Saturday.

해석 Dina에 관해 옳은 설명은 무엇인가?

(A) 모자를 많이 갖고 있다.
(B) 새 모자를 산다.
(C) 토요일에 쇼핑한다.

유형 세부 내용 파악

풀이 'Dina buys a hat.', 'This is Dina's first hat.'을 통해 Dina가 처음으로 모자를 샀다는 사실을 알 수 있으므로 (B)가 정답이다. (C)는 'It's Sunday.'에서 Dina의 가족이 일요일에 쇼핑하고 있음을 알 수 있으므로 오답이다.

Listening Practice

PS2-10 p.92

It is Sunday. Dina's family goes shopping. Her father buys a glass. It is for his orange juice. Dina's mother and brother buy umbrellas. What color is her mother's umbrella? It is blue. It has white dots. What color is her brother's umbrella? It is red. It has yellow lines. Dina buys a hat. It is her first hat.

1. glass
2. umbrellas
3. dots
4. hat

Writing Practice

p.93

1. glass
2. umbrella
3. hat
4. dot

Summary

Dina's family goes shopping on Sunday. They buy a glass, umbrellas, and a hat.

Dina의 가족은 일요일에 쇼핑하러 가요. 그들은 유리잔, 우산, 그리고 모자를 사요.

Word Puzzle p.94

G	P	R	R	D	H	R	H	N	K	M	I	M	M	Q
L	Z	E	O	A	A	A	P	G	N	G	N	U	G	Y
U	X	P	F	L	H	J	Q	W	K	L	W	J	K	T
V	R	G	E	L	H	S	U	Q	S	A	K	N	G	Z
F	S	Z	O	L	V	Z	A	H	O	S	L	F	F	C
O	A	J	R	O	M	A	Y	Z	N	S	B	Y	B	G
R	U	T	Q	D	M	R	X	W	Z	G	O	K	E	F
R	O	E	U	I	W	B	U	U	C	Z	G	D	D	U
G	J	R	N	B	G	F	X	B	W	J	A	O	C	M
I	F	R	T	Z	K	C	Q	U	Q	R	B	T	J	B
Y	H	A	T	H	E	H	S	D	M	U	A	Y	C	R
N	V	D	C	C	S	K	Z	I	F	U	A	W	P	E
Y	Y	K	M	X	O	D	W	V	X	O	C	W	S	L
M	L	F	M	F	D	N	Y	N	S	T	H	B	P	L
I	H	W	V	I	K	T	Z	D	M	L	O	B	W	A

1. glass
2. umbrella
3. hat
4. dot

Unit 11 | Henry and His Bike p.95

Part A. Spell the Words p.97

1 (A) 2 (A)

Part B. Situational Writing p.97

3 (A) 4 (A)

Part C. Practical Reading and Retelling p.98

5 (A) 6 (C)

Part D. General Reading and Retelling p.99

7 (C) 8 (A) 9 (C) 10 (A)

Listening Practice p.100

1 bike 2 wheel
3 bus 4 car

Writing Practice p.101

1 bike 2 bus
3 car 4 wheel
Summary rides

Word Puzzle p.102

1 bike 2 bus
3 car 4 wheel

Pre-reading Questions p.95

How do you go to school?

학교에 어떻게 가나요?

 Reading Passage p.96

Henry and His Bike

Henry goes to school. How does he go there? He rides his bike. He likes his bike. But one wheel breaks. So today he takes the bus. After school, Henry's father comes. He drives a car. He gets Henry. They go to a shop. A worker fixes the bike. Henry gets a new wheel. He rides his bike home.

Henry와 그의 자전거

Henry는 학교에 가요. 그는 거기에 어떻게 가나요? 그는 자전거를 타요. 그는 그의 자전거를 좋아해요. 하지만 바퀴 하나가 고장 나요. 그래서 오늘 그는 버스를 타요. 방과 후에, Henry의 아버지가 와요. 그는 차를 운전해요. 그는 Henry를 데리고 가요. 그들은 가게에 가요. 직원이 자전거를 고쳐요. Henry에게 새 바퀴가 생겨요. 그는 집으로 자전거를 타고 가요.

어휘 ride 타다 | bike 자전거 | wheel 바퀴 | break 고장 나[내]다; 부서지다 | take (자동차·자전거 등을) 타다 | bus 버스 | drive 운전하다 | car 자동차 | shop 상점, 가게 | worker 일하는 사람 | fix 고치다 | new 새로운 | home 집으로 | mike 마이크 | hike 하이킹, (장거리) 도보 여행 | train 기차 | airplane 비행기 | island 섬 | by (교통수단 앞에서) ~로, ~를 타고 | wet 젖은 | paint 칠하다 | on foot 걸어서 | taxi 택시 | learn 배우다

Comprehension Questions p.97

1. wheel
   (A) wh
   (B) ch
   (C) th

풀이 자동차나 자전거 등을 굴러가게 하는 바퀴이다. '바퀴'는 영어로 'wheel'이므로 (A)가 정답이다.

관련 문장 But one wheel breaks. [...] Henry gets a new wheel.

2. bike
   (A) bike
   (B) mike
   (C) hike

풀이 바퀴가 두 개 달린 자전거 그림이다. '자전거'는 영어로 'bike'이므로 (A)가 정답이다.

관련 문장 How does he go there? He rides his bike.

3. Henry's father can drive a car.
   (A) car
   (B) train
   (C) boat

해석 Henry의 아버지는 차를 운전할 수 있다.
(A) 차
(B) 기차
(C) 보트

풀이 남자가 빨간색 자동차를 몰고 있다. 따라서 (A)가 정답이다.

관련 문장 He drives a car.

4. The worker fixes Henry's bike.
   (A) fixes
   (B) rides
   (C) breaks

해석 직원이 Henry의 자전거를 고친다.
(A) 고치다
(B) 타다
(C) 부수다

풀이 남자가 자전거 바퀴를 갈아 끼우며 자전거를 고치고 있다. 따라서 (A)가 정답이다.

관련 문장 A worker fixes the bike.

[5-6]

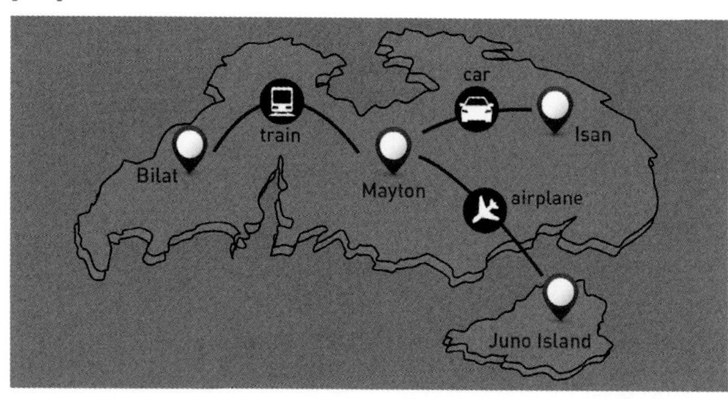

해석

Bilat — (기차) — Mayton — (차) — Isan
└ (비행기) — Juno 섬

5. How do you go from Mayton to Bilat?
   (A) by train
   (B) by car
   (C) by airplane

해석 Mayton에서 Bilat으로 어떻게 가는가?
(A) 기차로
(B) 차로
(C) 비행기로

풀이 Mayton과 Bilat 사이에 기차 표시가 있으므로 (A)가 정답이다.

PreStarter Book 2

6. Take an airplane from Mayton. Where can you go?

(A) to Isan
(B) to Bilat
(C) to Juno Island

해석 Mayton에서 비행기를 타시오. 어디로 갈 수 있는가?

(A) Isan으로
(B) Bilat으로
(C) Juno 섬으로

풀이 Mayton과 Juno 섬 사이에 비행기 표시가 있으므로 (C)가 정답이다.

[7-10]

Henry goes to school. How does he go there? He rides his bike. He likes his bike. But one wheel breaks. So today he takes the bus. After school, Henry's father comes. He drives a car. He gets Henry. They go to a shop. A worker fixes the bike. Henry gets a new wheel. He rides his bike home.

해석

Henry는 학교에 가요. 그는 거기에 어떻게 가나요? 그는 자전거를 타요. 그는 그의 자전거를 좋아해요. 하지만 바퀴 하나가 고장 나요. 그래서 오늘 그는 버스를 타요. 방과 후에, Henry의 아버지가 와요. 그는 차를 운전해요. 그는 Henry를 데리고 가요. 그들은 가게에 가요. 직원이 자전거를 고쳐요. Henry에게 새 바퀴가 생겨요. 그는 집으로 자전거를 타고 가요.

7. What happens to Henry's bike?

(A) It gets wet.
(B) Henry paints it.
(C) The wheel breaks.

해석 Henry의 자전거에 무슨 일이 생기는가?

(A) 젖는다.
(B) Henry가 칠한다.
(C) 바퀴가 고장난다.

유형 세부 내용 파악

풀이 'He likes his bike. But one wheel breaks.'에서 Henry가 타고 다니는 자전거의 바퀴 하나가 고장 났다는 사실을 알 수 있으므로 (C)가 정답이다.

8. How does Henry go to school today?

(A) by bus
(B) by car
(C) by bike

해석 Henry는 오늘 학교에 어떻게 가는가?

(A) 버스로
(B) 차로
(C) 자전거로

유형 세부 내용 파악

풀이 'He likes his bike. But one wheel breaks. So today he takes the bus.'를 통해 자전거 바퀴가 고장 나서 Henry가 오늘은 버스를 타고 학교에 간다는 사실을 알 수 있으므로 (A)가 정답이다. (C)의 경우, 평소에는 자전거를 타고 다니지만 오늘은 자전거 바퀴가 고장이 나서 대신 버스를 탄다고 했으므로 오답이다.

9. How does Henry get home?

(A) on foot
(B) by taxi
(C) by bicycle

해석 Henry는 집에 어떻게 가는가?

(A) 걸어서
(B) 택시로
(C) 자전거로

유형 세부 내용 파악

풀이 마지막 문장 'He rides his bike home.'에서 자전거를 고친 뒤 Henry가 자전거를 타고 집으로 간다고 했으므로 (C)가 정답이다.

10. What is true?

(A) Henry likes his bike.
(B) Henry learns to drive.
(C) Henry gets a new bike.

해석 옳은 설명은 무엇인가?

(A) Henry는 그의 자전거를 좋아한다.
(B) Henry는 운전하는 것을 배운다.
(C) Henry에게 새 자전거가 생긴다.

유형 세부 내용 파악

풀이 'He likes his bike.'에서 Henry가 자신의 자전거를 좋아한다고 했으므로 (A)가 정답이다. (C)의 경우, 새 자전거가 아니라 새 바퀴가('new wheel') 생긴 것이므로 오답이다.

Listening Practice

PS2-11 p.100

Henry goes to school. How does he go there? He rides his bike. He likes his bike. But one wheel breaks. So today he takes the bus. After school, Henry's father comes. He drives a car. He gets Henry. They go to a shop. A worker fixes the bike. Henry gets a new wheel. He rides his bike home.

1. bike
2. wheel
3. bus
4. car

Writing Practice

p.101

1. bike
2. bus
3. car
4. wheel

Summary

Henry usually rides his bike to school. But his wheel breaks. Henry's dad helps him.

Henry는 평소 학교에 자전거를 타고 가요. 하지만 바퀴가 고장이 나요. Henry의 아버지가 그를 도와줘요.

Word Puzzle

p.102

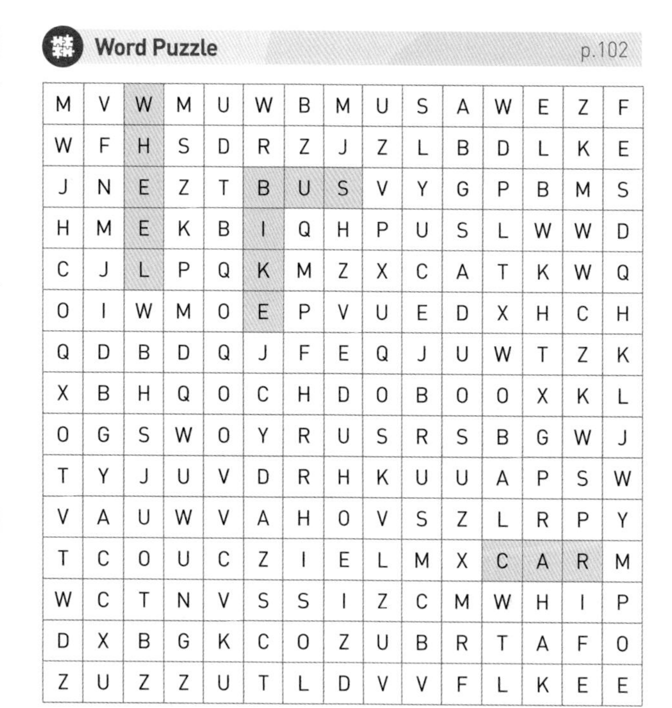

M	V	W	M	U	W	B	M	U	S	A	W	E	Z	F
W	F	H	S	D	R	Z	J	Z	L	B	D	L	K	E
J	N	E	Z	T	B	U	S	V	Y	G	P	B	M	S
H	M	E	K	B	I	Q	H	P	U	S	L	W	W	D
C	J	L	P	Q	K	M	Z	X	C	A	T	K	W	Q
O	I	W	M	O	E	P	V	U	E	D	X	H	C	H
Q	D	B	D	Q	J	F	E	Q	J	U	W	T	Z	K
X	B	H	Q	O	C	H	D	O	B	O	O	X	K	L
O	G	S	W	O	Y	R	U	S	R	S	B	G	W	J
T	Y	J	U	V	D	R	H	K	U	U	A	P	S	W
V	A	U	W	V	A	H	O	V	S	Z	L	R	P	Y
T	C	O	U	C	Z	I	E	L	M	X	C	A	R	M
W	C	T	N	V	S	S	I	Z	C	M	W	H	I	P
D	X	B	G	K	C	O	Z	U	B	R	T	A	F	O
Z	U	Z	Z	U	T	L	D	V	V	F	L	K	E	E

1. bike
2. bus
3. car
4. wheel

Unit 12 | Tennis and Table Tennis p.103

Part A. Spell the Words	p.105
1 (B) 2 (A)	
Part B. Situational Writing	p.105
3 (A) 4 (C)	
Part C. Practical Reading and Retelling	p.106
5 (C) 6 (B)	
Part D. General Reading and Retelling	p.107
7 (B) 8 (A) 9 (C) 10 (B)	
Listening Practice	p.108
1 tennis 2 ball	
3 racket 4 table	
Writing Practice	p.109
1 tennis 2 ball	
3 racket 4 table tennis	
Summary Tennis	
Word Puzzle	p.110
1 tennis 2 ball	
3 racket 4 table tennis	

Pre-reading Questions p.103

Can you play tennis?
What is your favorite sport?

테니스를 칠 줄 아나요?
특히 좋아하는 운동은 무엇인가요?

 Reading Passage p.104

Tennis and Table Tennis

What is tennis? There are two players. Or there are four players. The players hit a ball. What is in their hand? There is a racket. Where does the ball go? It goes across the net. It touches the ground. What is table tennis? It is like tennis. But there is a table. And the ball is small. The ball touches the table.

테니스와 탁구

테니스는 무엇인가요? 두 명의 선수가 있어요. 또는 네 명의 선수가 있어요. 선수들이 공을 쳐요. 그들의 손에는 무엇이 있나요? 라켓이 있어요. 공은 어디로 가나요? 네트를 넘어 가요. 그것은 땅에 닿아요. 탁구는 무엇인가요? 테니스와 비슷해요. 하지만 탁자가 있어요. 그리고 공이 작아요. 공이 탁자에 닿아요.

어휘 racket 라켓 | net 네트; 골문; 그물[망] | ball 공 | player 선수, 참가자 | table 탁자 | hit 치다 | hand 손 | across ~을 넘어 | touch 만지다 | ground 땅 | table tennis 탁구 | sport(s) 스포츠, 운동 | volleyball 배구 | swim 수영하다 | whose 누구의 | bat 방망이 | baseball 야구; 야구공 | kick 차다 | catch 잡다

Comprehension Questions p.105

1. racket

(A) sh
(B) ck
(C) wh

풀이 테니스를 할 때 쓰는 테니스 라켓이다. '라켓'은 영어로 'racket'이므로 (B)가 정답이다.

관련 문장 What is in their hand? There is a racket.

2. net

(A) net
(B) etn
(C) ten

풀이 테니스 등 여러 스포츠 경기에서 양쪽 편을 구분하고 공이 넘어 다니는 네트이다. '네트'는 영어로 'net'이므로 (A)가 정답이다.

관련 문장 Where does the ball go? It goes across the net.

3. It is a yellow ball.

(A) ball
(B) net
(C) racket

해석 노란색 공이다.

(A) 공
(B) 네트
(C) 라켓

풀이 테니스 경기에 쓰이는 테니스 공이므로 (A)가 정답이다.

관련 문장 They hit a ball. [...] Where does the ball go?

4. The players have a blue table.

(A) net
(B) ball
(C) table

해석 선수들에게 파란색 탁자가 있다.

(A) 네트
(B) 공
(C) 탁자

풀이 두 사람이 탁구를 하고 있다. 그림에서 탁자가 파란색이므로 (C)가 정답이다.

관련 문장 The ball touches the table.

[5-6]

해석

학생들이 특히 좋아하는 스포츠

Scott 배구 Gary 탁구 Lisa 수영

5. What is Lisa's favorite sport?

(A)   (B)  (C) 

해석 Lisa가 특히 좋아하는 운동은 무엇인가?

풀이 Lisa가 특히 좋아하는 운동은 수영('swimming')이라고 나와있으므로 (C)가 정답이다.

6. Whose favorite sport is table tennis?

(A) Scott
(B) Gary
(C) Lisa

해석 탁구는 누가 특히 좋아하는 스포츠인가?

(A) Scott
(B) Gary
(C) Lisa

풀이 Gary가 탁구를 특히 좋아한다고 나와있으므로 (B)가 정답이다.

[7-10]

What is tennis? There are two players. Or there are four players. The players hit a ball. What is in their hand? There is a racket. Where does the ball go? It goes across the net. It touches the ground. What is table tennis? It is like tennis. But there is a table. And the ball is small. The ball touches the table.

해석

테니스는 무엇인가요? 두 명의 선수가 있어요. 또는 네 명의 선수가 있어요. 선수들이 공을 쳐요. 그들의 손에는 무엇이 있나요? 라켓이 있어요. 공은 어디로 가나요? 네트를 넘어 가요. 그것은 땅에 닿아요. 탁구는 무엇인가요? 테니스와 비슷해요. 하지만 탁자가 있어요. 그리고 공이 작아요. 공이 탁자에 닿아요.

7. Which is for tennis?

(A) a bat
(B) a racket
(C) a baseball

해석 다음 중 테니스를 위한 것은 무엇인가?

(A) 방망이
(B) 라켓
(C) 야구공

유형 세부 내용 파악

풀이 'What is in their hand? There is a racket.'에서 테니스 선수들의 손에 라켓이 있다고 했으므로 (B)가 정답이다.

8. What do tennis players do?

(A) hit a ball
(B) kick a ball
(C) catch a ball

해석 테니스 선수들은 무엇을 하는가?

(A) 공을 친다
(B) 공을 찬다
(C) 공을 잡는다

유형 세부 내용 파악

풀이 'The players hit a ball.'에서 테니스 선수들이 공을 친다고 했으므로 (A)가 정답이다.

9. What is true about table tennis?
   (A) The ball is big.
   (B) There is no ball.
   (C) The ball is small.

해석 탁구에 관해 옳은 설명은 무엇인가?
   (A) 공이 크다.
   (B) 공이 없다.
   (C) 공이 작다.

유형 세부 내용 파악

풀이 'What is table tennis? It is like tennis. But there is a table. And the ball is small.'에서 탁구공이 작다고 했으므로 (C)가 정답이다.

10. What is wrong in the picture?
   (A) The players have rackets.
   (B) There are too many players.
   (C) The ball goes across the net.

해석 사진에서 잘못된 것은 무엇인가?
   (A) 선수들에게 라켓이 있다.
   (B) 선수들이 너무 많다.
   (C) 공이 네트를 넘어 간다.

유형 세부 내용 파악

풀이 'What is tennis? There are two players. Or there are four players.'에서 두 명 또는 네 명이 테니스 경기를 한다고 나와 있다. 따라서 여섯 명이 한꺼번에 테니스 경기를 하는 것은 잘못되었으므로 (B)가 정답이다.

Listening Practice

PS2-12 p.108

What is tennis? There are two players. Or there are four players. The players hit a ball. What is in their hand? There is a racket. Where does the ball go? It goes across the net. It touches the ground. What is table tennis? It is like tennis. But there is a table. And the ball is small. The ball touches the table.

1. tennis
2. ball
3. racket
4. table

Writing Practice

p.109

1. tennis
2. ball
3. racket
4. table tennis

Summary

Tennis players hit a ball with a racket. Table tennis is like tennis with a table.

테니스 선수들은 라켓으로 공을 쳐요. 탁구는 탁자가 있는 테니스 같아요.

Word Puzzle

p.110

T	W	G	U	V	P	G	O	F	U	J	F	Z	W	J
K	G	B	P	P	Y	T	U	F	O	K	M	H	T	K
C	Z	B	S	O	V	L	Y	T	B	O	F	B	A	L
N	O	A	P	Z	R	A	X	D	Q	G	D	P	B	Y
P	J	L	O	W	D	H	P	I	Z	K	O	T	L	E
T	I	L	O	Z	T	G	B	Y	Q	Y	G	L	E	D
W	T	K	K	U	C	X	H	F	W	V	M	N	T	X
D	F	H	Y	Q	D	Q	R	S	R	A	C	K	E	T
V	C	X	S	Y	J	J	Z	W	P	R	X	W	N	A
G	G	X	G	C	A	P	O	I	S	Y	Z	U	N	E
H	D	A	E	S	T	X	A	G	X	I	G	X	I	M
R	T	F	H	U	P	F	A	J	U	C	L	D	S	Z
L	T	J	T	O	N	H	Z	O	B	U	V	O	U	N
T	T	E	N	N	I	S	R	E	N	T	K	R	R	M
J	E	F	B	K	S	M	Q	F	H	Q	N	P	C	M

1. tennis
2. ball
3. racket
4. table tennis

Chapter Review p.111

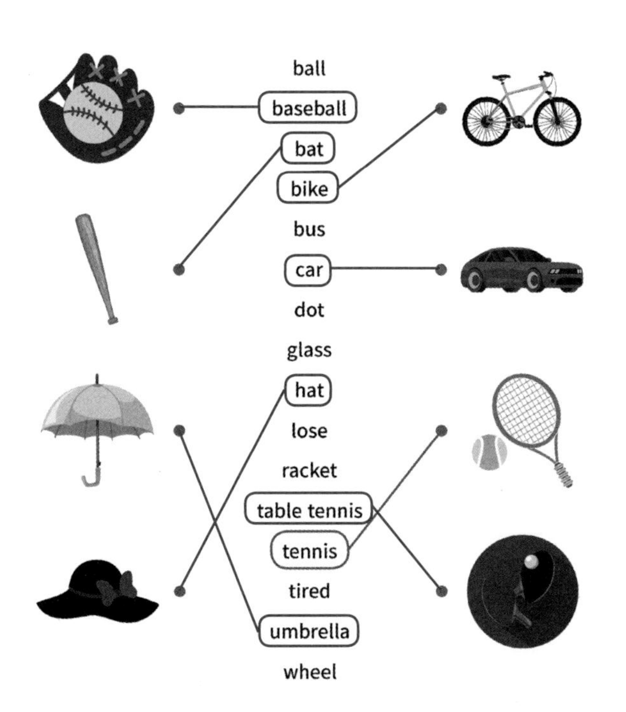

※ 학생의 생각에 따라 다양한 정답이 가능할 수 있습니다.

예)

table tennis, racket, ball, …

bike, wheel, …

MEMO

TOSEL® Reading
PreStarter Book 3

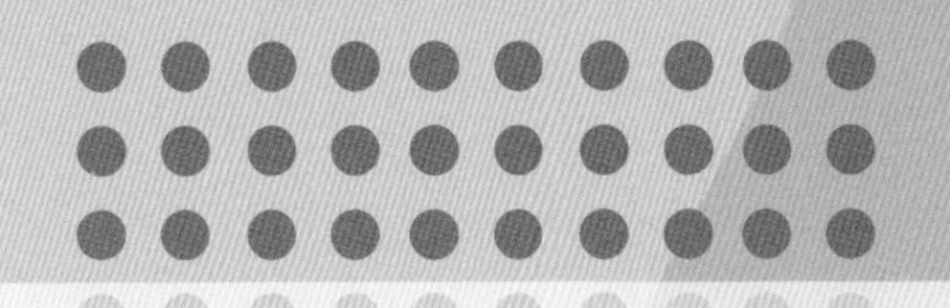

PreStarter Book 3

ANSWERS

CHAPTER 1 | People

p.10

Unit										
UNIT 1	1 (A)	2 (A)	3 (A)	4 (A)	5 (C)	6 (B)	7 (A)	8 (C)	9 (A)	10 (A)
PS3-1	1 Sometimes		2 steal		3 drive		4 loud			
p.11	1 sometimes		2 steal		3 drive		4 loud		police officer	
	1 sometimes		2 steal		3 drive		4 loud			
UNIT 2	1 (A)	2 (A)	3 (C)	4 (B)	5 (B)	6 (B)	7 (A)	8 (A)	9 (C)	10 (A)
PS3-2	1 Canada		2 Mexico		3 Korea		4 islands			
p.19	1 Canada		2 Mexico		3 Korea		4 island		lives	
	1 Canada		2 Mexico		3 Korea		4 island			
UNIT 3	1 (B)	2 (A)	3 (B)	4 (C)	5 (B)	6 (B)	7 (C)	8 (A)	9 (C)	10 (C)
PS3-3	1 neighbor		2 kind		3 funny		4 laughs			
p.27	1 neighbor		2 kind		3 funny		4 laugh		neighbor	
	1 neighbor		2 kind		3 funny		4 laugh			
UNIT 4	1 (C)	2 (A)	3 (B)	4 (B)	5 (A)	6 (C)	7 (C)	8 (A)	9 (A)	10 (B)
PS3-4	1 younger		2 older		3 curly		4 brown			
p.35	1 curly		2 old		3 young		4 brown		friends	
	1 curly		2 old		3 young		4 brown			

CHAPTER 2 | Nature

p.44

Unit										
UNIT 5	1 (C)	2 (C)	3 (A)	4 (A)	5 (B)	6 (A)	7 (C)	8 (A)	9 (A)	10 (B)
PS3-5	1 bright		2 sun		3 rainbow		4 colors			
p.45	1 sun		2 rainbow		3 bright		4 color		rainbow	
	1 sun		2 rainbow		3 bright		4 color			
UNIT 6	1 (A)	2 (C)	3 (B)	4 (A)	5 (A)	6 (A)	7 (B)	8 (A)	9 (C)	10 (C)
PS3-6	1 spider		2 eggs		3 wings		4 butterfly			
p.53	1 egg		2 spider		3 butterfly		4 wing		ladybug	
	1 egg		2 spider		3 butterfly		4 wing			
UNIT 7	1 (B)	2 (B)	3 (C)	4 (B)	5 (C)	6 (A)	7 (B)	8 (B)	9 (B)	10 (B)
PS3-7	1 Mountain		2 Forest		3 sea		4 beach			
p.61	1 mountain		2 forest		3 sea		4 beach		travels	
	1 mountain		2 forest		3 sea		4 beach			
UNIT 8	1 (A)	2 (B)	3 (C)	4 (A)	5 (A)	6 (A)	7 (B)	8 (B)	9 (A)	10 (A)
PS3-8	1 Giraffes		2 teeth		3 strong		4 kick			
p.69	1 giraffe		2 strong		3 kick		4 teeth		Giraffes	
	1 giraffe		2 strong		3 kick		4 teeth			

CHAPTER 3 | Country

p.78

Unit										
UNIT 9	1 (A)	2 (B)	3 (C)	4 (A)	5 (C)	6 (C)	7 (B)	8 (A)	9 (B)	10 (B)
PS3-9	1 bank		2 school		3 restaurant		4 bakery			
p.79	1 bank		2 restaurant		3 bakery		4 school		bakery	
	1 bank		2 restaurant		3 bakery		4 school			
UNIT 10	1 (B)	2 (B)	3 (A)	4 (C)	5 (B)	6 (A)	7 (C)	8 (C)	9 (A)	10 (C)
PS3-10	1 toy		2 bear		3 robot		4 friend			
p.87	1 teddy bear		2 toy		3 robot		4 friend		toy	
	1 teddy bear		2 toy		3 robot		4 friend			
UNIT 11	1 (A)	2 (B)	3 (A)	4 (C)	5 (B)	6 (B)	7 (B)	8 (C)	9 (B)	10 (C)
PS3-11	1 hide		2 under		3 in		4 between			
p.95	1 hide		2 under		3 between		4 in		hide	
	1 hide		2 under		3 between		4 in			
UNIT 12	1 (A)	2 (B)	3 (C)	4 (B)	5 (C)	6 (C)	7 (B)	8 (C)	9 (B)	10 (C)
PS3-12	1 cross		2 straight		3 right		4 left			
p.103	1 cross		2 straight		3 right		4 left		restaurant	
	1 cross		2 straight		3 right		4 left			

Chapter 1. People

Unit 1 | Who Is She? p.11

Part A. Spell the Words				p.13
1 (A)	2 (A)			
Part B. Situational Writing				p.13
3 (A)	4 (A)			
Part C. Practical Reading and Retelling				p.14
5 (C)	6 (B)			
Part D. General Reading and Retelling				p.15
7 (A)	8 (C)	9 (A)	10 (A)	
Listening Practice				p.16
1 Sometimes	2 steal			
3 drive	4 loud			
Writing Practice				p.17
1 sometimes	2 steal			
3 drive	4 loud			
Summary police officer				
Word Puzzle				p.18
1 sometimes	2 steal			
3 drive	4 loud			

Pre-reading Questions p.11

What is your dream job?

여러분이 꿈꾸는 직업은 무엇인가요?

Reading Passage p.12

Who Is She?

This woman wears special clothes. She catches bad people. Sometimes people do bad things. Sometimes people hit others. Sometimes people steal things. Sometimes people drive cars too fast. This woman drives a car. Her car has a loud sound. She drives at night. She protects the town.

그녀는 누구인가요?

이 여성은 특별한 옷을 입어요. 그녀는 나쁜 사람들을 잡아요. 때때로 사람들은 나쁜 짓을 해요. 때때로 사람들은 다른 사람을 때려요. 때때로 사람들은 물건을 훔쳐요. 때때로 사람들은 차를 너무 빨리 운전해요. 이 여성은 차를 운전해요. 그녀의 차는 큰 소리를 내요. 그녀는 밤에 운전해요. 그녀는 도시를 지켜요.

어휘 wear 입다 | special 특별한 | clothes 옷 | catch 잡다 | hit 때리다 | other 다른 사람[것]; (그 밖의) 다른 | steal 훔치다 | drive 운전하다 | fast 빠른 | loud 시끄러운 | sound 소리 | at night 밤에 | protect 지키다 | town 도시 | astronaut 우주 비행사 | firefighter 소방관 | cook 요리사 | doctor 의사 | put out the fire 불을 끄다 | job 직업 | noise 소음 | scientist 과학자 | police officer 경찰관 | save 구하다 | noisy 시끄러운

Comprehension Questions p.13

1. astronaut

(A) a
(B) e
(C) o

풀이 우주 비행사가 우주복을 입고 우주를 비행하고 있다. '우주 비행사'는 영어로 'astronaut'이므로 (A)가 정답이다.

관련 문장 This woman wears special clothes.

2. steal

(A) t
(B) k
(C) r

풀이 남자가 여자의 가방에서 지갑을 훔치고 있다. '훔치다'는 영어로 'steal'이므로 (A)가 정답이다.

관련 문장 Sometimes people steal things.

3. Do not hit other people.

(A) hit
(B) help
(C) protect

해석 다른 사람들을 때리지 마세요.

(A) 때리다
(B) 돕다
(C) 지키다

풀이 남자가 다른 사람을 때리려 하고 있으므로 (A)가 정답이다.

관련 문장 Sometimes people hit others.

4. The car makes a loud noise.

(A) loud
(B) quiet
(C) good

해석 자동차가 시끄러운 소음을 낸다.

(A) 시끄러운
(B) 조용한
(C) 좋은

풀이 자동차가 시끄럽게 소음을 내고 있으므로 (A)가 정답이다.

관련 문장 Her car has a loud sound.

[5-6]

5. Who are they?

(A) cooks
(B) doctors
(C) firefighters

해석 그들은 누구인가?

(A) 요리사
(B) 의사
(C) 소방관

풀이 불이 나서 불을 끄는 소방관들의 모습이다. 따라서 (C)가 정답이다.

6. What are they doing?

(A) making a fire
(B) putting out the fire
(C) playing in the water

해석 그들은 무엇을 하고 있는가?

(A) 불 지피기
(B) 불 끄기
(C) 물에서 놀기

풀이 호스로 물을 분사해 불을 끄고 있으므로 (B)가 정답이다.

[7-10]

This woman wears special clothes. She catches bad people. Sometimes people do bad things. Sometimes people hit others. Sometimes people steal things. Sometimes people drive cars too fast. This woman drives a car. Her car has a loud sound. She drives at night. She protects the town.

해석

이 여성은 특별한 옷을 입어요. 그녀는 나쁜 사람들을 잡아요. 때때로 사람들은 나쁜 짓을 해요. 때때로 사람들은 다른 사람을 때려요. 때때로 사람들은 물건을 훔쳐요. 때때로 사람들은 차를 너무 빨리 운전해요. 이 여성은 차를 운전해요. 그녀의 차는 큰 소리를 내요. 그녀는 밤에 운전해요. 그녀는 도시를 지켜요.

7. What is the passage about?

(A) a job
(B) a noise
(C) a bad person

해석 무엇에 관한 지문인가?

(A) 직업
(B) 소음
(C) 나쁜 사람

유형 전체 내용 파악

풀이 나쁜 사람들을 잡고, 소리 나는 차를 몰며, 도시를 지키는 등 전반적으로 여자의 직업을 묘사하고 있다. 따라서 (A)가 정답이다.

8. Who is she?

(A) a scientist
(B) an astronaut
(C) a police officer

해석 그녀는 누구인가?

(A) 과학자
(B) 우주 비행사
(C) 경찰관

유형 추론하기

풀이 특별한 옷을 입고, 나쁜 사람들을 잡으며, 타고 다니는 차가 소리가 나고, 도시를 지키는 사람은 바로 경찰관이다. 따라서 (C)가 정답이다.

9. What bad things do people do?

(A) hit others
(B) save people
(C) wear special clothes

해석 사람들이 어떤 나쁜 행동을 하는가?

(A) 다른 사람 때리기
(B) 사람들 구조하기
(C) 특별한 옷 입기

유형 세부 내용 파악

풀이 사람들이 하는 나쁜 일에는 다른 사람을 때리는 행동('people hit others')이 있다고 했으므로 (A)가 정답이다. (B)는 '[...] She protects the town.'에서 확인할 수 있는 내용이므로 오답이다.

10. What is NOT true about the woman?

(A) She drives fast.
(B) She helps the town.
(C) She has a noisy car.

해석 여자에 관해 옳지 않은 설명은 무엇인가?

(A) 운전을 빨리한다.
(B) 도시를 돕는다.
(C) 시끄러운 차를 갖고 있다.

유형 세부 내용 파악

풀이 운전을 너무 빨리 하는 행동('people drive cars too fast')은 사람들이 하는 나쁜 일에 해당하는 것이므로 (A)가 정답이다. (B)의 경우, 여자가 나쁜 사람들을 붙잡고 도시를 지키는 것은 도시를 돕는 행위라 할 수 있으므로 오답이다.

Listening Practice
PS3-1 p.16

This woman wears special clothes. She catches bad people. Sometimes people do bad things. Sometimes people hit others. Sometimes people steal things. Sometimes people drive cars too fast. This woman drives a car. Her car has a loud sound. She drives at night. She protects the town.

1. Sometimes
2. steal
3. drive
4. loud

Writing Practice
p.17

1. sometimes
2. steal
3. drive
4. loud

Summary

There is a police officer. She drives at night. She helps people.

경찰관이 있어요. 그녀는 밤에 운전해요. 그녀는 사람들을 도와요.

Word Puzzle
p.18

C	F	N	C	S	S	A	V	X	C	T	U	V	Q	H
H	L	D	E	N	O	N	D	S	V	R	Q	M	Z	J
K	P	V	F	M	M	V	S	R	E	S	U	N	D	P
X	I	K	Q	X	E	N	H	J	E	T	I	F	H	G
Y	D	S	R	I	T	J	B	F	S	E	O	Q	Z	N
U	J	D	G	U	I	I	R	H	P	A	O	A	N	X
Z	A	L	I	B	M	D	L	U	M	L	E	T	F	K
D	M	O	H	U	E	D	T	L	E	R	A	J	T	R
S	F	S	T	M	S	B	Q	U	K	R	B	J	L	Y
L	D	E	A	R	L	H	A	Z	O	U	W	D	T	B
B	R	C	V	P	W	Y	L	L	O	U	D	P	J	I
P	Z	K	F	D	H	E	Y	K	O	G	B	B	B	K
W	B	V	R	Y	U	Q	V	E	D	D	R	I	V	E
K	E	E	E	M	R	C	F	J	I	V	B	F	V	R
T	B	K	N	R	B	Q	S	Z	Y	C	K	R	Y	P

1. sometimes
2. steal
3. drive
4. loud

Unit 2 | Zoe Likes Korea p.19

Part A. Spell the Words				p.21
1 (A)	2 (A)			
Part B. Situational Writing				p.21
3 (C)	4 (B)			
Part C. Practical Reading and Retelling				p.22
5 (B)	6 (B)			
Part D. General Reading and Retelling				p.23
7 (A)	8 (A)	9 (C)	10 (A)	
Listening Practice				p.24
1 Canada	2 Mexico			
3 Korea	4 islands			
Writing Practice				p.25
1 Canada	2 Mexico			
3 Korea	4 island			
Summary lives				
Word Puzzle				p.26
1 Canada	2 Mexico			
3 Korea	4 island			

Pre-reading Questions p.19

What country do you want to visit?

어떤 나라를 방문하고 싶나요?

Reading Passage p.20

Zoe Likes Korea

Zoe lives in Korea. Zoe's father is from Canada. He is Canadian. Zoe's mother is from Mexico. She is Mexican. But now Zoe's family lives in Korea. Zoe goes to a Korean school. Zoe speaks Korean really well. Zoe loves Korean islands. She wants to go to Jeju Island. Zoe's friend is Mina. Mina likes Mexico. But Zoe likes Korea the best.

Zoe는 한국을 좋아해요

Zoe는 한국에 살아요. Zoe의 아버지는 캐나다에서 왔어요. 그는 캐나다인이에요. Zoe의 어머니는 멕시코에서 왔어요. 그녀는 멕시코인이에요. 하지만 지금 Zoe의 가족은 한국에 살아요. Zoe는 한국 학교에 다녀요. Zoe는 한국어를 아주 잘해요. Zoe는 한국 섬들을 아주 좋아해요. 그녀는 제주도에 가고 싶어요. Zoe의 친구는 Mina예요. Mina는 멕시코를 좋아해요. 하지만 Zoe는 한국을 가장 좋아해요.

어휘 Korea 한국 | be from ~에서 왔다, ~ 출신이다 | Canada 캐나다 | Canadian 캐나다인(의) | Mexico 멕시코 | Mexican 멕시코인(의) | live 살다 | speak 말하다 | well 잘 | island 섬 | best 가장 | north 북쪽 | south 남쪽 | America 아메리카 | Europe 유럽 | Africa 아프리카 | Asia 아시아 | Australia 호주 | world 세계 | map 지도 | sea 바다 | globe 지구본 | learn 배우다 | Spanish 스페인어

Comprehension Questions p.21

1. is̲land
   (A) s
   (B) l
   (C) r

풀이 사면이 바다로 둘러싸인 섬이다. '섬'은 영어로 'island'이므로 (A)가 정답이다.

새겨 두기 's'는 발음하지 않는다는 점에 주의한다.

관련 문장 Zoe loves Korean islands.

2. Ko̲rea
   (A) o
   (B) i
   (C) a

풀이 한국의 국기인 태극기 그림이다. 한국은 영어로 'Korea'이므로 (A)가 정답이다.

관련 문장 But now Zoe's family lives in Korea. [...] Zoe likes Korea the best.

3. Zoe's father is Canadian.

(A) Canada
(B) Mexican
(C) Canadian

해석 Zoe의 아버지는 캐나다인이다.

(A) 캐나다
(B) 멕시코인(의)
(C) 캐나다인(의)

풀이 단풍잎이 그려진 캐나다 국기를 들고 있다. 따라서 (C)가 정답이다. (A)는 'Canada'가 국가 '캐나다'를 의미하므로 오답이다. 'Canada'는 'Zoe's father is from Canada.'와 같은 문장에서 사용될 수 있다는 점에 유의한다.

관련 문장 Zoe's father is from Canada. He is Canadian.

4. Zoe's friend likes Mexico.

(A) Korea
(B) Mexico
(C) Canada

해석 Zoe의 친구는 멕시코를 좋아한다.

(A) 한국
(B) 멕시코
(C) 캐나다

풀이 멕시코 지도와 국기가 나와 있으므로 (B)가 정답이다.

관련 문장 Zoe's friend is Mina. Mina likes Mexico.

[5-6]

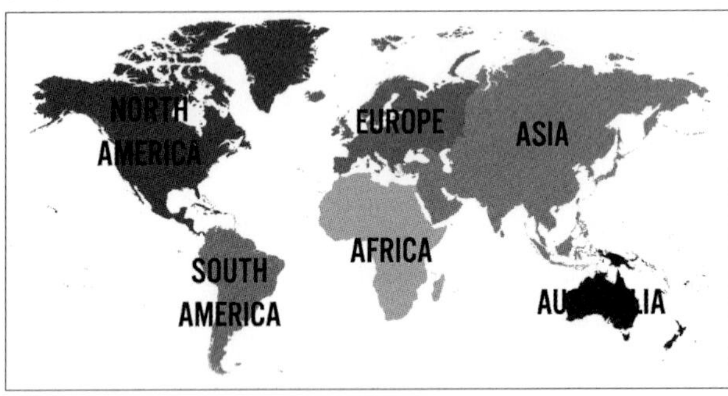

해석

북아메리카	유럽	아시아
남아메리카	아프리카	호주

5. What is this?

(A) World sea
(B) World map
(C) World globe

해석 이것은 무엇인가?

(A) 세계 바다
(B) 세계 지도
(C) 세계 지구본

풀이 해당 그림은 아시아, 유럽, 아프리카, 아메리카 등 지구 전역을 표현한 세계 지도이다. 따라서 (B)가 정답이다.

6. What color is Asia?

(A) red
(B) green
(C) yellow

해석 아시아는 무슨 색깔인가?

(A) 빨간색
(B) 초록색
(C) 노란색

풀이 'ASIA'(아시아)는 초록색으로 색칠되어 있으므로 (B)가 정답이다.

[7-10]

Zoe lives in Korea. Zoe's father is from Canada. He is Canadian. Zoe's mother is from Mexico. She is Mexican. But now Zoe's family lives in Korea. Zoe goes to a Korean school. Zoe speaks Korean really well. Zoe loves Korean islands. She wants to go to Jeju Island. Zoe's friend is Mina. Mina likes Mexico. But Zoe likes Korea the best.

해석

Zoe는 한국에 살아요. Zoe의 아버지는 캐나다에서 왔어요. 그는 캐나다인이에요. Zoe의 어머니는 멕시코에서 왔어요. 그녀는 멕시코인이에요. 하지만 지금 Zoe의 가족은 한국에 살아요. Zoe는 한국 학교에 다녀요. Zoe는 한국어를 아주 잘해요. Zoe는 한국 섬들을 아주 좋아해요. 그녀는 제주도에 가고 싶어요. Zoe의 친구는 Mina예요. Mina는 멕시코를 좋아해요. 하지만 Zoe는 한국을 가장 좋아해요.

7. What is the best title?

(A) Zoe Likes Korea
(B) Zoe Goes to Jeju
(C) Zoe's Friend Mina

해석 가장 알맞은 제목은 무엇인가?

(A) Zoe는 한국을 좋아한다
(B) Zoe가 제주도에 가다
(C) Zoe의 친구 Mina

유형 전체 내용 파악

풀이 Zoe가 한국 학교에 다니며 한국어도 잘하고, 한국의 섬을 좋아하며 제주도에 가고 싶어 한다고 차례대로 밝히고 있다. 더욱이 마지막에 'Zoe likes Korea the best.'(Zoe는 한국을 가장 좋아한다.)라고 언급하고 있다. 따라서 중심 내용은 '한국을 좋아하는 Zoe'이므로 (A)가 정답이다. (C)는 글의 전체 내용이 아니라 일부만을 반영하는 제목이므로 오답이다.

8. Where does Zoe's mother live now?

   (A) in Korea
   (B) in Mexico
   (C) in Canada

해석 Zoe의 어머니는 지금 어디에 사는가?

   (A) 한국에서
   (B) 멕시코에서
   (C) 캐나다에서

유형 세부 내용 파악 & 추론하기

풀이 'Zoe's family lives in Korea.'에서 Zoe의 가족이 한국에 산다고 했으므로 (A)가 정답이다. (B)는 Zoe의 어머니가 멕시코 출신이라는 말이 나오지만 현재 살고 있는 나라는 한국이므로 오답이다.

9. What is true about Zoe?

   (A) She is learning Spanish.
   (B) She lives in Canada now.
   (C) She goes to a Korean school.

해석 Zoe에 관해 옳은 설명은 무엇인가?

   (A) 스페인어를 배우고 있다.
   (B) 지금 캐나다에 살고 있다.
   (C) 한국 학교에 다닌다.

유형 세부 내용 파악

풀이 'Zoe goes to a Korean school.'에서 Zoe가 한국 학교에 다닌다고 했으므로 (C)가 정답이다. (B)는 Zoe가 한국에 살고 있으므로 오답이다.

10. Where does Zoe want to go?

   (A) to an island
   (B) to Mina's house
   (C) to a Spanish school

해석 Zoe는 어디에 가고 싶어 하는가?

   (A) 섬에
   (B) Mina의 집에
   (C) 스페인 학교에

유형 세부 내용 파악

풀이 'She wants to go to Jeju Island.'에서 Zoe가 제주도에 가고 싶어 한다는 사실을 알 수 있다. 제주도는 섬이므로 (A)가 정답이다.

Listening Practice

PS3-2 p.24

Zoe lives in Korea. Zoe's father is from Canada. He is Canadian. Zoe's mother is from Mexico. She is Mexican. But now Zoe's family lives in Korea. Zoe goes to a Korean school. Zoe speaks Korean really well. Zoe loves Korean islands. She wants to go to Jeju Island. Zoe's friend is Mina. Mina likes Mexico. But Zoe likes Korea the best.

1. Canada
2. Mexico
3. Korea
4. islands

Writing Practice

p.25

1. Canada
2. Mexico
3. Korea
4. island

Summary

Zoe's father is Canadian. Zoe's mother is Mexican. Zoe's family lives in Korea. Zoe's friend is Mina.

Zoe의 아버지는 캐나다인이에요. Zoe의 어머니는 멕시코인이에요. Zoe의 가족은 한국에 살아요. Zoe의 친구는 Mina예요.

Word Puzzle p.26

X	A	P	X	X	E	I	M	G	H	U	Q	E	M	T
D	R	X	Q	O	W	X	G	L	S	V	G	I	L	Y
I	R	Z	Y	F	M	Y	R	E	C	V	H	N	Z	K
V	A	S	P	X	G	D	J	U	Z	R	B	M	T	O
I	Z	O	T	K	Y	J	E	V	Y	Q	N	E	T	R
Z	D	Q	B	W	F	B	J	D	Z	M	Z	X	S	E
D	T	C	E	J	H	A	M	W	U	U	E	I	R	A
F	M	V	G	Z	S	C	S	K	E	J	G	C	Q	N
P	F	X	B	F	L	M	J	O	H	W	W	O	Z	C
V	B	H	T	L	J	A	L	C	W	K	B	S	G	A
X	A	B	Q	O	U	J	W	A	V	J	O	L	P	N
O	H	W	T	U	V	X	R	H	Z	P	N	O	T	A
H	S	O	Q	C	V	Z	I	U	O	A	G	Y	F	D
X	P	Q	L	P	C	D	G	E	C	I	Z	Z	R	A
R	T	B	I	S	L	A	N	D	I	H	V	G	Q	Z

1. Canada
2. Mexico
3. Korea
4. island

Unit 3 | Kari's Neighbor p.27

Part A. Spell the Words p.29

1 (B) 2 (A)

Part B. Situational Writing p.29

3 (B) 4 (C)

Part C. Practical Reading and Retelling p.30

5 (B) 6 (B)

Part D. General Reading and Retelling p.31

7 (C) 8 (A) 9 (C) 10 (C)

Listening Practice p.32

1 neighbor 2 kind
3 funny 4 laughs

Writing Practice p.33

1 neighbor 2 kind
3 funny 4 laugh
Summary neighbor

Word Puzzle p.34

1 neighbor 2 kind
3 funny 4 laugh

Pre-reading Questions p.27

Who are your neighbors?
여러분의 이웃들은 누구인가요?

Reading Passage p.28

Kari's Neighbor

Mr. Conti is Kari's neighbor. He lives next door. So his house is next to Kari's house. Kari likes Mr. Conti. He is very kind. Is Kari hungry? Mr. Conti gives Kari food. And he is funny. He tells great jokes. He tells a story. Then Kari laughs.

Kari의 이웃

Conti 씨는 Kari의 이웃이에요. 그는 옆집에 살아요. 그래서 그의 집은 Kari의 집 옆에 있어요. Kari는 Conti 씨가 좋아요. 그는 매우 친절해요. Kari가 배고픈가요? Conti 씨는 Kari에게 음식을 줘요. 그리고 그는 재밌어요. 그는 훌륭한 농담을 말해줘요. 그는 이야기를 해요. 그러면 Kari는 웃어요.

어휘 neighbor 이웃 | next door 옆집(방)에 | house 집 | kind 친절한 | hungry 배고픈 | give A B A에게 B를 주다 | funny 재밌는 | great 훌륭한 | joke 농담 | story 이야기 | laugh (at) (~에) 웃다 | sad 슬픈 | long 긴 | shy 수줍어하는 | quiet 조용한 | a lot 많이 | pet 반려동물 | next to ~의 옆에 | behind ~의 뒤에 | in front of ~의 앞에 | scary 무서운 | mean 인색한; 못된 | street 거리

Comprehension Questions p.29

1. neigh<u>gh</u>bor

(A) ch
(B) gh
(C) sh

풀이 그림에서 악수하는 이웃의 모습이 나오고 있다. '이웃'은 영어로 'neighbor'이므로 (B)가 정답이다.

새겨 두기 'gh'는 발음하지 않는다는 점에 주의한다.

관련 문장 Mr. Conti is Kari's neighbor. He lives next door.

2. la<u>ugh</u>

(A) u
(B) o
(C) a

풀이 그림에서 아이들이 배를 잡고 웃고 있다. '웃다'는 영어로 'laugh'이므로 (A)가 정답이다.

새겨 두기 'gh'가 /f/로 발음된다는 점에 주의한다.

관련 문장 He tells great jokes. [...] Then Kari laughs.

3. Mr. Conti is <u>kind</u>.

(A) bad
(B) kind
(C) mean

해석 Conti 씨는 <u>친절하다</u>.

(A) 나쁜
(B) 친절한
(C) 못된

풀이 남자가 노인을 돕고 있다. 남을 돕는 사람은 친절한 사람이므로 (B)가 정답이다.

관련 문장 Kari likes Mr. Conti. He is very kind.

4. Mr. Conti reads a <u>funny</u> story.

(A) sad
(B) long
(C) funny

해석 Conti 씨가 <u>재밌는</u> 이야기를 읽는다.

(A) 슬픈
(B) 긴
(C) 재밌는

풀이 남자가 책을 읽으며 웃고 있다. 재밌는 이야기를 읽으면 웃을 수 있으므로 (C)가 정답이다.

관련 문장 And he is funny. He tells great jokes. He tells a story.

5-6]

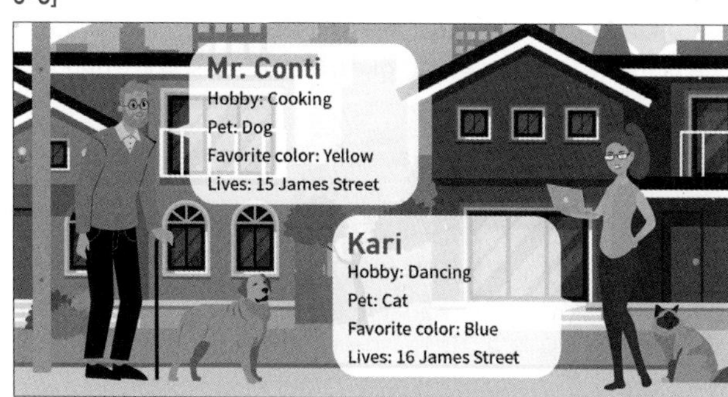

해석

Conti 씨	Kari
취미: 요리하기	취미: 춤추기
반려동물: 개	반려동물: 고양이
특히 좋아하는 색: 노란색	특히 좋아하는 색: 파란색
사는 곳: James 거리 15번지	사는 곳: James 거리 16번지

5. Where does Mr. Conti live?

(A) 14 James Street
(B) 15 James Street
(C) 16 James Street

해석 Conti 씨는 어디에 사는가?

(A) James Street 14번지
(B) James Street 15번지
(C) James Street 16번지

풀이 Conti 씨는 '15 James Street'에 산다고 나와 있으므로 (B)가 정답이다. (C)는 Kari가 사는 곳이므로 오답이다.

6. What is true about Kari?

(A) She has a dog.
(B) She likes dancing.
(C) She loves yellow best.

해석 Kari에 관해 옳은 설명은 무엇인가?

(A) 개가 있다.
(B) 춤추는 것을 좋아한다.
(C) 노란색을 특히 좋아한다.

풀이 Kari의 취미가 'Dancing'(춤추기)이라고 나와 있으므로 (B)가 정답이다. (A)와 (C)는 Conti 씨에 해당하는 설명이므로 오답이다.

[7-10]

Mr. Conti is Kari's neighbor. He lives next door. So his house is next to Kari's house. Kari likes Mr. Conti. He is very kind. Is Kari hungry? Mr. Conti gives Kari food. And he is funny. He tells great jokes. He tells a story. Then Kari laughs.

해석

Conti 씨는 Kari의 이웃이에요. 그는 옆집에 살아요. 그래서 그의 집은 Kari의 집 옆에 있어요. Kari는 Conti 씨가 좋아요. 그는 매우 친절해요. Kari가 배고픈가요? Conti 씨는 Kari에게 음식을 줘요. 그리고 그는 재밌어요. 그는 훌륭한 농담을 말해줘요. 그는 이야기를 해요. 그러면 Kari는 웃어요.

7. What is the best title?

(A) Kari Gets a Pet
(B) Welcome to Kari's House
(C) Kari's Next Door Neighbor

해석 가장 알맞은 제목은 무엇인가?

(A) Kari에게 반려동물이 생기다
(B) Kari의 집에 오신 걸 환영합니다
(C) Kari의 옆집 이웃

유형 전체 내용 파악

풀이 Conti 씨는 Kari의 옆집에 살며, 친절하고 재밌는 사람이라고 소개하고 있다. 즉, 전반적으로 Kari의 이웃인 Conti 씨에 관해 이야기하고 있으므로 (C)가 정답이다.

8. Where does Mr. Conti live?

(A) next to Kari's house
(B) behind Kari's house
(C) in front of Kari's house

해석 Conti 씨는 어디에 사는가?

(A) Kari 집 옆에
(B) Kari 집 뒤에
(C) Kari 집 앞에

유형 세부 내용 파악

풀이 Conti 씨가 Kari의 옆집에 사는 이웃이라고 했으므로 (A)가 정답이다.

9. What is Mr. Conti like?

(A) He is shy.
(B) He is scary.
(C) He is funny.

해석 Conti 씨는 어떤 사람인가?

(A) 수줍음을 탄다.
(B) 무섭다.
(C) 재밌다.

유형 세부 내용 파악

풀이 Conti 씨는 농담을 잘하고 재밌는 사람('he is funny')이라고 했으므로 (C)가 정답이다.

10. What does Kari do?

(A) cook for Mr. Conti
(B) tell Mr. Conti jokes
(C) laugh at Mr. Conti's stories

해석 Kari는 무엇을 하는가?

(A) Conti 씨를 위해 요리한다
(B) Conti 씨에게 농담을 말한다
(C) Conti 씨의 이야기에 웃는다

유형 세부 내용 파악

풀이 Conti 씨가 이야기하면 Kari가 웃는다고 했으므로 (C)가 정답이다. (B)의 경우, 'tell jokes'는 Conti 씨가 Kari에게 하는 행동이므로 오답이다.

새겨 두기 'Mr. Conti gives Kari food. And he is funny. He tells great jokes. He tells a story. Then Kari laughs.' 문장에서 대명사 'he'가 'Mr. Conti'를 가리킨다는 점을 확실히 알아두도록 한다.

Listening Practice ▶PS3-3 p.32

Mr. Conti is Kari's neighbor. He lives next door. So his house is next to Kari's house. Kari likes Mr. Conti. He is very kind. Is Kari hungry? Mr. Conti gives Kari food. And he is funny. He tells great jokes. He tells a story. Then Kari laughs.

1. neighbor
2. kind
3. funny
4. laughs

Writing Practice p.33

1. neighbor
2. kind
3. funny
4. laugh

Summary

Mr. Conti is Kari's next door neighbor. Mr. Conti is very kind and funny.

Conti 씨는 Kari의 옆집 이웃이에요. Conti 씨는 매우 친절하고 재밌어요.

Word Puzzle p.34

J	S	I	T	S	Y	T	E	T	N	R	I	B	G	V
V	L	L	V	F	I	N	X	J	U	V	N	B	L	Q
L	S	M	O	R	I	Y	Q	F	I	P	D	K	K	N
B	U	Z	X	Q	F	Z	N	Y	W	O	L	H	K	M
K	E	C	R	H	D	S	G	W	K	U	G	U	B	I
W	N	C	V	H	O	O	Z	W	M	B	T	B	N	S
J	C	E	X	W	Z	T	N	U	Q	M	U	X	N	W
Y	U	N	L	I	J	X	E	W	S	U	P	B	L	N
Y	P	F	O	E	I	T	I	M	U	L	F	G	H	D
H	A	J	H	P	I	T	G	F	Q	O	B	Z	L	J
E	Q	Y	H	M	K	D	H	C	S	T	P	E	Y	T
N	J	P	Z	N	K	P	B	S	H	L	F	L	S	T
R	N	N	Q	Q	I	G	O	B	F	U	N	N	Y	P
D	K	K	K	L	N	D	R	O	U	Q	A	P	G	X
A	H	W	K	M	D	J	C	H	Z	L	A	U	G	H

1. neighbor
2. kind
3. funny
4. laugh

Unit 4 | Anna and Hennie p.35

Part A. Spell the Words p.37

1 (C) 2 (A)

Part B. Situational Writing p.37

3 (B) 4 (B)

Part C. Practical Reading and Retelling p.38

5 (A) 6 (C)

Part D. General Reading and Retelling p.39

7 (C) 8 (A) 9 (A) 10 (B)

Listening Practice p.40

1 younger 2 older
3 curly 4 brown

Writing Practice p.41

1 curly 2 old
3 young 4 brown
Summary friends

Word Puzzle p.42

1 curly 2 old
3 young 4 brown

Pre-reading Questions p.35

What color is your hair?
What color are your eyes?

여러분의 머리카락은 무슨 색인가요?
여러분의 눈은 무슨 색인가요?

Reading Passage p.36

Anna and Hennie

Anna and Hennie are nine years old. They are best friends. Anna has one younger brother. Hennie has two older sisters. Anna and Hennie have curly hair. But Anna's hair is long. And Hennie's hair is short. Anna's hair is brown. Hennie's hair is black. On Saturday they wear nice clothes. They are in the school concert!

Anna와 Hennie

Anna와 Hennie는 9살이에요. 그들은 가장 친한 친구예요. Anna는 남동생이 한 명 있어요. Hennie는 언니가 두 명 있어요. Anna와 Hennie는 곱슬머리예요. 하지만 Anna의 머리는 길어요. 그리고 Hennie의 머리는 짧아요. Anna의 머리는 갈색이에요. Hennie의 머리는 검은색이에요. 토요일에 그들은 멋진 옷을 입어요. 그들은 학교 연주회에 있어요!

어휘 be ~ years old ~살이다 | best friend 가장 친한 친구, 단짝 | younger 더 어린 | brother 남동생, 형, 오빠 | older 더 나이 많은 | sister 여동생, 누나, 언니 | curly 곱슬곱슬한 | hair 머리(카락) | long 긴 | short 짧은; 키가 작은 | brown 갈색(의) | black 검은색(의) | Saturday 토요일 | wear 입고 있다 | nice 멋진 | clothes 옷 | concert 연주회, 콘서트 | straight 곧은 | purple 보라색(의) | shirt 셔츠 | tall 키가 큰 | slim 날씬한 | large 큰 | large family 대가족 | trip 여행 | picture 사진 | day 하루, 날; 요일

Comprehension Questions p.37

1. curly
   (A) a
   (B) e
   (C) u

풀이 머리가 곱슬인 아이의 모습이다. '곱슬곱슬한'은 영어로 'curly'이므로 (C)가 정답이다.

관련 문장 Anna and Hennie have curly hair.

2. concert
   (A) c
   (B) s
   (C) k

풀이 아이들이 무대에서 악기를 연주하며 연주회를 열고 있다. '연주회, 콘서트'는 영어로 'concert'이므로 (A)가 정답이다.

새겨 두기 'concert'에서 첫 번째 'c'와 두 번째 'c'가 발음이 다르다는 점에 유의한다.

관련 문장 On Saturday they wear nice clothes. They are in the school concert!

3. Hennie has two sisters.
   (A) dogs
   (B) sisters
   (C) brothers

해석 Hennie는 여자 형제가 두 명이 있다.
(A) 개들
(B) 여자 형제(들)
(C) 남자 형제(들)

풀이 소파에 여자 두 명이 앉아 있다. 따라서 (B)가 정답이다.

관련 문장 Hennie has two older sisters.

4. Anna has brown hair.
   (A) red
   (B) brown
   (C) purple

해석 Anna는 갈색 머리를 갖고 있다.
(A) 빨간색의
(B) 갈색의
(C) 보라색의

풀이 소녀의 머리가 갈색이므로 (B)가 정답이다.

관련 문장 Anna's hair is brown.

[5-6]

해석

Jimmy Charlie

5. What is true about Jimmy?
   (A) He is short.
   (B) He has straight hair.
   (C) He wears a purple shirt.

해석 Jimmy에 관해 옳은 설명은 무엇인가?
(A) 키가 작다.
(B) 머리가 생머리이다.
(C) 보라색 셔츠를 입고 있다.

풀이 Jimmy가 Charlie보다 키가 작으므로 (A)가 정답이다. 나머지 선택지의 경우, Jimmy는 주황색 셔츠를 입고 있으며 머리는 곱슬머리이므로 오답이다.

6. What is NOT true about Charlie?

(A) He is tall.
(B) He is slim.
(C) He has black hair.

해석 Charlie에 관해 옳지 않은 설명은 무엇인가?

(A) 키가 크다.
(B) 날씬하다.
(C) 머리가 검은색이다.

풀이 Charlie의 머리 색깔은 갈색이므로 (C)가 정답이다. 나머지 선택지의 경우, Charlie는 Jimmy보다 키가 크고 날씬하므로 오답이다.

[7-10]

Anna and Hennie are nine years old. They are best friends. Anna has one younger brother. Hennie has two older sisters. Anna and Hennie have curly hair. But Anna's hair is long. And Hennie's hair is short. Anna's hair is brown. Hennie's hair is black. On Saturday they wear nice clothes. They are in the school concert!

해석

Anna와 Hennie는 9살이에요. 그들은 가장 친한 친구예요. Anna는 남동생이 한 명 있어요. Hennie는 언니가 두 명 있어요. Anna와 Hennie는 곱슬머리예요. 하지만 Anna의 머리는 길어요. 그리고 Hennie의 머리는 짧아요. Anna의 머리는 갈색이에요. Hennie의 머리는 검은색이에요. 토요일에 그들은 멋진 옷을 입어요. 그들은 학교 연주회에 있어요!

7. What is the best title?

(A) A Large Family
(B) Three Brothers
(C) Two Best Friends

해석 가장 알맞은 제목은 무엇인가?

(A) 대가족
(B) 삼형제
(C) 두 명의 단짝

유형 전체 내용 파악

풀이 두 단짝 친구인 Anna와 Hennie에 관해 나이, 형제, 머리카락 모양, 길이, 색깔 등을 설명하고 있다. 따라서 본문의 주제는 단짝 친구 Anna와 Hennie이므로 (C)가 정답이다.

8. What is true about Anna?

(A) She has curly hair.
(B) She is ten years old.
(C) She has a younger sister.

해석 Anna에 관해 옳은 설명은 무엇인가?

(A) 곱슬머리이다.
(B) 10살이다.
(C) 여동생이 한 명 있다.

유형 세부 내용 파악

풀이 'Anna and Hennie have curly hair.'라고 했으므로 Anna가 곱슬머리임을 알 수 있다. 따라서 (A)가 정답이다. (B)의 경우, Anna는 9살이므로 오답이다.

9. What is NOT true about Hennie?

(A) She has long hair.
(B) She is nine years old.
(C) She has two older sisters.

해석 Hennie에 관해 옳지 않은 설명은 무엇인가?

(A) 머리가 길다.
(B) 9살이다.
(C) 언니가 두 명 있다.

유형 세부 내용 파악

풀이 'And Hennie's hair is short.'에서 Hennie의 머리가 길지 않고 짧다는 사실을 알 수 있으므로 (A)가 정답이다.

10. What happens on Saturday?

(A) a school trip
(B) a school concert
(C) a school picture day

해석 토요일에 무슨 일이 있는가?

(A) 학교 소풍
(B) 학교 연주회의 날
(C) 학교 사진의 날

유형 세부 내용 파악 & 추론하기

풀이 'On Saturday they wear nice clothes. They are in the school concert!'에서 토요일에 학교 연주회가 있다는 것을 짐작할 수 있으므로 (B)가 정답이다.

Listening Practice PS3-4 p.40

Anna and Hennie are nine years old. They are best friends. Anna has one younger brother. Hennie has two older sisters. Anna and Hennie have curly hair. But Anna's hair is long. And Hennie's hair is short. Anna's hair is brown. Hennie's hair is black. On Saturday they wear nice clothes. They are in the school concert!

1. younger
2. older
3. curly
4. brown

Writing Practice p.41

1. curly
2. old
3. young
4. brown

Summary

Anna and Hennie are best friends. They are nine years old. They have curly hair. They are in a concert.

Anna와 Hennie는 가장 친한 친구예요. 그들은 9살이에요. 그들은 곱슬머리예요. 그들은 연주회에 있어요.

Word Puzzle p.42

A	K	B	O	E	D	X	R	K	V	C	G	D	W	Q
O	J	V	C	U	I	K	T	X	F	G	K	M	V	J
O	Z	G	U	O	U	H	N	U	Q	O	O	T	V	R
S	R	S	R	O	H	T	U	A	O	L	P	W	Y	D
Y	J	G	L	J	H	Z	N	D	M	D	R	S	X	O
Z	M	W	Y	H	R	K	M	C	L	I	Y	H	Y	I
Q	P	G	F	R	M	X	B	F	L	J	N	I	O	J
B	X	B	Z	P	H	C	L	H	R	D	H	E	U	T
R	N	X	R	M	H	B	B	M	H	C	G	B	N	N
Y	C	H	H	P	F	B	W	L	E	K	Z	V	G	N
X	K	J	Z	H	Z	R	P	L	I	C	H	P	I	V
P	A	S	V	U	V	O	V	O	C	Z	D	R	N	J
P	R	P	I	Y	E	W	X	U	Z	A	A	V	B	S
R	H	Z	K	L	P	N	O	E	D	I	E	Z	C	B
H	X	L	G	V	G	X	O	M	S	Y	D	U	P	I

1. curly
2. old
3. young
4. brown

Chapter Review p.43

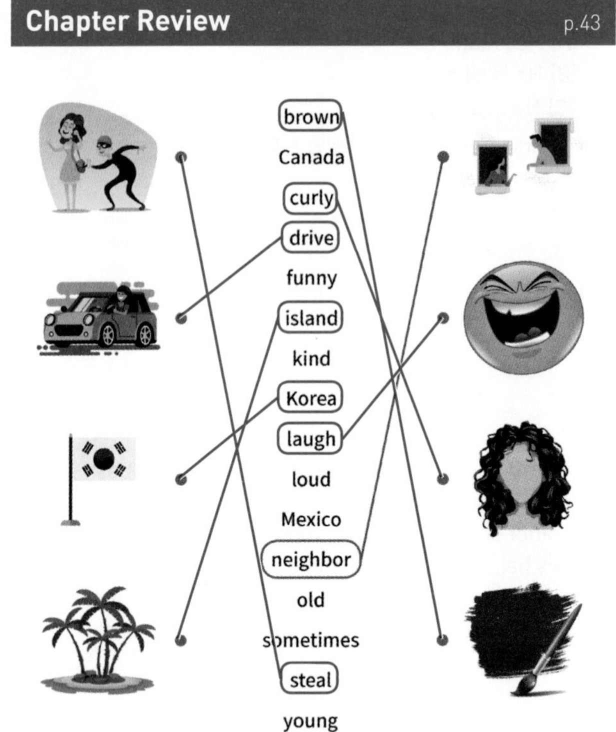

※ 학생의 생각에 따라 다양한 정답이 가능할 수 있습니다.

예)

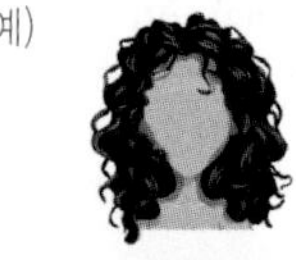

curly, brown, …

laugh, funny, loud, …

Chapter 2. Nature

Unit 5 | Paul and the Weather p.45

Part A. Spell the Words				p.47
1 (C)	2 (C)			

Part B. Situational Writing		p.47
3 (A)	4 (A)	

Part C. Practical Reading and Retelling		p.48
5 (B)	6 (A)	

Part D. General Reading and Retelling				p.49
7 (C)	8 (A)	9 (A)	10 (B)	

Listening Practice		p.50
1 bright	2 sun	
3 rainbow	4 colors	

Writing Practice		p.51
1 sun	2 rainbow	
3 bright	4 color	
Summary rainbow		

Word Puzzle		p.52
1 sun	2 rainbow	
3 bright	4 color	

Pre-reading Questions p.45

What is the weather like today?

오늘 날씨가 어떤가요?

Reading Passage p.46

Paul and the Weather

Paul likes sunny days. He likes bright days. But on Monday it rains. There are dark clouds in the sky. Paul can't go out. He hates rainy days. He sits at home. He waits for the sun. Then the rain stops! What is outside? Paul sees a rainbow. He sees many colors. Now he likes rainy days too.

Paul과 날씨

Paul은 화창한 날을 좋아해요. 그는 밝은 날을 좋아해요. 하지만 월요일에 비가 내려요. 하늘에 먹구름들이 있어요. Paul은 밖으로 나갈 수 없어요. 그는 비 오는 날을 싫어해요. 그는 집에 앉아 있어요. 그는 해를 기다려요. 그러더니 비가 멈춰요! 밖에는 무엇이 있나요? Paul은 무지개를 봐요. 그는 많은 색깔을 봐요. 이제 그는 비 오는 날도 좋아요.

어휘 sunny 화창한 | bright 밝은 | Monday 월요일 | rain 비 내리다 | dark 어두운 | cloud 구름 | sky 하늘 | go out 밖으로 나가다 | rainy 비가 오는 | sit 앉다 | at home 집에 | wait for ~를 기다리다 | sun 태양 | stop 멈추다 | outside 밖에 | see 보다 | rainbow 무지개 | many 많은 | color 색깔 | now 이제, 지금 | name 이름 | snow 눈이 내리다 | thunder 천둥이 치다 | snowy 눈이 오는 | weather 날씨 | star 별

Comprehension Questions p.47

1. cloud
   (A) oi
   (B) au
   (C) ou

풀이 하늘에 떠 있는 구름이다. 구름은 영어로 'cloud'이므로 (C)가 정답이다.

관련 문장 There are dark clouds in the sky.

2. sun
   (A) f
   (B) g
   (C) s

풀이 해가 웃고 있는 그림이다. '해, 태양'은 영어로 'sun'이므로 (C)가 정답이다.

관련 문장 He waits for the sun. Then the rain stops!

3. Rainbow has many colors.

(A) colors
(B) clouds
(C) names

해석 무지개는 많은 색깔을 갖고 있다.

(A) 색깔
(B) 구름
(C) 이름

풀이 비가 온 후에 뜨는 무지개이다. 무지개는 그림에서처럼 다양한 색을 갖고 있으므로 (A)가 정답이다.

관련 문장 Paul sees a rainbow. He sees many colors.

4. It rains on Monday.

(A) rains
(B) snows
(C) thunders

해석 월요일에 비가 온다.

(A) 비 오다
(B) 눈 오다
(C) 천둥 치다

풀이 우비를 입고 비를 맞고 있는 모습이다. 따라서 (A)가 정답이다.

관련 문장 But on Monday it rains. [...] He hates rainy days.

[5-6]

5. What is in the sky?

(A) sun
(B) clouds
(C) rainbow

해석 하늘에는 무엇이 있는가?

(A) 태양
(B) 구름
(C) 무지개

풀이 하늘에 먹구름이 잔뜩 있다. '구름'은 영어로 'cloud'이므로 (B)가 정답이다.

6. What is the weather like?

(A) rainy
(B) bright
(C) snowy

해석 날씨는 어떠한가?

(A) 비 오는
(B) 밝은
(C) 눈 오는

풀이 먹구름에서 거센 빗방울이 떨어지고 사람 한 명이 우산을 들고 있다. 따라서 (A)가 정답이다.

[7-10]

Paul likes sunny days. He likes bright days. But on Monday it rains. There are dark clouds in the sky. Paul can't go out. He hates rainy days. He sits at home. He waits for the sun. Then the rain stops! What is outside? Paul sees a rainbow. He sees many colors. Now he likes rainy days too.

해석

Paul은 화창한 날을 좋아해요. 그는 밝은 날을 좋아해요. 하지만 월요일에 비가 내려요. 하늘에 먹구름들이 있어요. Paul은 밖으로 나갈 수 없어요. 그는 비 오는 날을 싫어해요. 그는 집에 앉아 있어요. 그는 해를 기다려요. 그러더니 비가 멈춰요! 밖에는 무엇이 있나요? Paul은 무지개를 봐요. 그는 많은 색깔을 봐요. 이제 그는 비 오는 날도 좋아요.

7. What is the best title?

(A) Paul Goes Out
(B) Paul and His Books
(C) Paul and the Weather

해석 가장 알맞은 제목은 무엇인가?

(A) Paul이 외출하다
(B) Paul과 그의 책들
(C) Paul과 날씨

유형 전체 내용 파악

풀이 Paul이 화창한 날씨를 좋아하고, 비 오는 날씨를 싫어하다가 무지개 때문에 좋아한다는 등 전반적으로 Paul과 날씨에 관한 이야기를 하고 있다. 따라서 (C)가 정답이다.

8. How is the weather on Monday?

(A) rainy
(B) sunny
(C) snowy

해석 월요일에 날씨는 어떠한가?

(A) 비 오는
(B) 화창한
(C) 눈 오는

유형 세부 내용 파악

풀이 'But on Monday it rains.'에서 월요일에 비가 온다는 사실을 알 수 있다. 따라서 (A)가 정답이다.

9. Where is Paul?

(A) at home
(B) at school
(C) at the park

해석 Paul은 어디에 있는가?

(A) 집에
(B) 학교에
(C) 공원에

유형 세부 내용 파악

풀이 'Paul can't go out. He hates rainy days. He sits at home.'에서 비가 내려서 Paul이 밖으로 나가지 못하고 집에 앉아 있음을 알 수 있다. 따라서 (A)가 정답이다.

10. What does Paul see after the rain?

(A) the sun
(B) a rainbow
(C) some stars

해석 Paul은 비 온 후에 무엇을 보는가?

(A) 태양
(B) 무지개
(C) 별들

유형 세부 내용 파악

풀이 'He waits for the sun. Then the rain stops! What is outside? Paul sees a rainbow.'를 통해 Paul이 비가 그치고 난 뒤 무지개를 본다는 것을 알 수 있다. 따라서 (B)가 정답이다.

Listening Practice

PS3-5 p.50

Paul likes sunny days. He likes bright days. But on Monday it rains. There are dark clouds in the sky. Paul can't go out. He hates rainy days. He sits at home. He waits for the sun. Then the rain stops! What is outside? Paul sees a rainbow. He sees many colors. Now he likes rainy days too.

1. bright
2. sun
3. rainbow
4. colors

Writing Practice

p.51

1. sun
2. rainbow
3. bright
4. color

Summary

Paul likes sunny days. He hates rainy days. But then he sees a rainbow. Now he likes rainy days, too.

Paul은 화창한 날을 좋아해요. 그는 비 오는 날을 싫어해요. 하지만 그때 그는 무지개를 봐요. 이제 그는 비 오는 날도 좋아해요.

Word Puzzle

p.52

Q	J	W	N	J	N	F	S	P	X	N	S	Q	S	O
T	B	X	X	N	Z	L	X	M	P	K	X	Y	G	B
A	Y	I	A	H	Y	B	B	X	I	S	U	N	O	R
Q	N	U	C	C	Q	H	C	M	D	M	X	F	D	I
K	Q	H	O	K	Q	M	D	D	X	V	L	R	X	G
Y	R	E	L	P	A	J	D	E	U	D	U	J	M	H
N	K	S	O	C	B	N	X	N	S	C	L	V	P	T
S	V	O	R	A	I	N	B	O	W	I	G	Y	H	Z
N	H	V	H	V	A	J	Q	J	B	B	I	F	S	Q
R	J	Z	U	V	O	S	Q	V	U	H	P	B	J	Q
J	Q	G	E	F	S	J	W	F	D	E	K	B	S	I
Z	K	H	X	H	B	F	D	B	E	H	C	C	T	Z
L	N	F	X	Y	E	A	W	X	F	S	G	B	G	Y
R	X	K	W	Q	U	S	E	F	W	Y	B	F	F	L
F	V	A	M	Y	V	T	K	F	K	M	Q	J	K	S

1. sun
2. rainbow
3. bright
4. color

Unit 6 | What Bug Is It? p.53

Part A. Spell the Words p.55

1 (A) 2 (C)

Part B. Situational Writing p.55

3 (B) 4 (A)

Part C. Practical Reading and Retelling p.56

5 (A) 6 (A)

Part D. General Reading and Retelling p.57

7 (B) 8 (A) 9 (C) 10 (C)

Listening Practice p.58

1 spider 2 eggs
3 wings 4 butterfly

Writing Practice p.59

1 egg 2 spider
3 butterfly 4 wing
Summary ladybug

Word Puzzle p.60

1 egg 2 spider
3 butterfly 4 wing

Pre-reading Questions p.53

Do you like bugs?
Look at the picture. Name three bugs.

벌레를 좋아하나요?
그림을 보세요. 벌레 이름 3개를 대보세요.

Reading Passage p.54

What Bug Is It?

It is an insect. It is smaller than a spider. It can live one year. It is red with black spots. Its eggs are yellow or white. It has wings. So it can fly. It lives in grass. It also lives on leaves. It eats bad bugs. So people like it. It is not a butterfly. What is it?

그것은 무슨 벌레인가요?

그것은 곤충이에요. 거미보다 작아요. 그것은 1년 살 수 있어요. 그것은 검은 점이 있는 빨간색이에요. 그것의 알은 노란색이거나 흰색이에요. 그것은 날개가 있어요. 그래서 날 수 있어요. 잔디밭에서 살아요. 또 잎사귀 위에서도 살아요. 그것은 나쁜 벌레들을 먹어요. 그래서 사람들은 그것을 좋아해요. 그것은 나비가 아니에요. 그것은 무엇일까요?

어휘 spider 거미 | butterfly 나비 | tail 꼬리 | spot (반)점 | wing 날개 | insect 곤충 | smaller 더 작은 | than ~ 보다 | live 살다 | egg 알 | fly 날다 | grass 잔디 | also 또한 | leaves 잎들(leaf의 복수형) | bug 벌레 | mosquito 모기 | how long 얼마나 오래 | some 몇몇 | only 겨우; 오직 | bite 물다 | type 형(태) | blood 피 | ladybug 무당벌레 | ocean 바다, 해양 | swimming pool 수영장

Comprehension Questions p.55

1. spider
   (A) i
   (B) o
   (C) y

풀이 거미줄에 매달려 있는 거미의 모습이다. '거미'는 영어로 'spider'이므로 (A)가 정답이다.

관련 문장 It is smaller than a spider.

2. butterfly
   (A) th
   (B) dd
   (C) tt

풀이 나비의 모습이다. '나비'는 영어로 'butterfly'이므로 (C)가 정답이다.

관련 문장 It is not a butterfly.

3. It has black <u>spots</u>.
   (A) tails
   (B) spots
   (C) wings

해석 그것은 검은 <u>점들</u>을 갖고 있다.
   (A) 꼬리들
   (B) 점들
   (C) 날개들

풀이 빨간색 날개에 까만색 점이 있는 무당벌레이다. 따라서 (B)가 정답이다.

관련 문장 It is red with black spots.

4. There are many <u>bugs</u>.
   (A) bugs
   (B) leaves
   (C) flowers

해석 많은 <u>벌레들</u>이 있다.
   (A) 벌레들
   (B) 잎사귀들
   (C) 꽃들

풀이 여러 가지 곤충 및 벌레가 모여 있으므로 (A)가 정답이다.

관련 문장 It eats bad bugs.

[5-6]

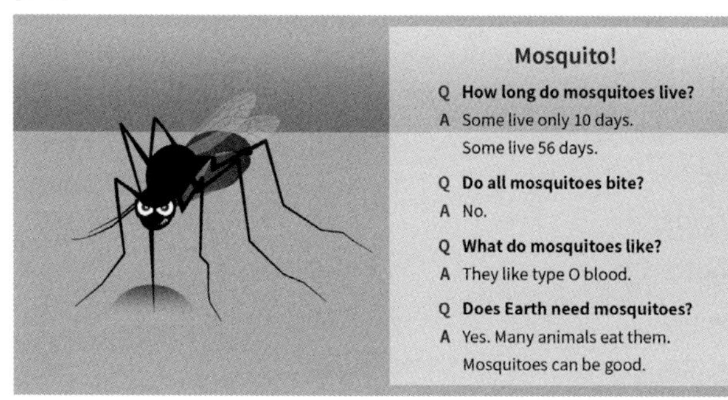

해석

모기!

Q 모기들은 얼마나 사는가?

A 어떤 것들은 겨우 10일만 산다.
어떤 것들은 56일 산다.

Q 모든 모기들이 무는가?

A 아니다.

Q 모기들은 무엇을 좋아하는가?

A O형 피를 좋아한다.

Q 지구에게 모기들이 필요한가?

A 그렇다. 많은 동물들이 그것들을 먹는다.
모기는 유익할 수 있다.

5. How long can some mosquitoes live?
   (A) 56 days
   (B) 100 days
   (C) 156 days

해석 어떤 모기들은 얼마나 오래 살 수 있는가?
   (A) 56일
   (B) 100일
   (C) 156일

풀이 'Some live 56 days.'에서 어떤 모기들은 56일 동안 살 수 있다고 했으므로 (A)가 정답이다.

6. What is NOT true about mosquitoes?
   (A) They all bite.
   (B) They like blood.
   (C) They can be good.

해석 모기에 관해 옳지 않은 설명은 무엇인가?
   (A) 그것들은 모두 문다.
   (B) 그것들은 피를 좋아한다.
   (C) 그것들은 유익할 수 있다.

풀이 'Do all mosquitoes bite?'라는 질문에 'No'라고 했으므로 모기가 모두 문다는 말은 잘못된 설명이라는 것을 알 수 있다. 따라서 (A)가 정답이다. (B)는 'They like type O blood.', (C)는 'Mosquitoes can be good.'에서 확인할 수 있는 내용으로 오답이다.

[7-10]

It is an insect. It is smaller than a spider. It can live one year. It is red with black spots. Its eggs are yellow or white. It has wings. So it can fly. It lives in grass. It also lives on leaves. It eats bad bugs. So people like it. It is not a butterfly. What is it?

해석

그것은 곤충이에요. 거미보다 작아요. 그것은 1년 살 수 있어요. 그것은 검은 점이 있는 빨간색이에요. 그것의 알은 노란색이거나 흰색이에요. 그것은 날개가 있어요. 그래서 날 수 있어요. 잔디밭에서 살아요. 또 잎사귀 위에서도 살아요. 그것은 나쁜 벌레들을 먹어요. 그래서 사람들은 그것을 좋아해요. 그것은 나비가 아니에요. 그것은 무엇일까요?

7. What is it?

(A) a spider
(B) a ladybug
(C) a mosquito

해석 그것은 무엇인가?

(A) 거미
(B) 무당벌레
(C) 모기

유형 추론하기

풀이 본문은 'it'의 특징을 나열하고 있는 글이다. 본문에 의하면 그것은 곤충이고, 검은 점이 있는 빨간색이며, 날 수 있고, 잔디나 잎에서 살고, 해충을 잡아먹는다. 이를 종합하면 그것이 무당벌레('ladybug')라는 사실을 추론할 수 있다. 따라서 (B)가 정답이다. (A)는 'It is smaller than a spider.'에서 거미보다 작다고 했으므로 오답이다.

8. Where does it live?

(A) in grass
(B) in the ocean
(C) in swimming pools

해석 그것은 어디에 사는가?

(A) 잔디밭에서
(B) 바다에서
(C) 수영장에서

유형 세부 내용 파악

풀이 'It lives in grass. It also lives on leaves.'에서 'it'이 잔디밭이나 잎사귀 위에서 산다는 사실을 알 수 있으므로 (A)가 정답이다.

9. Why do people like it?

(A) It cannot fly.
(B) It is very big.
(C) It eats bad bugs.

해석 사람들은 왜 그것을 좋아하는가?

(A) 그것은 날 수 없다.
(B) 그것은 매우 크다.
(C) 그것은 나쁜 벌레들을 먹는다.

유형 세부 내용 파악

풀이 'It eats bad bugs. So people like it.'에서 'it'이 나쁜 벌레를 잡아먹어서 사람들이 'it'을 좋아한다는 것을 알 수 있으므로 (C)가 정답이다.

10. What color are its eggs?

(A) red
(B) blue
(C) yellow

해석 그것의 알은 무슨 색인가?

(A) 빨간색
(B) 파란색
(C) 노란색

유형 세부 내용 파악

풀이 'Its eggs are yellow or white.'에서 그것의 알은 노란색 혹은 하얀색이라고 했으므로 (C)가 정답이다. (A)는 그것의 몸통 색깔이므로 오답이다.

Listening Practice

PS3-6 p.58

It is an insect. It is smaller than a spider. It can live one year. It is red with black spots. Its eggs are yellow or white. It has wings. So it can fly. It lives in grass. It also lives on leaves. It eats bad bugs. So people like it. It is not a butterfly. What is it?

1. spider
2. eggs
3. wings
4. butterfly

Writing Practice

p.59

1. egg
2. spider
3. butterfly
4. wing

Summary

A ladybug is smaller than a spider. It is red with black spots. It has wings.

무당벌레는 거미보다 작아요. 그것은 검은 점이 있는 빨간색이에요. 그것은 날개가 있어요.

Word Puzzle
p.60

E	F	I	P	F	B	H	C	L	I	T	O	T	B	A
U	N	L	E	U	Q	R	Q	U	O	Y	L	Q	L	M
Q	L	L	I	M	B	K	G	N	F	E	D	C	Y	D
V	C	L	O	S	E	R	K	Q	E	F	I	Y	E	H
M	K	W	Z	O	N	K	Q	Q	G	K	E	G	S	T
Q	N	J	N	A	N	M	A	W	G	E	E	K	S	Y
K	L	B	E	Y	W	X	V	F	W	J	T	E	J	B
U	B	G	M	O	N	L	P	S	N	T	H	W	U	U
Q	E	Z	V	X	R	U	V	J	G	V	T	A	O	T
E	M	D	W	X	W	I	Z	B	L	X	G	A	X	T
S	F	E	I	Z	Y	L	A	J	B	K	W	O	A	E
U	R	S	N	Y	E	J	F	Z	V	R	T	Z	C	R
N	Y	J	G	E	P	A	O	O	F	B	J	W	V	F
M	S	O	J	P	R	A	Z	W	E	X	A	X	P	L
H	C	S	P	I	D	E	R	O	L	S	Z	F	A	Y

1. egg
2. spider
3. butterfly
4. wing

Unit 7 | A Family Trip
p.61

Part A. Spell the Words
p.63

1 (B) 2 (B)

Part B. Situational Writing
p.63

3 (C) 4 (B)

Part C. Practical Reading and Retelling
p.64

5 (C) 6 (A)

Part D. General Reading and Retelling
p.65

7 (B) 8 (B) 9 (B) 10 (B)

Listening Practice
p.66

1 Mountain 2 Forest
3 sea 4 beach

Writing Practice
p.67

1 mountain 2 forest
3 sea 4 beach
Summary travels

Word Puzzle
p.68

1 mountain 2 forest
3 sea 4 beach

Pre-reading Questions
p.61

Do you like beaches?
Is there a beach near you?

해변을 좋아하나요?
여러분 근처에 해변이 있나요?

 Reading Passage p.62

A Family Trip

Where is Maria's family? They are on Jeju Island. Where do Maria's grandparents go? They go up Halla Mountain. It is very high. Where do Maria's parents go? They go to Bijarim Forest. The trees are 800 years old. What does Maria's brother do? He swims in the sea. The sea is clear. What does Maria do? She makes a sand castle at the beach.

가족 여행

Maria의 가족은 어디에 있나요? 그들은 제주도에 있어요. Maria의 조부모님은 어디로 가나요? 그들은 한라산에 올라가요. 그것은 매우 높아요. Maria의 부모님은 어디에 가나요? 그들은 비자림에 가요. 나무들은 800살이에요. Maria의 남동생은 무엇을 하나요? 그는 바다에서 수영해요. 바다는 맑아요. Maria는 무엇을 하나요? 그녀는 해변에서 모래성을 만들어요.

어휘 beach 해변 | family 가족 | island 섬 | grandparent 조부모님 | up 위로, 위쪽으로 | mountain 산 | forest 숲 | tree 나무 | swim 수영하다 | sea 바다 | clear 맑은, 깨끗한 | sand 모래 | castle 성 | zoo 동물원 | river 강 | fish 생선 | bird 새 | jungle 정글 | rainforest 우림 | countryside 시골 | cow 소 | farm 농장 | sad 슬픈 | trip 여행 | climb 오르다

 Comprehension Questions p.63

1. <u>m</u>ountain

   (A) l
   (B) m
   (C) n

풀이 산들이 모여 있는 모습이다. '산'은 영어로 'mountain'이므로 (B)가 정답이다.

관련 문장 They go up Halla Mountain.

2. s<u>ea</u>

   (A) ae
   (B) ea
   (C) ia

풀이 그림에서 배가 바다 위를 항해하고 있다. '바다'는 영어로 'sea'이므로 (B)가 정답이다.

관련 문장 He swims in the sea.

3. This is my favorite <u>beach</u> on the island!

   (A) zoo
   (B) river
   (C) beach

해석 이 곳은 내가 섬에서 가장 좋아하는 <u>해변</u>이야!

   (A) 동물원
   (B) 강
   (C) 해변

풀이 모래사장이 바다와 접하고 있는 해변의 모습이다. 따라서 (C)가 정답이다.

관련 문장 She makes a sand castle at the beach.

4. There are <u>trees</u> in Bijarim Forest.

   (A) fish
   (B) trees
   (C) birds

해석 비자림에는 <u>나무들</u>이 있다.

   (A) 생선들
   (B) 나무들
   (C) 새들

풀이 숲속에 키가 큰 나무들이 높이 솟아있다. 따라서 (B)가 정답이다.

새겨 두기 'fish'(생선)의 복수형도 같은 형태로 'fish'(생선들)라는 점에 유의한다.

관련 문장 They go to Bijarim Forest. The trees are 800 years old.

[5-6]

5. What is this place?

   (A) a jungle
   (B) a rainforest
   (C) the countryside

해석 이 장소는 어디인가?

   (A) 정글
   (B) 우림
   (C) 시골

풀이 헛간과 가정집이 딸린 농장, 풍차, 호수 위의 나룻배, 소와 트랙터 등을 볼 수 있다. 따라서 시골 마을 풍경을 보여주고 있으므로 (C)가 정답이다.

6. What is NOT in the picture?

(A) a pig
(B) a cow
(C) a farm

해석 그림에 있지 않은 것은 무엇인가?

(A) 돼지
(B) 소
(C) 농장

풀이 돼지는 그림에서 찾아볼 수 없으므로 (A)가 정답이다. (B)와 (C)는 그림의 오른쪽 부분에서 찾을 수 있으므로 오답이다.

[7-10]

Where is Maria's family? They are on Jeju Island. Where do Maria's grandparents go? They go up Halla Mountain. It is very high. Where do Maria's parents go? They go to Bijarim Forest. The trees are 800 years old. What does Maria's brother do? He swims in the sea. The sea is clear. What does Maria do? She makes a sand castle at the beach.

해석

Maria의 가족은 어디에 있나요? 그들은 제주도에 있어요. Maria의 조부모님은 어디로 가나요? 그들은 한라산에 올라가요. 그것은 매우 높아요. Maria의 부모님은 어디에 가나요? 그들은 비자림에 가요. 나무들은 800살이에요. Maria의 남동생은 무엇을 하나요? 그는 바다에서 수영해요. 바다는 맑아요. Maria는 무엇을 하나요? 그녀는 해변에서 모래성을 만들어요.

7. What is the best title?

(A) Maria's Sad Day
(B) Maria's Family Trip
(C) Maria's Grandparents

해석 가장 알맞은 제목은 무엇인가?

(A) Maria의 슬픈 날
(B) Maria의 가족 여행
(C) Maria의 조부모님

유형 전체 내용 파악

풀이 처음 두 문장에서 Maria의 가족이 제주도에 왔다고 글의 중심 소재를 밝히고 있다. 나머지 부분에서는 Maria의 가족이 제주도에서 무엇을 하는지 나열하고 있다. 따라서 글의 주제는 Maria 가족의 여행이며, 이를 가장 잘 반영한 제목인 (B)가 정답이다.

8. Where does Maria's family NOT go?

(A) to a sea
(B) to a river
(C) to a forest

해석 Maria의 가족은 어디로 가지 않는가?

(A) 바다로
(B) 강으로
(C) 숲으로

유형 세부 내용 파악

풀이 Maria의 조부모님은 한라산에 가고, 부모님은 비자림에 가며, Maria의 남동생은 바다에 있다고 했으므로 여기서 언급되지 않은 (B)가 정답이다.

9. What does Maria's brother do?

(A) make a castle
(B) swim in the sea
(C) climb a mountain

해석 Maria의 남동생은 무엇을 하는가?

(A) 성을 만든다
(B) 바다에서 수영한다
(C) 산을 오른다

유형 세부 내용 파악

풀이 'What does Maria's brother do? He swims in the sea.'에서 Maria의 남동생은 바다에서 수영한다고 했으므로 (B)가 정답이다. (A)는 Maria가 하는 일이고, (C)는 Maria의 조부모님이 하는 일이므로 오답이다.

10. Where are the trees 800 years old?

(A) in the sea
(B) at Bijarim Forest
(C) on Halla Mountain

해석 800살 된 나무들은 어디있는가?

(A) 바다에
(B) 비자림에
(C) 한라산에

유형 세부 내용 파악

풀이 'They go to Bijarim Forest.' 문장 뒤에 바로 'The trees are 800 years old.' 문장이 나오고 있다. 이를 통해 나무가 800살인 곳은 비자림이라는 사실을 알 수 있으므로 (B)가 정답이다.

Listening Practice

PS3-7 p.66

Where is Maria's family? They are on Jeju Island. Where do Maria's grandparents go? They go up Halla Mountain. It is very high. Where do Maria's parents go? They go to Bijarim Forest. The trees are 800 years old. What does Maria's brother do? He swims in the sea. The sea is clear. What does Maria do? She makes a sand castle at the beach.

1. Mountain
2. Forest
3. sea
4. beach

Writing Practice

p.67

1. mountain
2. forest
3. sea
4. beach

Summary

Maria's family travels to Jeju Island. They go to a mountain and a forest. Maria makes a sand castle.

Maria의 가족이 제주도로 여행을 가요. 그들은 산과 숲에 가요. Maria는 모래성을 만들어요.

Word Puzzle

p.68

J	G	K	C	L	Q	M	T	R	S	W	J	G	Q	R
T	U	M	I	N	X	N	Z	V	G	Q	U	Q	C	U
D	Q	O	X	P	T	O	X	Z	C	Y	G	M	E	V
O	D	U	P	H	M	K	S	V	L	U	O	M	Q	N
R	T	N	Q	S	Z	G	O	K	Q	X	M	W	J	H
P	F	T	P	A	B	C	U	I	I	V	K	N	S	H
G	F	A	I	H	L	O	V	H	L	W	Q	H	A	Y
I	Q	I	N	R	J	R	V	F	X	O	M	K	E	B
R	F	N	A	S	V	D	T	O	X	E	V	J	G	B
E	E	B	E	O	J	Z	C	R	W	B	E	A	C	H
W	K	T	I	P	O	Y	P	E	J	B	Q	Y	E	L
M	S	E	A	R	G	M	N	S	M	X	W	T	S	D
W	E	U	L	U	C	G	B	T	B	A	F	D	X	L
M	Q	G	Z	U	V	W	G	R	P	G	G	F	C	E
N	Y	T	E	A	U	W	M	F	W	U	V	U	Y	H

1. mountain
2. forest
3. sea
4. beach

Unit 8 | Giraffes p.69

Part A. Spell the Words p.71

1 (A) 2 (B)

Part B. Situational Writing p.71

3 (C) 4 (A)

Part C. Practical Reading and Retelling p.72

5 (A) 6 (A)

Part D. General Reading and Retelling p.73

7 (B) 8 (B) 9 (A) 10 (A)

Listening Practice p.74

1 Giraffes	2 teeth
3 strong	4 kick

Writing Practice p.75

1 giraffe	2 strong
3 kick	4 teeth

Summary Giraffes

Word Puzzle p.76

1 giraffe	2 strong
3 kick	4 teeth

Pre-reading Questions p.69

Where do giraffes live?
What do giraffes eat?

기린은 어디서 사나요?
기린은 무엇을 먹나요?

Reading Passage p.70

Giraffes

Giraffes have very long necks. They have short ears. They have no front teeth on top. They eat leaves in tall trees. They have brown spots. Do they sleep a long time? No, they do not! Giraffes only sleep thirty minutes a day. They stand up and sleep. They are strong. They can kick and kill lions. June 21st is World Giraffe Day.

기린

기린들은 아주 긴 목을 갖고 있어요. 그들은 짧은 귀를 갖고 있어요. 그들은 위에 앞니가 없어요. 그들은 키가 큰 나무에 있는 잎을 먹어요. 그들은 갈색 점들이 있어요. 그들은 오랫동안 잠을 자나요? 아니요, 그렇지 않아요! 기린은 하루에 30분만 자요. 그들은 일어서서 잠을 자요. 그들은 힘이 세요. 그들은 사자를 발로 차서 죽일 수 있어요. 6월 21일은 세계 기린의 날이에요.

어휘 giraffe 기린 | very 매우 | long 긴 | neck 목 | short 짧은 | ear 귀 | front 앞 | teeth 이, 치아, 이빨(tooth의 복수형) | top 위 | jaw 턱 | tall 키가 큰 | brown 갈색의 | spot (반)점 | sleep 자다 | a long time 오랜 시간 | minute 분 | a day 하루에 | stand 서다 | strong 강한 | kick 차다 | kill 죽이다 | lion 사자 | June 6월 | 21st 21번째 | world 세계 | win 이기다 | tiger 호랑이 | rabbit 토끼 | safari 사파리 | look at ~을 보다 | star 별 | read 읽다 | deer 사슴 | penguin 펭귄 | kangaroo 캥거루 | April 4월 | July 7월 | fruit 과일 | restaurant 식당 | near ~의 근처에 | swimming pool 수영장

Comprehension Questions p.71

1. giraffe

   (A) e
   (B) u
   (C) i

풀이 목이 긴 기린의 모습이다. '기린'은 영어로 'giraffe'이므로 (A)가 정답이다.

관련 문장 Giraffes have very long necks.

2. kick

   (A) c
   (B) k
   (C) h

풀이 남자가 발차기를 하는 모습이다 '(발로) 차다'는 영어로 'kick' 이므로 (B)가 정답이다.

관련 문장 They can kick and kill lions.

3. Giraffes eat leaves in tall trees.
   (A) bugs
   (B) fruits
   (C) leaves

해석 기린들은 높은 나무에 있는 잎사귀를 먹는다.
   (A) 벌레
   (B) 과일
   (C) 잎사귀

풀이 기린이 키가 큰 나무의 잎사귀를 먹고 있다. 따라서 (C)가 정답이다.

관련 문장 They eat leaves in tall trees.

4. Giraffes are strong and can win lions.
   (A) lions
   (B) tigers
   (C) rabbits

해석 기린들은 힘이 세고 사자들을 이길 수 있다.
   (A) 사자들
   (B) 호랑이들
   (C) 토끼들

풀이 갈기가 있는 사자의 모습이다. 따라서 (A)가 정답이다.

관련 문장 They are strong. They can kick and kill lions.

[5-6]

5. What are the people doing?
   (A) They are on a safari.
   (B) They are looking at the stars.
   (C) They are reading animal books.

해석 사람들은 무엇을 하고 있는가?
   (A) 사파리 체험 중이다.
   (B) 별을 보고 있다.
   (C) 동물 책을 읽고 있다.

풀이 야생 동물을 망원경으로 직접 구경하고 사진을 찍고 있는 모습이다. 이는 사파리 체험에서 하는 활동이므로 (A)가 정답이다. (B)는 별을 보고 있는 게 아니므로 오답이다.

6. What animals can they see?
   (A) deer
   (B) penguins
   (C) kangaroos

해석 그들은 무슨 동물을 볼 수 있는가?
   (A) 사슴
   (B) 펭귄
   (C) 캥거루

풀이 그림에 보이는 야생 동물은 사슴, 기린, 코뿔소이므로 여기에 해당하는 (A)가 정답이다.

새겨 두기 deer는 단수와 복수의 형태가 같다는 점에 유의한다.

[7-10]

Giraffes have very long necks. They have short ears. They have no front teeth on top. They eat leaves in tall trees. They have brown spots. Do they sleep a long time? No, they do not! Giraffes only sleep thirty minutes a day. They stand up and sleep. They are strong. They can kick and kill lions. June 21st is World Giraffe Day.

해석

기린들은 아주 긴 목을 갖고 있어요. 그들은 짧은 귀를 갖고 있어요. 그들은 위에 앞니가 없어요. 그들은 키가 큰 나무에 있는 잎을 먹어요. 그들은 갈색 점들이 있어요. 그들은 오랫동안 잠을 자나요? 아니요, 그렇지 않아요! 기린은 하루에 30분만 자요. 그들은 일어서서 잠을 자요. 그들은 힘이 세요. 그들은 사자를 발로 차서 죽일 수 있어요. 6월 21일은 세계 기린의 날이에요.

7. What is very long?
   (A) giraffe's ears
   (B) giraffe's necks
   (C) giraffe's front teeth

해석 매우 긴 것은 무엇인가?
   (A) 기린의 귀
   (B) 기린의 목
   (C) 기린의 앞니

유형 세부 내용 파악

풀이 첫 문장 'Giraffes have very long necks.'에서 기린의 목이 매우 길다고 했으므로 (B)가 정답이다. (A)는 기린의 귀가 짧다고 했으므로 오답이다.

8. When is World Giraffe Day?
   (A) in April
   (B) in June
   (C) in July

해석 세계 기린의 날은 언제인가?
   (A) 4월에
   (B) 6월에
   (C) 7월에

유형 세부 내용 파악

풀이 마지막 문장에서 'June 21st is World Giraffe Day.'라고 했으므로 세계 기린의 날은 6월에 있음을 알 수 있다. 따라서 (B)가 정답이다.

9. What is true about giraffes?
   (A) They can kill lions.
   (B) They eat fruits in trees.
   (C) They sleep a long time.

해석 기린에 관해 옳은 설명은 무엇인가?
   (A) 사자를 죽일 수 있다.
   (B) 나무의 과일을 먹는다.
   (C) 오랫동안 잠을 잔다.

유형 세부 내용 파악

풀이 'They are strong. They can kick and kill lions'에서 기린은 강하고, 사자를 발로 차서 죽일 수 있다고 했으므로 (A)가 정답이다. (C)는 하루에 겨우 30분만 잔다고 했으므로 오답이다.

10. Where is this passage, probably?
   (A) at a zoo
   (B) in a restaurant
   (C) near a swimming pool

해석 이 지문이 있을 곳은 어디인가?
   (A) 동물원에
   (B) 식당에
   (C) 수영장 근처에

유형 추론하기

풀이 기린의 외형, 기린이 무엇을 먹는지, 기린이 얼마나 자는지, 기린이 얼마나 강한지 등 기린이라는 동물의 특징을 자세히 열거하고 있는 글이다. 이러한 글은 동물원에서 찾아볼 수 있으므로 (A)가 정답이다.

Listening Practice

PS3-8 p.74

Giraffes have very long necks. They have short ears. They have no front teeth on top. They eat leaves in tall trees. They have brown spots. Do they sleep a long time? No, they do not! Giraffes only sleep thirty minutes a day. They stand up and sleep. They are strong. They can kick and kill lions. June 21st is World Giraffe Day.

1. Giraffes
2. teeth
3. strong
4. kick

Writing Practice

p.75

1. giraffe
2. strong
3. kick
4. teeth

Summary

Giraffes have very long necks, short ears, and brown spots. They eat leaves. They are strong.

기린들은 아주 긴 목, 짧은 귀, 갈색 점들을 갖고 있어요. 그들은 잎을 먹어요. 그들은 강해요.

Word Puzzle
p.76

E	B	D	J	P	G	F	U	I	G	M	K	I	R	K
W	V	Q	E	T	O	Q	A	P	I	E	O	S	B	B
Z	L	J	J	P	M	U	S	T	R	O	N	G	K	J
I	V	U	N	Z	Q	D	P	J	A	A	A	P	X	P
M	U	U	X	S	Q	N	W	P	F	O	N	Z	O	L
S	W	S	T	E	E	T	H	P	F	Y	N	K	W	K
O	E	S	D	F	B	I	O	W	E	O	B	E	A	P
S	H	K	I	C	K	X	W	D	J	Z	Z	F	P	E
S	Q	X	B	S	Q	M	W	O	Q	D	U	N	G	Y
B	N	G	N	O	H	J	V	F	R	D	K	K	N	G
B	S	X	A	R	Q	F	Z	P	Z	B	Z	E	V	J
T	K	Y	I	G	W	A	U	V	E	E	K	G	Y	S
R	E	N	H	A	I	V	D	M	S	O	K	N	V	B
I	U	Y	O	F	P	T	I	F	Y	A	Y	U	S	W
I	T	Q	V	M	M	H	D	O	Z	I	E	H	O	X

1. giraffe
2. strong
3. kick
4. teeth

Chapter Review
p.77

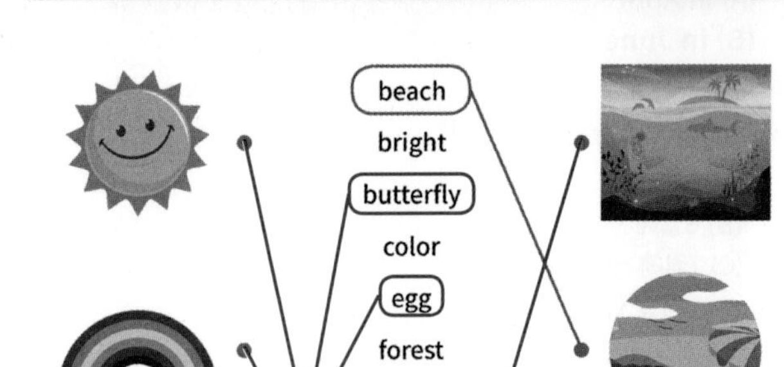

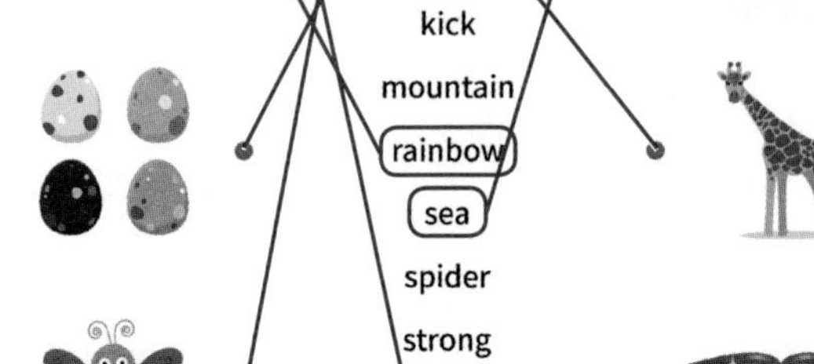

beach
bright
butterfly
color
egg
forest
giraffe
kick
mountain
rainbow
sea
spider
strong
sun
teeth
wing

※ 학생의 생각에 따라 다양한 정답이 가능할 수 있습니다.
예)

sun, bright, …

butterfly, wing, …

Chapter 3. Places

Unit 9 | Martin Gets Cookies p.79

Part A. Spell the Words p.81

1 (A)　2 (B)

Part B. Situational Writing p.81

3 (C)　4 (A)

Part C. Practical Reading and Retelling p.82

5 (C)　6 (C)

Part D. General Reading and Retelling p.83

7 (B)　8 (A)　9 (B)　10 (B)

Listening Practice p.84

1 bank　2 school
3 restaurant　4 bakery

Writing Practice p.85

1 bank　2 restaurant
3 bakery　4 school
Summary bakery

Word Puzzle p.86

1 bank　2 restaurant
3 bakery　4 school

Pre-reading Questions p.79

You go to a bakery. What do you buy?

여러분이 빵집에 가요. 무엇을 사나요?

Reading Passage p.80

Martin Gets Cookies

Martin likes sweet things. Today he wants cookies. But Martin has no money. So he goes to the bank. He gets money. He passes by his school. He passes a restaurant. He finds a bakery. He buys five cookies. He buys some milk. He feels happy. He runs home. He eats the cookies there. He smiles.

Martin이 쿠키를 사요

Martin은 단것들을 좋아해요. 오늘 그는 쿠키를 원해요. 하지만 Martin은 돈이 없어요. 그래서 그는 은행에 가요. 그는 돈을 받아요. 그는 학교 옆을 지나가요. 그는 식당을 지나요. 그는 빵집을 찾아요. 그는 쿠키 다섯 개를 사요. 그는 우유를 좀 사요. 그는 행복해요. 그는 집으로 달려가요. 그곳에서 쿠키를 먹어요. 그는 웃어요.

어휘 sweet 달콤한 | cookie 쿠키 | no 어떤 ~도 없는 | money 돈 | so 그래서 | bank 은행 | get 받다; 사다 | pass by ~를 지나가다 | pass 지나다 | restaurant 식당 | find 찾다 | bakery 빵집 | buy 사다 | some 좀, 몇몇 | milk 우유 | feel 느끼다 | happy 행복한 | run 달리다 | home 집으로 | there 거기서 | smile 웃다 | cake 케이크 | bread 빵 | have 먹다; 가지다 | a cup of ~ 한 컵 | theater 극장 | hospital 병원 | floor 층 | park 공원 | juice 주스 | post office 우체국

Comprehension Questions p.81

1. restaurant

(A) au
(B) eu
(C) ua

풀이 사람들이 식당에서 식사하고 있다. '식당'은 영어로 'restaurant'이므로 (A)가 정답이다.

관련 문장 He passes a restaurant.

2. bakery

(A) l
(B) r
(C) w

풀이 케이크와 쿠키 등이 진열된 빵집의 모습이다. '빵집'은 영어로 'bakery'이므로 (B)가 정답이다.

관련 문장 He finds a bakery.

3. Martin likes <u>cookies</u>.

(A) cakes
(B) bread
(C) cookies

해석 Martin은 <u>쿠키</u>를 좋아한다.

(A) 케이크
(B) 빵
(C) 쿠키

풀이 초코칩 쿠키 그림이다. 따라서 (C)가 정답이다.

관련 문장 He eats the cookies there. He smiles.

4. I want to have a cup of <u>milk</u>.

(A) milk
(B) home
(C) money

해석 나는 <u>우유</u> 한 잔을 마시고 싶다.

(A) 우유
(B) 집
(C) 돈

풀이 소년이 우유 한 잔을 마시며 웃고 있다. 따라서 (A)가 정답이다.

관련 문장 He buys some milk. He feels happy.

[5-6]

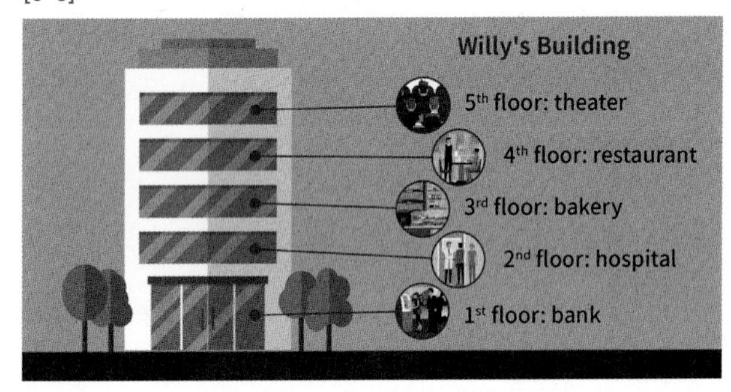

해석

Willy의 건물
5층: 극장
4층: 식당
3층: 빵집
2층: 병원
1층: 은행

5. Where is bakery?

(A) 1st floor
(B) 2nd floor
(C) 3rd floor

해석 빵집은 어디에 있는가?

(A) 1층
(B) 2층
(C) 3층

풀이 빵집('bakery')은 3층('3rd floor')에 있으므로 (C)가 정답이다.

6. What is on the 4th floor?

(A) park
(B) theater
(C) restaurant

해석 4층에는 무엇이 있는가?

(A) 공원
(B) 극장
(C) 식당

풀이 4층('4th floor')에는 식당('restaurant')이 있으므로 (C)가 정답이다.

[7-10]

Martin likes sweet things. Today he wants cookies. But Martin has no money. So he goes to the bank. He gets money. He passes by his school. He passes a restaurant. He finds a bakery. He buys five cookies. He buys some milk. He feels happy. He runs home. He eats the cookies there. He smiles.

해석

Martin은 단것들을 좋아해요. 오늘 그는 쿠키를 원해요. 하지만 Martin은 돈이 없어요. 그래서 그는 은행에 가요. 그는 돈을 받아요. 그는 학교 옆을 지나가요. 그는 식당을 지나요. 그는 빵집을 찾아요. 그는 쿠키 다섯 개를 사요. 그는 우유를 좀 사요. 그는 행복해요. 그는 집으로 달려가요. 그곳에서 쿠키를 먹어요. 그는 웃어요.

7. What is the best title?

(A) Martin Goes Home
(B) Martin Gets Cookies
(C) Martin Passes the Bank

해석 가장 알맞은 제목은 무엇인가?

(A) Martin이 집에 가다
(B) Martin이 쿠키를 사다
(C) Martin이 은행을 지나가다

유형 전체 내용 파악

풀이 Martin이 쿠키를 먹고 싶어 은행에 들러 돈을 찾고, 그 돈으로 빵집에 가서 쿠키를 사고, 집에 돌아와 쿠키를 먹은 일상을 다루고 있다. 따라서 (B)가 정답이다.

8. What does Martin have today?

    (A) milk
    (B) juice
    (C) bread

해석 Martin은 오늘 무엇이 있는가?

    (A) 우유
    (B) 주스
    (C) 빵

유형 세부 내용 파악

풀이 'He buys five cookies. He buys some milk.'에서 Martin이 오늘 쿠키와 우유를 샀다는 사실을 알 수 있다. 따라서 Martin에게 우유가 있음을 알 수 있으므로 (A)가 정답이다.

9. What does Martin NOT see?

    (A) a bank
    (B) a post office
    (C) a restaurant

해석 Martin이 보지 않은 것은 무엇인가?

    (A) 은행
    (B) 우체국
    (C) 식당

유형 세부 내용 파악

풀이 Martin은 먼저 은행에 갔고, 학교와 식당을 지나서 빵집에 갔다. 우체국은 언급되지 않았으므로 (B)가 정답이다.

10. Where does Martin go today?

    (A) to school
    (B) to a bakery
    (C) to a restaurant

해석 Martin은 오늘 어디에 가는가?

    (A) 학교에
    (B) 빵집에
    (C) 식당에

유형 세부 내용 파악

풀이 Martin이 쿠키가 먹고 싶어서 빵집에 가는 여정을 다룬 글이다. 따라서 (B)가 정답이다.

Listening Practice

PS3-9 p.84

Martin likes sweet things. Today he wants cookies. But Martin has no money. So he goes to the bank. He gets money. He passes by his school. He passes a restaurant. He finds a bakery. He buys five cookies. He buys some milk. He feels happy. He runs home. He eats the cookies there. He smiles.

1. bank
2. school
3. restaurant
4. bakery

Writing Practice

p.85

1. bank
2. restaurant
3. bakery
4. school

Summary

Martin wants cookies. He finds a bakery. He buys five cookies and some milk.

Martin은 쿠키를 원해요. 그는 빵집을 찾아요. 그는 쿠키 다섯 개와 우유를 좀 사요.

Word Puzzle

p.86

W	B	A	K	E	R	Y	A	E	B	O	M	U	E	Z
D	J	H	R	W	T	J	Z	L	R	X	N	Z	O	J
J	C	Z	N	B	S	X	B	E	E	G	I	G	N	W
H	W	F	H	C	V	R	Z	D	S	C	H	O	O	L
G	F	L	Q	X	G	R	L	N	T	Y	P	D	O	V
E	Q	O	O	J	G	Y	J	W	A	S	Z	F	V	Y
I	O	H	H	F	N	D	N	A	U	X	D	M	S	D
J	J	R	J	F	S	Q	I	S	R	D	W	U	H	S
W	R	S	A	V	C	M	Y	T	A	O	Z	C	X	F
M	A	L	M	V	P	H	M	I	N	E	F	C	C	J
M	S	G	M	E	I	W	L	I	T	R	S	V	R	B
L	V	A	J	F	V	X	N	I	C	A	B	A	N	K
R	O	Q	O	T	J	V	S	I	A	W	A	Q	W	D
C	W	Z	G	D	D	B	X	V	L	A	Y	L	Q	U
O	Z	K	H	S	V	S	X	J	I	H	A	C	B	D

1. bank
2. restaurant
3. bakery
4. school

Unit 10 | Kate Loves Her Teddy Bear p.87

Part A. Spell the Words				p.89
1 (B)	2 (B)			
Part B. Situational Writing				p.89
3 (A)	4 (C)			
Part C. Practical Reading and Retelling				p.90
5 (B)	6 (A)			
Part D. General Reading and Retelling				p.91
7 (C)	8 (C)	9 (A)	10 (C)	
Listening Practice				p.92
1 toy	2 bear			
3 robot	4 friend			
Writing Practice				p.93
1 teddy bear	2 toy			
3 robot	4 friend			
Summary toy				
Word Puzzle				p.94
1 teddy bear	2 toy			
3 robot	4 friend			

Pre-reading Questions p.87

What is your favorite toy?

특히 좋아하는 장난감은 무엇인가요?

 Reading Passage p.88

Kate Loves Her Teddy Bear

Kate's favorite toy is a teddy bear. She puts it on her bed. And she sleeps with it. But the teddy bear is too old. It becomes dirty. So her father buys her a new toy. It's a robot. It can walk, sing, and dance. The teddy bear can do nothing. It just lies on her bed. But Kate still loves her teddy bear. It is her best friend.

Kate는 그녀의 테디 베어를 사랑해요

Kate가 특히 좋아하는 장난감은 테디 베어예요. 그녀는 그것을 자기 침대 위에 놓아요. 그리고 그것과 함께 잠을 자요. 하지만 테디 베어는 너무 낡았어요. 그것은 더러워졌어요. 그래서 그녀의 아버지가 그녀에게 새 장난감을 사줘요. 그것은 로봇이에요. 그것은 걷고, 노래하고, 그리고 춤출 수 있어요. 테디 베어는 아무것도 할 수 없어요. 그저 그녀의 침대 위에 누워있어요. 하지만 Kate는 여전히 그녀의 테디 베어를 사랑해요. 그것은 그녀의 단짝이에요.

어휘 favorite 특히[매우, 아주] 좋아하는 | toy 장난감 | teddy bear 테디 베어 (곰 인형) | put 놓다 | bed 침대 | sleep 자다 | too 너무 ~한 | old 낡은, 오래된 | become ~가 되다 | dirty 더러운 | buy A B A에게 B를 사주다 | new 새로운 | robot 로봇 | walk 걷다 | sing 노래하다 | dance 춤추다 | nothing 아무것도 아닌 것 | just 그저 | lie 눕다, 누워 있다 | still 여전히 | best 최고의 | best friend 단짝, 가장 친한 친구 | clean 깨끗한 | write 쓰다 | dollar 달러 | block 블록 | cent 센트(100분의 1달러) | kite 연 | ball 공 | How much is/are ~? ~는 얼마입니까? | boat 배, 보트 | piggy bank 돼지 저금통 | many 많은

Comprehension Questions p.89

1. wal<u>k</u>
   (A) c
   (B) k
   (C) q

풀이 로봇이 걷고 있는 그림이다. '걷다'는 영어로 'walk'이므로 (B)가 정답이다.

관련 문장 It's a robot. It can walk, sing, and dance.

2. b<u>ea</u>r
   (A) oi
   (B) ea
   (C) oa

풀이 곰인형 그림이다. '곰'은 영어로 'bear'이므로 (B)가 정답이다.

관련 문장 But Kate still loves her teddy bear.

3. Kate's favorite toy is old.

(A) old
(B) clean
(C) orange

해석 Kate가 특히 좋아하는 장난감은 낡았다.

(A) 낡은
(B) 깨끗한
(C) 주황색인

풀이 테디 베어 인형이 헤지고 낡은 모습이다. 따라서 (A)가 정답이다.

관련 문장 But the teddy bear is too old.

4. The robot can sing and dance.

(A) eat
(B) write
(C) dance

해석 로봇은 노래 부르고 춤출 수 있다.

(A) 먹다
(B) 쓰다
(C) 춤추다

풀이 로봇이 음악에 맞춰 춤을 추고 있다. 따라서 (C)가 정답이다.

관련 문장 It's a robot. It can walk, sing, and dance.

[5-6]

해석

로봇	블록	테디 베어	연	공
7달러	1달러	5달러	70센트	90센트

5. How much are three blocks?

(A) one dollar
(B) three dollars
(C) five dollars

해석 블록 세 개는 얼마인가?

(A) 1달러
(B) 3달러
(C) 5달러

풀이 블록이 한 개에 1달러이므로 블록 세 개는 3달러이다. 따라서 (B)가 정답이다.

6. What can you buy in this toy shop?

(A) a kite
(B) a boat
(C) a piggy bank

해석 이 장난감 가게에서 무엇을 살 수 있는가?

(A) 연
(B) 배
(C) 돼지 저금통

풀이 이 장난감 가게에서 연('kite')을 팔고 있으므로 (A)가 정답이다. 나머지 선택지의 경우, 그림에 나와 있지 않으므로 오답이다.

[7-10]

Kate's favorite toy is a teddy bear. She puts it on her bed. And she sleeps with it. But the teddy bear is too old. It becomes dirty. So her father buys her a new toy. It's a robot. It can walk, sing, and dance. The teddy bear can do nothing. It just lies on her bed. But Kate still loves her teddy bear. It is her best friend.

해석

Kate가 특히 좋아하는 장난감은 테디 베어예요. 그녀는 그것을 자기 침대 위에 놓아요. 그리고 그것과 함께 잠을 자요. 하지만 테디 베어는 너무 낡았어요. 그것은 더러워졌어요. 그래서 그녀의 아버지가 그녀에게 새 장난감을 사줘요. 그것은 로봇이에요. 그것은 걷고, 노래하고, 그리고 춤출 수 있어요. 테디 베어는 아무것도 할 수 없어요. 그저 그녀의 침대 위에 누워있어요. 하지만 Kate는 여전히 그녀의 테디 베어를 사랑해요. 그것은 그녀의 단짝이에요.

7. What is the best title?

(A) Kate Buys a New Toy
(B) Kate Can Do Many Things
(C) Kate Loves Her Teddy Bear

해석 가장 알맞은 제목은 무엇인가?

(A) Kate가 새 장난감을 사다
(B) Kate가 많은 것을 할 수 있다
(C) Kate가 그녀의 테디 베어를 사랑하다

유형 전체 내용 파악

풀이 Kate가 특히 좋아하는 장난감인 테디 베어의 특징과 Kate에게 새로운 로봇 장난감이 생겼으나 여전히 테디 베어를 좋아한다는 내용의 글이다. 따라서 (C)가 정답이다. (A)는 새 장난감을 사준 사람은 Kate의 아버지이고, 중심 소재도 아니므로 오답이다.

8. What is Kate's favorite toy?

(A) a kite
(B) a robot
(C) a teddy bear

해석 Kate가 특히 좋아하는 장난감은 무엇인가?

(A) 연
(B) 로봇
(C) 테디 베어

유형 세부 내용 파악

풀이 첫 문장 'Kate's favorite toy is a teddy bear.'에서 Kate가 특히 좋아하는 장난감이 테디 베어라고 했으므로 (C)가 정답이다.

9. What is true about Kate's teddy bear?

(A) It is on her bed.
(B) It is clean and new.
(C) It can walk and sing.

해석 Kate의 테디 베어에 관해 옳은 설명은 무엇인가?

(A) 그녀의 침대 위에 있다.
(B) 깨끗하고 새것이다.
(C) 걷고 노래할 수 있다.

유형 세부 내용 파악

풀이 두 번째 문장 'She puts it on her bed.'에서 Kate가 테디 베어를 침대 위에 올려놓는다고 했으므로 (A)가 정답이다. (B)는 테디 베어가 낡고('old') 더럽다('dirty')고 했으므로 오답이다. (C)는 Kate의 아버지가 새로 사준 로봇이 걷고 노래할 수 있는 것이므로 오답이다.

새겨 두기 두 번째 문장에서 대명사 'it'이 'a teddy bear'를 가리킨다는 점에 유의한다.

10. What can the robot do?

(A) write
(B) paint
(C) dance

해석 로봇은 무엇을 할 수 있는가?

(A) 쓰기
(B) 그리기
(C) 춤추기

유형 세부 내용 파악

풀이 'It's a robot. It can walk, sing, and dance.'에서 새 로봇 장난감이 걷고, 노래하고, 춤출 수 있다고 했으므로 (C)가 정답이다.

Listening Practice

PS3-10 p.92

Kate's favorite toy is a teddy bear. She puts it on her bed. And she sleeps with it. But the teddy bear is too old. It becomes dirty. So her father buys her a new toy. It's a robot. It can walk, sing, and dance. The teddy bear can do nothing. It just lies on her bed. But Kate still loves her teddy bear. It is her best friend.

1. toy
2. bear
3. robot
4. friend

Writing Practice

p.93

1. teddy bear
2. toy
3. robot
4. friend

Summary

Kate's favorite toy is a teddy bear. Her father buys her a new robot. Kate still loves her teddy bear.

Kate가 특히 좋아하는 장난감은 테디 베어예요. 그녀의 아버지가 그녀에게 새 로봇을 사줘요. Kate는 여전히 그녀의 테디 베어를 사랑해요.

Word Puzzle

p.94

J	K	D	J	O	H	E	L	Y	L	I	N	Q	U	T
N	A	L	G	S	Y	U	Q	D	O	G	S	W	D	H
X	L	B	R	N	E	T	F	R	I	E	N	D	E	L
K	H	F	T	O	Y	S	V	A	D	W	M	P	Y	P
L	P	G	Y	T	I	P	P	G	Q	L	Y	B	I	W
S	U	T	E	D	D	Y	B	E	A	R	Z	W	H	Y
O	Y	E	C	F	S	H	N	J	I	S	Q	F	E	W
X	T	L	D	X	Q	R	V	Q	F	J	R	R	A	S
F	D	H	N	B	V	V	V	L	P	H	A	O	T	S
H	T	R	N	L	P	F	D	Y	U	Q	R	B	I	G
N	S	L	Z	Z	D	U	J	Z	O	E	J	O	I	J
P	M	H	Z	K	C	S	F	G	Z	X	C	T	I	A
D	U	K	U	X	J	O	W	H	X	M	M	K	P	C
Q	U	K	G	N	P	A	W	V	I	M	W	F	O	S
P	O	L	O	K	R	V	L	I	X	Q	X	R	F	I

1. teddy bear
2. toy
3. robot
4. friend

Unit 11 | Finding Things

p.95

Part A. Spell the Words

p.97

1 (A) 2 (B)

Part B. Situational Writing

p.97

3 (A) 4 (C)

Part C. Practical Reading and Retelling

p.98

5 (B) 6 (B)

Part D. General Reading and Retelling

p.99

7 (B) 8 (C) 9 (B) 10 (C)

Listening Practice

p.100

1 hide 2 under
3 in 4 between

Writing Practice

p.101

1 hide 2 under
3 between 4 in
Summary hide

Word Puzzle

p.102

1 hide 2 under
3 between 4 in

Pre-reading Questions

p.95

Find the way to the treasure.
Which way is it?

보물로 가는 길을 찾아보세요.
어느 길인가요?

Reading Passage p.96

Finding Things

My friends and I have a treasure hunt. I hide treasures in the forest. A robot is under the rock. A kite is in the tree. A pink doll is between some flowers and the lake. Some chocolate is in front of the hill. My friends find the things. They are excited. They start here. Three, two, one. Start!

물건 찾기

내 친구들과 나는 보물찾기 놀이를 해요. 나는 숲속에 보물들을 숨겨요. 로봇은 바위 밑에 있어요. 연은 나무에 있어요. 분홍색 인형은 몇몇 꽃들과 호수 사이에 있어요. 초콜릿 몇 개는 언덕 앞에 있어요. 내 친구들은 그것들을 찾아요. 그들은 신나 있어요. 그들은 여기서 시작해요. 셋, 둘, 하나. 시작!

어휘 play 놀다 | treasure 보물 | hunt 사냥 | treasure-hunt 보물찾기 | game 놀이, 게임 | hide 숨기다 | forest 숲 | robot 로봇 | under ~의 아래에 | rock 바위 | kite 연 | on ~의 위에 | pink 분홍색 | doll 인형 | between A and B A와 B 사이에 | flower 꽃 | lake 호수 | chocolate 초콜릿 | in front of ~의 앞에 | hill 언덕 | find 찾다 | excited 신난 | start 시작하다 | here 여기서 | behind ~의 뒤에 | across from ~의 건너편에 | sad 슬픈 | sick 아픈 | street 거리 | subway 지하철 | bus 버스 | station 정거장 | run away 도망가다 | steal 훔치다 | purse 지갑 | phone 전화

Comprehension Questions p.97

1. <u>u</u>nder

(A) u
(B) a
(C) e

풀이 그림에서 새가 상자 아래에 있다. '~의 아래에'는 영어로 'under'이므로 (A)가 정답이다.

관련 문장 A robot is under the rock.

2. bet<u>w</u>een

(A) s
(B) w
(C) g

풀이 그림에서 새가 상자 사이에 있다. '~의 사이에'는 영어로 'between'이므로 (B)가 정답이다.

관련 문장 A pink doll is between some flowers and the lake.

3. The kite is <u>on</u> the tree.

(A) on
(B) behind
(C) across from

해석 연은 나무 <u>위에</u> 있다.

(A) ~의 위에
(B) ~의 뒤에
(C) ~의 건너편에

풀이 그림에서 나무 바로 위에 연이 놓여있다. '~의 (바로) 위에'는 전치사 'on'을 통해 나타낼 수 있으므로 (A)가 정답이다.

관련 문장 A kite is in the tree.

4. My friends are <u>excited</u>.

(A) sad
(B) sick
(C) excited

해석 내 친구들은 <u>신나있다</u>.

(A) 슬픈
(B) 아픈
(C) 신난

풀이 아이들이 신난 모습이다. '신난, 흥분한'은 영어로 'excited'이므로 (C)가 정답이다.

관련 문장 My friends find the things. They are excited.

[5-6]

5. Where are they?

(A) street
(B) subway
(C) bus station

해석 그들은 어디에 있는가?

(A) 거리
(B) 지하철
(C) 버스 정류장

풀이 사람들이 좌석에 앉아 있거나 손잡이를 잡고 있는 모습이 보이고, 칸마다 출입문이 있는 것으로 보아 지하철임을 알 수 있다. 따라서 (B)가 정답이다.

6. What is the thief doing?

(A) running away
(B) stealing the man's purse
(C) stealing the man's phone

해석 도둑은 무엇을 하고 있는가?

(A) 도망가기
(B) 남자의 지갑 훔치기
(C) 남자의 휴대전화 훔치기

풀이 통화를 하느라 눈치를 못 채는 탑승객의 주머니에서 도둑이 지갑을 몰래 훔치고 있다. 따라서 (B)가 정답이다.

[7-10]

My friends and I have a treasure hunt. I hide treasures in the forest. A robot is under the rock. A kite is in the tree. A pink doll is between some flowers and the lake. Some chocolate is in front of the hill. My friends find the things. They are excited. They start here. Three, two, one. Start!

해석

내 친구들과 나는 보물찾기 놀이를 해요. 나는 숲속에 보물들을 숨겨요. 로봇은 바위 밑에 있어요. 연은 나무에 있어요. 분홍색 인형은 몇몇 꽃들과 호수 사이에 있어요. 초콜릿 몇 개는 언덕 앞에 있어요. 내 친구들은 그것들을 찾아요. 그들은 신나 있어요. 그들은 여기서 시작해요. 셋, 둘, 하나. 시작!

7. What is the best title?

(A) Run with Friends
(B) Play a Game with Friends
(C) Make a Robot with Friends

해석 가장 알맞은 제목은 무엇인가?

(A) 친구들과 달리기
(B) 친구들과 놀이하기
(C) 친구들과 로봇 만들기

유형 전체 내용 파악

풀이 전체적으로 나와 친구가 보물찾기 놀이('treasure-hunt game')를 하는 내용을 다루고 있다. 따라서 (B)가 정답이다.

8. What do I do?

(A) I find treasures.
(B) I buy treasures.
(C) I hide treasures.

해석 나는 무엇을 하는가?

(A) 나는 보물을 찾는다.
(B) 나는 보물을 산다.
(C) 나는 보물을 숨긴다.

유형 세부 내용 파악

풀이 나와 친구가 보물찾기 놀이를 하고 있고, 'I hide treasures in the forest.'라며 자신은 보물을 숨긴다고 했으므로 (C)가 정답이다.

9. Where is the robot?

(A) in the tree
(B) under the rock
(C) between flowers and the lake

해석 로봇은 어디에 있는가?

(A) 나무에
(B) 바위 밑에
(C) 꽃들과 호수 사이에

유형 세부 내용 파악

풀이 'A robot is under the rock.'에서 로봇은 바위 밑에 있다고 했으므로 (B)가 정답이다. (A)는 'kite'가, (C)는 'pink doll'이 숨겨진 장소이므로 오답이다.

10. What is in front of the hill?

(A) kite
(B) doll
(C) chocolate

해석 언덕 앞에 무엇이 있는가?

(A) 연
(B) 인형
(C) 초콜릿

유형 세부 내용 파악

풀이 'Some chocolate is in front of the hill.'에서 언덕 앞에는 초콜릿이 있다고 했으므로 (C)가 정답이다.

Listening Practice

PS3-11 p.100

My friends and I have a treasure hunt. I hide treasures in the forest. A robot is under the rock. A kite is in the tree. A pink doll is between some flowers and the lake. Some chocolate is in front of the hill. My friends find the things. They are excited. They start here. Three, two, one. Start!

1. hide
2. under
3. in
4. between

Writing Practice

p.101

1. hide
2. under
3. between
4. in

Summary

My friends and I have a treasure hunt. I hide a robot, a kite, a doll, and chocolate in the forest.

내 친구들과 나는 보물찾기 놀이를 해요. 나는 로봇, 연, 인형, 그리고 초콜릿을 숲속에 숨겨요.

Word Puzzle p.102

W	S	M	Z	K	G	L	I	F	H	R	H	M	X	W
E	B	E	T	W	E	E	N	X	N	K	E	K	J	S
K	D	Z	D	A	D	U	G	E	V	H	R	U	N	G
Y	Q	U	Q	D	D	M	U	F	S	A	C	K	A	W
V	M	Q	M	F	L	V	B	D	V	W	L	C	Y	Q
G	M	T	Q	R	A	D	D	I	L	F	O	H	K	U
C	H	B	O	O	U	T	K	H	I	D	E	O	H	S
D	G	W	K	A	Z	U	N	C	Q	W	A	N	I	C
J	W	U	Y	M	D	B	Z	B	C	D	Q	M	B	F
P	S	Q	K	C	L	X	N	G	V	F	M	G	B	T
I	X	E	Z	X	W	W	W	U	A	I	M	O	F	M
J	B	B	Z	Z	D	E	K	N	C	J	P	W	Z	D
J	G	Q	N	L	S	Z	G	D	W	M	B	Y	K	G
O	J	F	E	I	E	F	I	E	H	I	F	I	T	M
C	F	D	P	S	Y	P	D	R	V	P	S	P	P	Z

1. hide
2. under
3. between
4. in

Unit 12 | Finding a Place p.103

Part A. Spell the Words p.105

1 (A) 2 (B)

Part B. Situational Writing p.105

3 (C) 4 (B)

Part C. Practical Reading and Retelling p.106

5 (C) 6 (C)

Part D. General Reading and Retelling p.107

7 (B) 8 (C) 9 (B) 10 (C)

Listening Practice p.108

1 cross 2 straight
3 right 4 left

Writing Practice p.109

1 cross 2 straight
3 right 4 left
Summary restaurant

Word Puzzle p.110

1 cross 2 straight
3 right 4 left

Pre-reading Questions p.103

Tim is going to the table. How?

Tim이 탁자로 갈 거예요. 어떻게 가나요?

Reading Passage p.104

Finding a Place

We open a new restaurant. It is in our town. Its name is Spicy Tasty! It sells delicious hamburgers. Come to our restaurant! First, stand in front of the hospital. Then cross the road. And go straight. At the first corner, turn right. Spicy Tasty is on your left. It is between a cafe and a school.

장소 찾기

우리는 새 식당을 열어요. 그것은 우리 마을에 있어요. 그것의 이름은 Spicy Tasty예요! 그곳은 맛있는 햄버거를 팔아요. 우리 식당으로 오세요! 먼저, 병원 앞에 서세요. 그런 다음 길을 건너세요. 그리고 쭉 가세요. 첫 번째 모퉁이에서, 오른쪽으로 도세요. Spicy Tasty는 여러분의 왼쪽에 있어요. 그곳은 카페와 학교 사이에 있어요.

어휘 open 열다 | new 새로운 | restaurant 식당 | town 마을 | name 이름 | spicy 매운 | tasty 맛있는 | sell 팔다 | delicious 맛있는 | hamburger 햄버거 | follow 따르다 | first 먼저 | stand 서다 | in front of ~의 앞에 | hospital 병원 | then 그런 다음 | cross 건너다 | road 도로 | straight 똑바로 | corner 모퉁이 | turn 돌다 | right 오른쪽(으로); 바로 | left 왼쪽(으로); 왼쪽 | between A and B A와 B 사이에 | cafe 카페 | school 학교 | theater 극장 | post office 우체국 | fire station 소방서 | bank 은행 | bakery 빵집 | bus station 버스 정류장 | next to ~의 옆에 | across from ~의 건너편에 | inside ~의 안에 | drive 운전하다

Comprehension Questions p.105

1. straight
   (A) gh
   (B) th
   (C) zh

풀이 그림은 똑바로 직진하라는 표지판이다 '똑바로, 곧장'은 영어로 'straight'이므로 (A)가 정답이다.

새겨 두기 'gh'가 묵음이라는 점에 유의한다.

관련 문장 And go straight.

2. right
   (A) d
   (B) t
   (C) s

풀이 그림은 우회전하라는 표지판이다. '오른쪽'은 영어로 'right'이므로 (B)가 정답이다.

새겨 두기 1번과 마찬가지로 'gh'가 묵음이라는 점에 유의한다.

관련 문장 At the first corner, turn right.

3. Spicy Tasty sells hamburgers.
   (A) coffee
   (B) pizzas
   (C) hamburgers

해석 Spicy Tasty는 햄버거를 판다.
(A) 커피
(B) 피자
(C) 햄버거

풀이 햄버거를 파는 가게의 모습이다. 따라서 (C)가 정답이다.

관련 문장 Its name is Spicy Tasty! It sells delicious hamburgers.

4. I am in front of the hospital.
   (A) cafe
   (B) hospital
   (C) post office

해석 나는 병원 앞에 있다.
(A) 카페
(B) 병원
(C) 우체국

풀이 병원이나 의료 기관을 나타내는 십자가 표시가 있으므로 그림에 나타난 건물은 병원이다. 따라서 (B)가 정답이다.

관련 문장 First, stand in front of the hospital.

[5-6]

해석

		극장	우체국
소방서	학교	은행	빵집
	버스 정류장	식당	카페

5. Where is the school?
   (A) next to the bakery
   (B) in front of the post office
   (C) across from the fire station

해석 학교는 어디에 있는가?
(A) 빵집 옆에
(B) 우체국 앞에
(C) 소방서 건너편에

풀이 학교('school')는 소방서('fire station') 건너편에 있으므로 (C)가 정답이다.

PreStarter Book 3

6. From the restaurant, how do you get to the theater?

(A) Turn left.
(B) Turn right.
(C) Go straight.

해석 식당에서, 어떻게 극장으로 가는가?

(A) 왼쪽으로 돈다.
(B) 오른쪽으로 돈다.
(C) 곧바로 직진한다.

풀이 식당('restaurant')에서 위쪽으로 두 블록 직진하면 극장('theater')에 갈 수 있으므로 (C)가 정답이다.

[7-10]

We open a new restaurant. It is in our town. Its name is Spicy Tasty! It sells delicious hamburgers. Come to our restaurant! First, stand in front of the hospital. Then cross the road. And go straight. At the first corner, turn right. Spicy Tasty is on your left. It is between a cafe and a school.

해석

우리는 새 식당을 열어요. 그것은 우리 마을에 있어요. 그것의 이름은 Spicy Tasty예요! 그곳은 맛있는 햄버거를 팔아요. 우리 식당으로 오세요! 먼저, 병원 앞에 서세요. 그런 다음 길을 건너세요. 그리고 쭉 가세요. 첫 번째 모퉁이에서, 오른쪽으로 도세요. Spicy Tasty는 여러분의 왼쪽에 있어요. 그곳은 카페와 학교 사이에 있어요.

7. Where is Spicy Tasty?

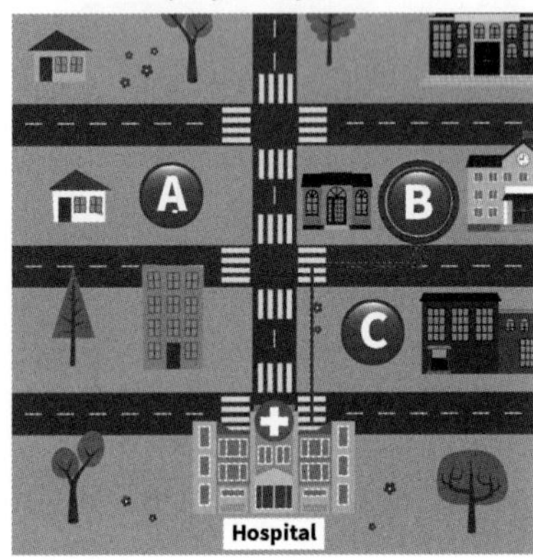

해석 Spicy Tasty는 어디에 있는가?

유형 세부 내용 파악

풀이 새로 개업한 식당인 Spicy Tasty는 먼저 병원 앞('stand in front of the hospital')에서 길을 건너고('cross the road'), 쭉 가다가('go straight') 처음 모퉁이에서 우회전하면('At the first corner, turn right.') 왼쪽에 있다('on your left')고 하였다. 또한 카페와 학교 사이에 있다('between a cafe and a school')고 했으므로 (B)가 정답이다.

8. What is Spicy Tasty?

(A) cafe
(B) school
(C) restaurant

해석 Spicy Tasty는 무엇인가?

(A) 카페
(B) 학교
(C) 식당

유형 세부 내용 파악

풀이 'We open a new restaurant. It is in our town. Its name is Spicy Tasty! It sells delicious hamburgers.'에서 Spicy Tasty는 새로 개업한 식당이며, 햄버거를 파는 곳이라는 사실을 알 수 있으므로 (C)가 정답이다. (A)와 (B)는 Spicy Tasty가 이 둘 사이에 있다고 한 것이므로 오답이다.

9. What is true about Spicy Tasty?

(A) It is 10 years old.
(B) It is next to school.
(C) It is inside the hospital.

해석 Spicy Tasty에 관해 옳은 설명은 무엇인가?

(A) 10년이 됐다.
(B) 학교 옆에 있다.
(C) 병원 안에 있다.

유형 세부 내용 파악

풀이 'It is right between cafe and school.'에서 Spicy Tasty가 카페와 학교 바로 사이에 있다는 사실을 알 수 있다. 이는 Spicy Tasty가 카페와 학교 옆에 있다는 의미이므로 (B)가 정답이다. (A)는 새로 개업한 식당이라고 했으므로 오답이다. (C)는 Spicy Tasty에 가려면 병원 앞에서 길을 건너고 직진을 하라는 설명 등으로 보아 Spicy Tasty와 병원은 서로 다른 건물에 있으므로 오답이다.

10. What can you do with this passage?

(A) drive a car
(B) open a hospital
(C) find a restaurant

해석 이 지문으로 무엇을 할 수 있는가?

(A) 차 운전하기
(B) 병원 개원하기
(C) 식당 찾기

유형 전체 내용 파악 & 추론하기

풀이 새로 개업한 식당인 Spicy Tasty에 가는 방법을 자세하게 설명해주고 있는 글이다. 따라서 (C)가 정답이다.

Listening Practice

PS3-12 p.108

We open a new restaurant. It is in our town. Its name is Spicy Tasty! It sells delicious hamburgers. Come to our restaurant! First, stand in front of the hospital. Then cross the road. And go straight. At the first corner, turn right. Spicy Tasty is on your left. It is between a cafe and a school.

1. cross
2. straight
3. right
4. left

Writing Practice

p.109

1. cross
2. straight
3. right
4. left

Summary

Here is the way to our restaurant. First, cross the road. Go straight. Turn right. It's on your left.

여기 우리 식당으로 가는 방법이 있어요. 먼저, 길을 건너요. 쭉 직진해요. 오른쪽으로 돌아요. 그곳은 여러분의 왼쪽에 있어요.

Word Puzzle

p.110

D	N	L	I	N	W	H	D	J	R	X	C	Z	P	V
C	D	B	Q	C	L	Z	V	X	K	D	T	C	B	F
H	R	U	O	I	E	I	G	T	L	Q	V	M	Z	H
Q	A	S	C	Q	F	S	D	T	R	M	H	I	X	H
K	H	V	R	J	T	N	U	I	H	I	Q	O	H	I
H	Q	L	O	H	C	T	J	L	Q	E	G	A	E	K
E	E	F	S	O	G	S	T	R	A	I	G	H	T	N
T	H	I	S	C	D	P	H	H	V	K	Y	S	L	G
Q	J	X	R	I	G	S	R	K	F	H	H	K	J	U
Y	W	B	W	J	W	Z	Y	U	I	P	F	Q	G	X
I	D	W	Z	Q	D	P	J	K	F	P	W	M	R	T
E	H	R	I	G	H	T	M	C	J	C	S	U	K	J
B	T	A	J	R	W	Y	A	H	W	P	E	D	M	N
F	J	B	I	U	Q	A	S	V	O	P	K	H	T	C
N	J	K	M	J	P	D	T	X	H	T	F	O	G	L

1. cross
2. straight
3. right
4. left

Chapter Review

p.111

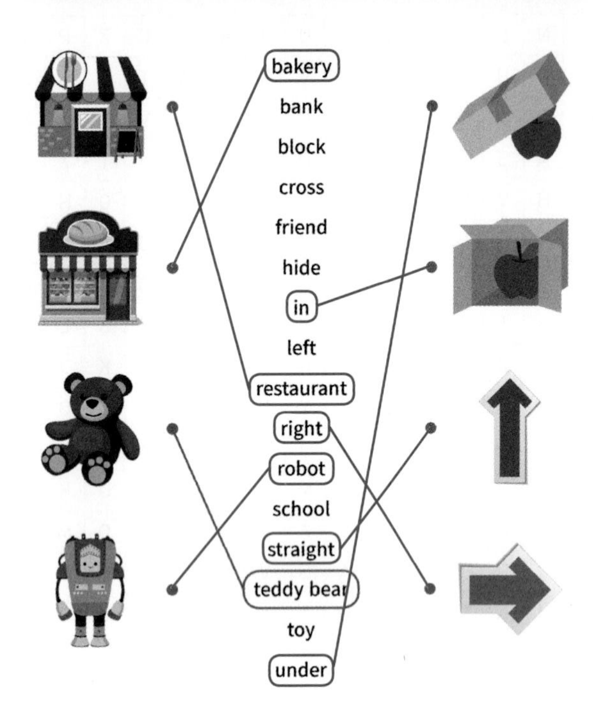

※ 학생의 생각에 따라 다양한 정답이 가능할 수 있습니다.

예)

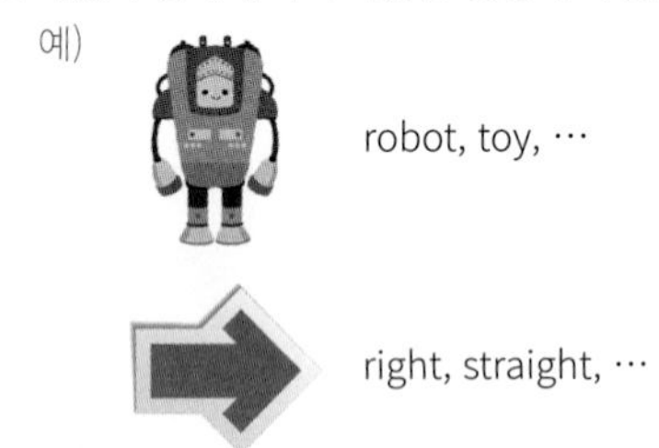

robot, toy, …

right, straight, …

MEMO

MEMO